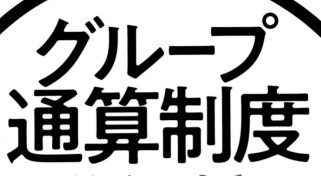

グループ通算制度への移行・採用の有利・不利とシミュレーション

税理士法人トラスト
公認会計士・税理士
足立 好幸 ●著

清文社

改訂にあたって

　2010年7月に初版、2018年10月に第2版が発刊されて以来、本書の前身である『連結納税採用の有利・不利とシミュレーション』及び『連結納税シミュレーション・シート（表計算ソフト）』は、連結納税制度の採用を検討する企業の税務担当者様のみならず、会計事務所の専門家の先生方など連結納税制度に携わる様々な方に手に取っていただきました。

　今までに、本書をご利用いただいたすべての皆様にこの場をお借りして感謝いたします。

　そして、今回、連結納税制度からグループ通算制度への移行に対応する改訂版を出版させていただくことになりました。

　この改訂版は、次の2つの企業の実務対応をテーマにしています。

①　単体納税制度からグループ通算制度への移行を検討する企業向けの『グループ通算制度採用の有利・不利とシミュレーションと実務対応』

②　連結納税制度からグループ通算制度への移行を検討する企業向けの『グループ通算制度移行の有利・不利とシミュレーションと実務対応』

　そして、上記①では「単体納税制度 VS グループ通算制度」、上記②では「連結納税制度 VS グループ通算制度」の観点から、次の3つの実務対応について解説しています。

❶　税金コストと繰延税金資産の有利・不利

❷　シミュレーションの実務（表計算ソフトを使った計算例）

❸　グループ通算制度導入・移行のタスクとスケジュール

　また、本書を購入していただいた方には、表計算ソフトによる自動計算シートとして、単体納税制度からグループ通算制度への移行を検討する企業向けの『通算制度採用のシミュレーションシート』と連結納税制度からグループ通算制度への移行を検討する企業向けの『通算制度移行のシミュレーションシート』を無料でダウンロードできるようにしています。※

※　但し、シミュレーションシートは、あくまで本書で解説するケースス

タディに対応する目的でつくられています。自社グループに適応した精度の高いシミュレーションを望まれる場合、本書を参考に独自のアレンジを加えていただく必要があります。

　本書に記されている税務上および会計上の取扱いは、あくまで著者の個人的な見解です。個別具体の取引に適用する場合においては、取引の事実関係に基づいて、税理士・監査法人等の専門家の意見を参考にしつつ慎重に検討することをお勧めいたします。

　また、シミュレーション・シートを用いて検討した結果についても、著者および著者所属の税理士法人はいかなる責任も負いかねます。この旨、ご了承のうえでご活用ください。

　最後に、改訂版を執筆する機会をいただき、本書の企画に携わってくださった株式会社清文社の坂田啓氏と編集作業全般を担当してくださった同社の中村麻美氏に深く感謝いたします。

　また、筆者は、連結納税制度及びグループ通算制度の書籍を多数執筆しておりますが、その中でも、本書は筆者が初めて執筆した連結納税制度の書籍となります。この本がなければ、筆者が連結納税制度及びグループ通算制度を専門分野にすることはできなかったと思います。11年前に本書の初版を出版させていただく機会をいただき、企画から編集まで担当してくださった清文社の永見俊博氏に対し、心から感謝をし、この場を借りて御礼申し上げます。

2021年10月

公認会計士・税理士　足立　好幸

はじめに

　本書は、連結納税採用の有利・不利につき、表計算ソフトによるシミュレーションを行うことで、その判定が可能な限り簡単に下せるよう執筆しました。

　平成22年度税制改正により、連結子法人の連結納税開始前または加入前の繰越欠損金の持込制限が緩和されることとなりました。

　これまで連結納税は、連結子法人の繰越欠損金の切捨てを理由に企業の多くが採用を見送ってきました。一方で、連結納税は、税金コスト最少化、繰延税金資産の安定化の目的から、企業グループの税務戦略として重要な役割を担ってきました。事実、連結納税の適用により、キャッシュ・アウトが減少し、繰延税金資産が安定し、企業価値向上につながった企業グループが数多く存在します。これは損益通算効果が十分に発揮された結果といえます。

　また、平成22年4月1日開始事業年度もしくは平成22年10月1日から適用される「グループ法人税制」は、連結納税への移行をはかる税制であるといえます。今後、すべての企業グループは連結納税を再検討する必要に迫られることになるでしょう。「連結納税を採用する企業が増加する」と巷間ささやかれている理由はここにあります。

　以上のことから、本書では、連結納税を採用する企業・採用しない企業いずれにも共通する「連結納税採用の有利・不利」について、本書における解説はもちろん、著者所属の税理士法人 Web サイトからシミュレーション・シートをダウンロードすることで、詳細な検討が加えられるようにしました。ここでいう「連結納税採用の有利・不利」を検討する企業とは、主に次のようなケースを想定しています。

　① 　連結納税採否を決定するため、連結納税について有利・不利を判定したい企業

　② 　連結納税の採用を予定しており、連結納税が不利とならないことを

確認したい企業

③ 連結納税の採用を予定していないが、会社内で不採用の理由を客観的に説明したい企業

　本書では平成22年4月1日以後開始事業年度、かつ、平成22年10月1日以後に連結納税の申請期限が到来する場合の連結納税および単体納税の取扱いを解説しています。

　また、上記シミュレーション・シートは、あくまで本書で解説するケース・スタディに対応する目的でつくられています。自社グループに適応した精度の高いシミュレーションを望まれる場合、本書を参考に独自のアレンジを加えていただく必要があります。

　本書に記されている税務上および会計上の取扱いは、あくまで著者の個人的な見解です。個別具体の取引に適用する場合においては、取引の事実関係に基づいて、税理士・監査法人等の専門家の意見を参考にしつつ慎重に検討することをお勧めいたします。

　なお、シミュレーション・シートを用いて検討した結果についても、著者および著者所属の税理士法人はいかなる責任も負いかねます。この旨、ご了承のうえでご活用ください。

　最後に、シミュレーション・シートおよびダウンロード・サイトを制作してくれた上口真希さん、税務・会計のみならず実務的な観点から有意義なアドバイスを寄せてくれた吉川祐樹氏と鎌田泰光氏、皆さんがいなければ本書は発刊に至らなかったでしょう。ありがとうございました。

　また、本書の企画に携わり、編集作業全般を担当してくださった㈱清文社の永見俊博氏に対し、この場を借りて御礼申し上げます。

2010年7月

税理士法人トラスト

公認会計士・税理士　足立　好幸

目　次

第1部　グループ通算制度の概要

① グループ通算制度とは　　3

② グループ通算制度の適用範囲　　4

  ❶ 通算親法人　4

  ❷ 通算子法人　5

③ グループ通算制度の適用方法　　6

  ❶ グループ通算制度の自動移行　6

  ❷ グループ通算制度の開始　6

  ❸ グループ通算制度への加入　10

  ❹ グループ通算制度からの離脱　11

  ❺ グループ通算制度の取りやめ　11

④ 所得金額及び法人税額の計算の仕組み　　12

⑤ 青色申告　　16

⑥ 申告・納付　　16

  ❶ 申告・納付　16

  ❷ 申告期限の延長　17

⑦ 事業年度　　18

  ❶ 通算事業年度　18

  ❷ 加入法人の事業年度　18

  ❸ 離脱法人の事業年度　19

⑧ 開始・加入・離脱時の取扱い　　21

  ❶ 開始時の取扱い　21

  ❷ 加入時の取扱い　22

  ❸ 離脱時の取扱い　23

⑨ 地方税の計算の仕組み　　23

❶ 住民税　23

❷ 事業税　25

⑩ 通算税効果額（グループ内の税金精算）　26

⑪ 法人税申告書の別表の概要　30

⑫ 修正・更正　47

❶ 損益通算　47

❷ 欠損金の通算　48

❸ 軽減税率の適用対象所得金額　48

❹ 受取配当金の益金不算入（負債利子控除額の上限額の計算）　48

❺ 外国税額控除　49

❻ 研究開発税制　49

⑬ 適用時期　51

⑭ 経過措置　51

第2部　グループ通算制度を適用する場合の会計処理

第1章　グループ通算制度を適用する場合の会計処理及び開示に関する取扱い　55

① 適用範囲　55

② 用語の定義　56

③ 適用時期等　57

第2章　法人税及び地方法人税に関する会計処理　60

第3章　税効果会計に関する会計処理　62

① 個別財務諸表における繰延税金資産の回収可能性　62

❶ 繰延税金資産の回収可能性の判断に関する手順　62

❷ 企業分類に応じた繰延税金資産の回収可能性に関する取扱い　63

② 連結財務諸表における繰延税金資産の回収可能性　64

　❶ 繰延税金資産の回収可能性の判断に関する手順　64

　❷ 企業分類に応じた繰延税金資産の回収可能性に関する取扱い　69

③ 繰延税金資産及び繰延税金負債に関する表示　78

　❶ 個別財務諸表における表示　78

　❷ 連結財務諸表における表示　78

④ 単体納税制度からグループ通算制度に移行する場合のグループ通算制度に基づく税効果会計の適用時期と繰延税金資産の影響額の会計処理　78

　❶ グループ通算制度に基づく税効果会計の適用時期　78

　❷ 繰延税金資産の影響額の会計処理　79

⑤ 2022年4月1日以降最初に開始する事業年度（税法の移行初年度）に単体納税制度からグループ通算制度に移行する場合の実務対応報告第42号に基づく税効果会計の適用時期と繰延税金資産の影響額の会計処理　81

　❶ 適用時期　81

　❷ 繰延税金資産の影響額の会計処理　81

第3部 # 単体法人の「グループ通算制度」採用の有利・不利とシミュレーションと実務対応

第1章　「グループ通算制度」採用の有利・不利　87

1 税金コストの有利・不利　87

① グループ通算制度の有利・不利　87

② グループ通算制度の採用がメリットになるケース　89

③ グループ通算制度の採用がデメリットになるケース　106

④ その他の有利・不利が生じる取扱い　135

　❶ 受取配当金の益金不算入制度　135

　❷ 外国子会社配当金の益金不算入制度　137

　❸ 留保金課税　138

⑤ 加入・離脱に伴う有利・不利　142

- ❶ 加入に伴う有利・不利　142
- ❷ 離脱に伴う有利・不利　155

2　繰延税金資産の回収可能性の有利・不利　165

- ① 個別財務諸表における繰延税金資産の回収可能性の有利・不利　165
  - ❶ 企業分類の有利・不利　165
  - ❷ スケジューリングによる有利・不利　169
- ② 連結財務諸表における繰延税金資産の回収可能性の有利・不利　174
  - ❶ 企業分類の有利・不利　174
  - ❷ スケジューリングによる有利・不利　176

第2章　「グループ通算制度」採用のシミュレーション　180

1　『税金コスト』のシミュレーション　180

- ① シミュレーションの基本情報（一覧表）　180
- ② シミュレーション（有利・不利の判定）　191

2　『繰延税金資産の回収可能額』のシミュレーション　198

- ① シミュレーションの基本情報（一覧表）　198
- ② シミュレーション（有利・不利の判定）　204

第3章　グループ通算制度の採否決定の考え方　222

- ① 定性的な側面から見たグループ通算制度の有利・不利　222
  - ❶ 損益通算効果の継続性　222
  - ❷ 事務負担の増加　223
  - ❸ グループ内再編・M＆Aの可能性　225
  - ❹ グループ通算制度システムの導入　228
  - ❺ 税務に関するコーポレートガバナンスの充実　229
  - ❻ グループ通算制度の税務調査　231
  - ❼ 決算期の統一　232
- ② グループ通算制度の採否決定の考え方　233

第4章　グループ通算制度導入のタスクとスケジュール　236

① グループ通算制度導入のタスクとスケジュール　236

② グループ通算制度を導入するにあたっての検討事項　257

第4部　連結法人の「グループ通算制度」移行の有利・不利とシミュレーションと実務対応

第1章　「グループ通算制度」移行の有利・不利　297

1 グループ通算制度への移行に係る税務上の取扱い　297

2 単体納税制度への復帰に係る税務上の取扱い　300

3 グループ通算制度への移行と単体納税制度への復帰に係る
税効果会計の適用時期と繰延税金資産の影響額の会計処理　303

① 連結納税制度からグループ通算制度に移行する場合　303

② 連結納税制度から単体納税制度に復帰する場合　306

4 連結納税制度下の節税効果のグループ通算制度移行後の
取扱い　308

① 損益通算後の所得金額を上限とするため、特定欠損金（子法人の適用
前の繰越欠損金）の解消額が少なくなるケース　311

② 非特定欠損金が他の通算法人に配分されることにより住民税額が増加
するケース　312

③ 中小法人の特例措置又は中小企業者の租税特別措置が適用できなく
なるケース　314

④ 投資簿価修正によって税負担が増加するケース　315

5 連結納税制度とグループ通算制度の繰延税金資産の回収
可能性の比較　318

6 税金コストの有利・不利　325

7 繰延税金資産の回収可能性の有利・不利　332

第2章 「グループ通算制度」移行のシミュレーション 337

❶ 『税金コスト』のシミュレーション 337
- ① シミュレーションの基本情報（一覧表） 337
- ② シミュレーション（有利・不利の判定） 345

❷ 『繰延税金資産の回収可能額』のシミュレーション 350
- ① シミュレーションの基本情報（一覧表） 350
- ② シミュレーション（有利・不利の判定） 355

第3章 グループ通算制度の移行決定の考え方 371

- ① 定性的な側面から見たグループ通算制度の有利・不利 371
  - ❶ 損益通算効果の継続性 371
  - ❷ 事務負担の増加 372
  - ❸ グループ内再編・M＆Aの可能性 372
  - ❹ グループ通算制度システムの導入 373
  - ❺ 税務に関するコーポレートガバナンスの充実 376
  - ❻ グループ通算制度の税務調査 376
- ② グループ通算制度の移行決定の考え方 378

第4章 グループ通算制度に移行する場合又は移行しない 場合のタスクとスケジュール 380

- ① グループ通算制度に移行する場合又は移行しない場合のタスクとスケジュール 382
- ② グループ通算制度に移行する場合又は移行しない場合の検討事項 400
  - ❶ グループ通算制度に移行する場合の検討事項 400
  - ❷ グループ通算制度に移行しない場合の検討事項 406

本書のご利用にあたって

　本書は、グループ通算制度採用・移行のための有利・不利判定を行うために、マイクロソフト社の表計算ソフト Excel を活用したシミュレーション・シートの提供と、その活用方法について解説しています。

＊　Microsoft、MS、Windows は米国 Microsoft Corporation の米国およびその他の国における登録商標です。そのほか、本文中で使用する製品名等は一般的に各社の商標または登録商標です。

＊　本文中では Copyright、TM、R マーク等は省略しています。

本書の概要

　本書で提供している単体納税制度からグループ通算制度への移行を検討する企業向けの『通算制度採用のシミュレーションシート』と連結納税制度からグループ通算制度への移行を検討する企業向けの『通算制度移行のシミュレーションシート』（以下、「通算制度シミュレーションシート」という）は、あくまで本書で解説する第3部第2章及び第4部第2章のケーススタディに対応する目的でつくられています。従いまして、ケーススタディ以外の前提条件によるシミュレーションをする場合、あるいは、自社グループの状況を正確に反映した形でのシミュレーションを望まれる場合、状況に応じて本書及び通算制度シミュレーションシートを参考に独自のシートを作成いただく必要があります。なお、通算制度シミュレーションシートを直接、加工修正することはできませんのでご了承ください。

通算制度シミュレーションシートのダウンロード

　通算制度シミュレーションシートは Windows 版 Excel 2013～2019／パッケージ版 office2013 から 2019 及び Office365 までの version を前提としています。今後、発売が予定されている version、あるいは Excel 以外の表計

算ソフト、Windows 以外の OS による使用は想定していません。これら条件での動作は保証いたしません。

　通算制度シミュレーションシートは、本書をお買い上げになった方のみ、グループ通算制度（旧連結納税）ダウンロードサイトから無料でダウンロードできます（詳しいダウンロードの方法は次頁参照）。

　なお、通算制度シミュレーションシートはシマンテックの Symantec Endpoint Protection でウィルスチェックをした後にサーバーにアップロードしていますが、ウィルスチェックをした事実をもって、同シートが完全に無謬であることを保証するものではありません。ダウンロード後には、必ずご自身でウィルスチェックを行われることをお勧めします。

免責事項等

　通算制度シミュレーションシートに起因する直接・間接のいかなる損害についても、著作権者や著作権者が所属する税理士法人、出版元である㈱清文社は一切の責任を負いません。免責事項の詳細については、当該ダウンロードサイトでご確認ください。

　また、今後の法改正等によりサイトの改修を行う場合がございます。

通算制度シミュレーションシートのダウンロード

まず、インターネットで次のアドレスにアクセスします。

https://group-tax.com

下の画面が開いたら、「著書購入特典」をクリックします。

次の画面が開いたら、申込者に関する情報をご入力いただいたうえで、規約に同意された場合はチェックボックスにチェックをし、本書に記載されているパスワードを入力してください。通算制度シミュレーションシートをダウンロードする場合は、必ず本書をお手元に置いて実施してください。

グループ通算制度（旧連結納税）ダウンロードサイト

書籍購入特典　セミナーおよび書籍に関する情報をお届けします。

　　　　　　　　　　　　　　　　　　　ホーム　　サイトについて　　セミナー情報　　書籍情報

　グループ通算制度への移行・採用の有利・不利とシミュレーション　シートのダウンロード

個人/法人
　　◉ 個人　　○ 法人

メールアドレス

お名前 (漢字)

お名前 (カナ)

会社・団体名 (漢字)

　ご希望のシートをダウンロードしてご利用ください。

―――――― ● 凡　例 ● ――――――

- 法法 ……………………… 法人税法
- 法令 ……………………… 法人税法施行令
- 法規 ……………………… 法人税法施行規則
- グ通通 …………………… グループ通算制度に関する取扱通達の制定について（法令解釈通達）
- 措法 ……………………… 租税特別措置法
- 措令 ……………………… 租税特別措置法施行令
- 地法 ……………………… 地方税法
- 地令 ……………………… 地方税法施行令
- 地規 ……………………… 地方税法施行規則
- 地方法法 ………………… 地方法人税法
- 地方法令 ………………… 地方法人税法施行令
- 平成27年所法等改正法附則 …… 附則（所得税法等の一部を改正する法律）
- 平成27年地法改正法附則 ……… 附則（地方税法等の一部を改正する法律）
- 令和２年所法等改正法附則 …… 附則（所得税法等の一部を改正する法律）
- 令和２年法令改正法令附則 …… 附則（法人税法施行令等の一部を改正する政令）
- 令和２年法規改正法規附則 …… 附則（法人税法施行規則等の一部を改正する省令）
- 令和２年地法改正法附則 ……… 附則（地方税法等の一部を改正する法律）
- 令和２年地令改正法令附則 …… 附則（地方税法施行令の一部を改正する政令）
- 令和２年地規改正法規附則 …… 附則（地方税法施行規則の一部を改正する省令）
- 令和２年度税制改正の解説 …… 連結納税制度の見直しに関する法人税法等の改正（財務省）
- 税効果会計基準 ………………… 税効果会計に係る会計基準（企業会計審議会）
- 税効果会計基準一部改正 ……… 『税効果会計に係る会計基準』の一部改正（企業会計基準第28号　企業会計基準委員会）
- 税効果適用指針 ………………… 税効果会計に係る会計基準の適用指針（企業会計基準適用指針第28号　企業会計基準委員会）
- 回収可能性適用指針 …………… 繰延税金資産の回収可能性に関する適用指針（企業会計基準適用指針第26号　企業会計基準委員会）
- 中間税効果適用指針 …………… 中間財務諸表等における税効果会計に関する適用指針（企業会計基準適用指針第29号　企業会計基準委員会）
- 旧実務対応報告第５号 ………… 連結納税制度を適用する場合の税効果会計に関する当面の取扱い（その１）（実務対応報告第５号　企業会計基準委員会）

・旧実務対応報告第7号 …………	連結納税制度を適用する場合の税効果会計に関する当面の取扱い（その2）（実務対応報告第7号 企業会計基準委員会）
・四半期会計基準 ………………	四半期財務諸表に関する会計基準（企業会計基準第12号 企業会計基準委員会）
・四半期適用指針 ………………	四半期財務諸表に関する会計基準の適用指針（企業会計基準適用指針第14号 企業会計基準委員会）
・実務対応報告第42号 …………	グループ通算制度を適用する場合の会計処理及び開示に関する取扱い（実務対応報告第42号 企業会計基準委員会）

＊本書は、令和3年10月1日現在の法令等によっています。

1 | グループ通算制度とは

　グループ通算制度とは、国内で完結する100%の資本関係にある法人内で損益の通算、つまり、赤字と黒字の相殺を行いつつ、各法人が個別に法人税額の計算及び申告を行う制度をいう。

　また、グループ通算制度の開始・加入・離脱時に時価評価課税、繰越欠損金の切捨て、投資簿価修正等の特別な取扱いが適用される。

[法人税の計算（損益通算）]

X年度	通算親法人P	通算子法人A	合　計
所得金額 （損益通算前）	400	▲ 200	200
損益通算	赤字と黒字の相殺 ▲ 200	200	0
所得金額 （損益通算後）	200	0	200
法人税の額 （20%）	40	0	40

[法人税の計算（欠損金の通算）]

X年度	通算親法人P	通算子法人A	合　計
繰越欠損金	0	400	400

X年度	通算親法人P	通算子法人A	合　計
所得金額 （欠損金通算前）	400	400	800
欠損金の通算	▲ 200	▲ 200	グループ全体で使用 ▲ 400
所得金額 （欠損金の通算後）	200	200	400
法人税の額 （20%）	40	40	80

2 | グループ通算制度の適用範囲

グループ通算制度の適用範囲は、適用の承認を受けた「通算親法人及び通算親法人との間に通算親法人による完全支配関係がある通算子法人」の全てとなる（法法64の9①）。

ここで、グループ通算制度の適用範囲となる「完全支配関係」は、完全支配関係のうち、通算除外法人及び外国法人が介在しない関係となり、通算法人間の完全支配関係を「通算完全支配関係」という（法法64の9①、2十二の七の七、法令131の11②、4の2②）。

❶ 通算親法人

グループ通算制度において、通算親法人となることができる法人は、内国法人である普通法人又は協同組合等に限る（法法64の9①、法令131の11①、令和2年所法等改正法附則29③）。

ただし、次の法人は通算親法人となることができない。

[通算親法人に該当しない内国法人]

① 清算中の法人
② 他の内国法人の100％子会社
③ 連結法人であった法人のうちグループ通算制度に移行せず単体納税制度に戻った法人で最終の連結事業年度終了日の翌日から同日以後5年を経過する日の属する事業年度終了日までの期間を経過していないもの
④ やむを得ない事情があり国税庁長官から通算承認の取りやめの承認を受けた法人、青色申告の承認の取消しの通知を受けた法人、青色申告の取りやめの届出書を提出した法人で一定の期間を経過していないもの
⑤ 投資法人、特定目的会社、投資信託又は特定目的信託に係る受託法人

❷ 通算子法人

　グループ通算制度において、通算子法人となることができる法人は、通算親法人となる法人による完全支配関係がある内国法人（通算除外法人を除く）となる（法法64の9①）。

　この場合、通算除外法人とは、次に掲げる法人をいう（法法64の9①、法令131の11②③、令和2年所法等改正法附則29③、令和2年法令改正法令附則27①）。

一. 通算親法人に該当しない内国法人のうち、③～⑤に該当する法人
二. 普通法人以外の法人
三. 破産手続開始の決定を受けた法人
四. 過去に通算グループから離脱した法人のうち、再び直前保有法人である通算親法人による完全支配関係を有することとなった法人で適用制限期間を経過してないもの

　上記四は、過去に通算グループ又は連結グループから離脱した法人で5年を経過していない場合、当時の通算親法人又は連結親法人あるいは、通算子法人又は連結子法人でその離脱した法人の直接・間接の100%親法人であったものを新たに通算親法人としたグループ通算制度には加入できない取扱いである。

　具体的には、適用制限期間（過去に通算（連結）承認の効力を失った日から同日以後5年を経過する日の属する事業年度終了日までの期間）を経過していない場合にはその通算（連結）承認の効力を失う直前における通算（連結）承認の効力を失った法人の発行済株式等の全部を直接又は間接に保有する法人（直前保有法人）の通算子法人となることができない。

　以上より、通算除外法人は通算子法人には該当せず、通算除外法人及び外国法人が介在する完全支配関係を有する法人も通算子法人には該当しない。

3 グループ通算制度の適用方法

❶ グループ通算制度の自動移行

　グループ通算制度は、令和4年4月1日以後に開始する事業年度から適用されるが、連結納税制度を適用している法人は、令和4年4月1日以後最初に開始する事業年度から、自動的にグループ通算制度に移行する（令和2年所法等改正法附則29①）。

　ただし、連結納税制度を適用している法人が、グループ通算制度に移行せずに、単体納税制度に戻りたい場合、連結親法人が令和4年4月1日以後最初に開始する事業年度開始日の前日までに届出書を税務署長に提出すれば、その連結親法人及び連結子法人は令和4年4月1日以後最初に開始する事業年度からグループ通算制度を適用しない法人となることができる（令和2年所法等改正法附則29②）。

　なお、連結法人がグループ通算制度を適用しない法人となることを選択した場合には、最終の連結事業年度終了日の翌日から同日以後5年を経過する日の属する事業年度終了日までの期間を経過していない法人は、グループ通算制度の適用を受けて通算法人となることはできない（令和2年所法等改正法附則29③）。

❷ グループ通算制度の開始

（1）承認申請

　親法人及び子法人が、通算承認を受けようとする場合には、その親法人のグループ通算制度の適用を受けようとする最初の事業年度開始日の3か月前の日までに、その親法人及び子法人の全ての連名で、承認申請書をその親法人の納税地の所轄税務署長を経由して、国税庁長官に提出する必要

がある（法法64の9②）。

ここで、「通算承認」とは、グループ通算制度の適用に係る国税庁長官の承認をいう。

この場合、グループ通算制度の適用を受けようとする最初の事業年度開始日の前日までにその申請についての通算承認又は却下の処分がなかったときは、その親法人及び子法人の全てについて、その開始日においてその通算承認があったものとみなされ、同日からその効力が生じる（法法64の9⑤⑥）。

なお、承認申請書の様式は、国税庁の特設サイト『グループ通算制度について』（https://www.nta.go.jp/taxes/shiraberu/zeimokubetsu/hojin/group_tsusan/index.htm）で公開されている。

また、グループ通算制度の承認申請の承認があったことに関する地方税の届出については、各地方自治体の条例等で定められることになるため、今後の改正を確認する必要がある（連結納税制度の場合、『法人税に係る連結納税の承認等の届出書（東京都都税条例規則第32号様式（乙）その3）』が該当する。提出期限は連結法人となった日から15日以内となっている）。

[グループ通算制度の承認申請期限]

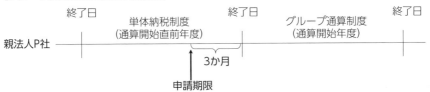

（2）親法人の設立事業年度又は設立翌事業年度からの適用方法

親法人の設立事業年度又は設立事業年度の翌事業年度からグループ通算制度を適用する場合の承認申請期限は次のとおりとなる（法法64の9⑦⑧⑨）。

この場合のグループ通算制度の適用を開始する事業年度を「申請特例年度」という。

一．設立事業年度から適用する場合の設立年度申請期限

次のⅰ又はⅱのいずれか早い日
ⅰ 設立事業年度開始日から1か月を経過する日
ⅱ 設立事業年度終了日から2か月前の日

[親法人の設立年度からグループ通算制度を適用する場合の承認申請期限]

※ 設立年度終了日から2か月前の日が設立日より前の場合は、設立年度の申請期限の特例を適用できない。

二．設立事業年度の翌事業年度から適用する場合の設立翌年度申請期限[※1,2]

次のⅰ又はⅱのいずれか早い日
ⅰ 設立事業年度終了日
ⅱ 設立事業年度の翌事業年度終了日から2か月前の日

※1 設立事業年度が3か月に満たない場合に限る。設立事業年度が3か月以上の場合は、原則どおり、3か月前の日が申請期限となる。
※2 親法人が設立事業年度終了の時に時価評価法人(時価評価対象法人に該当し、かつ、時価評価資産を有する法人)に該当する場合を除く。この場合で、親法人の設立事業年度が3か月に満たない場合、結果的に設立事業年度の翌事業年度からグループ通算制度を適用することはできない。

[親法人の設立翌年度からグループ通算制度を適用する場合の承認申請期限]

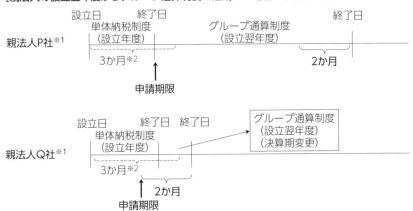

※1 親法人が設立年度終了時に時価評価法人に該当する場合、設立翌年度の申請期限の特例を適用できない。
※2 設立年度が3か月以上の場合は、原則どおり、3か月前の日が申請期限となる。

　この場合、申請書を提出した日から2か月を経過する日までにその申請についての通算承認又は却下の処分がなかったときは、2か月を経過する日（親法人の設立事業年度の翌事業年度が申請特例年度であり、かつ、翌事業年度開始日が2か月を経過する日後である場合には、当該開始日）においてその通算承認があったものとみなされる（法法64の9⑨）。

　また、時価評価法人に該当する子法人※及び当該時価評価法人が発行済株式又は出資を直接又は間接に保有する子法人は、申請特例年度終了日の翌日から通算承認の効力が生じ、最初通算事業年度が開始することになる（つまり、1年度遅れてグループ通算制度に加入する。法法64の9⑩）。

　※　時価評価法人に該当する子法人とは、グループ通算制度の開始時に時価評価対象法人に該当する子法人のうち、申請特例年度開始日の前日の属する事業年度終了の時に時価評価資産を有するものをいう（以下、「開始時の時価評価法人」という）。

❸ グループ通算制度への加入

　内国法人（通算除外法人を除く）が通算親法人との間にその通算親法人による完全支配関係を有することとなった場合、原則として、完全支配関係発生日においてグループ通算制度の承認があったものとみなされる（法法64の9⑪）。

　ただし、加入時期の特例の適用を受ける場合には、完全支配関係発生日の前日の属する特例決算期間の末日の翌日において通算承認があったものとみなされる（法法14⑧一、64の9⑪）^(注1)。

　ここで、特例決算期間とは、その内国法人の月次決算期間又は会計期間のうち、加入時期の特例を適用するために提出する届出書に記載された期間をいう。

　なお、通算親法人は、その通算子法人が完全支配関係発生日以後遅滞なく、その完全支配関係発生日等を記載した書類を納税地の所轄税務署長に提出する必要がある（法令131の12③）。

　また、グループ通算制度へ加入したことに関する地方税の届出については、各地方自治体の条例等で定められることになるため、今後の改正を確認する必要がある（連結納税制度の場合、『法人税に係る連結納税の承認等の届出書（東京都都税条例規則第32号様式（乙）その3）』が該当する。提出期限は連結法人となった日から15日以内となっている）。

（注1）　申請特例年度の中途に完全支配関係を有することとなった場合については、時価評価法人[※]に該当する加入法人及び当該時価評価法人又は開始時の時価評価法人が発行済株式又は出資を直接又は間接に保有する加入法人は、申請特例年度終了日の翌日（加入時期の特例規定の適用を受ける場合、当該翌日と特例決算期間の末日の翌日とのうちいずれか遅い日）から通算承認の効力が生じ、最初通算事業年度が開始することになる（つまり、1年度遅れてグループ通算制度に加入する。法法64の9⑫）。

※　時価評価法人に該当する加入法人とは、完全支配関係発生時に時価評価対象法人に該当する子法人のうち、完全支配関係発生日の前日の属する事業年度終了の時に時価評価資産を有するものをいう（以下、「加入時の時価評価法人」という）。

❹ グループ通算制度からの離脱

　第三者への株式の譲渡などにより、通算子法人が通算親法人との間に通算完全支配関係を有しなくなった場合、その通算完全支配関係を有しなくなった日に通算承認の効力が失われる（法法64の10⑥六）。

　また、通算子法人の解散（合併又は破産手続開始の決定による解散に限る）又は残余財産の確定があった場合についても、その解散の日の翌日（合併による解散の場合には、その合併の日）又はその残余財産の確定の日の翌日に通算承認の効力が失われる（法法64の10⑥五）。

　さらに、通算子法人が青色申告の承認の取消しの通知を受けた場合には、その通知を受けた日から通算承認の効力が失われる（法法64の10⑤、127②）。

　なお、通算子法人が通算親法人との間に通算完全支配関係を有しなくなった場合には、その通算親法人は、その有しなくなった日以後遅滞なく、その有しなくなった日等を記載した書類を納税地の所轄税務署長に提出する必要がある（法令131の14④一）。

　また、グループ通算制度から離脱したことに関する地方税の届出については、各地方自治体の条例等で定められることになるため、今後の改正を確認する必要がある（連結納税制度の場合、『法人税に係る連結納税の承認等の届出書（東京都都税条例規則第32号様式（乙）その３）』が該当する。提出期限は連結法人でなくなった日から15日以内となっている）。

❺ グループ通算制度の取りやめ

　通算法人は、やむを得ない事情があるときは、国税庁長官の承認を受けてグループ通算制度の適用を受けることをやめることができる。このグループ通算制度の取りやめの申請は、通算法人の全ての連名で行うことになり、通算親法人に対してこの申請が承認された場合には、その承認を受けた日の属する通算親法人の事業年度終了の時において、通算法人の全て

につき、その承認があったものとみなされる（法法64の10①②③④、法令131の14①②③）。そして、通算法人の全てにおいて、その承認を受けた日の属する事業年度終了日の翌日から通算承認の効力は失われる（法法64の10④）。

また、通算親法人が他の内国法人の100％子会社となった場合、通算親法人が解散する場合（合併による解散を含む）、通算子法人がなくなった場合のほか、通算親法人が青色申告の承認の取消しの通知を受けた場合においても、通算法人の全てで通算承認の効力は失われる（法法64の10⑤⑥、127②）。

なお、グループ通算制度の取りやめがあった場合には、その通算親法人（やむを得ない事情により国税庁長官の承認を受けて取りやめとなったもの及び青色申告の承認の取消しの通知を受けて取りやめとなったものを除く）は、取りやめになった日以後遅滞なく、取りやめになった日等を記載した書類を納税地の所轄税務署長に提出する必要がある（法令131の14④）。

また、グループ通算制度の取りやめがあったことに関する地方税の届出については、各地方自治体の条例等で定められることになるため、今後の改正を確認する必要がある（連結納税制度の場合、『法人税に係る連結納税の承認等の届出書（東京都都税条例規則第32号様式（乙）その3）』が該当する。提出期限は連結法人でなくなった日から15日以内となっている）。

4 所得金額及び法人税額の計算の仕組み

通算法人の所得金額及び法人税額は下図の流れで計算される。

損益通算、欠損金の通算、試験研究費の税額控除、外国税額控除については、自社の計算要素だけではなく、他の通算法人の計算要素を使って、各通算法人の金額を計算することになる。

また、受取配当金の負債利子控除額の上限は、通算グループ全体の支払利子の額を基礎に各通算法人の金額を計算し、留保金課税についても、他の通算法人に対する支払配当及び他の通算法人からの受取配当の金額を調整して計算することになる。

[グループ通算制度の所得金額及び法人税額の計算イメージ]

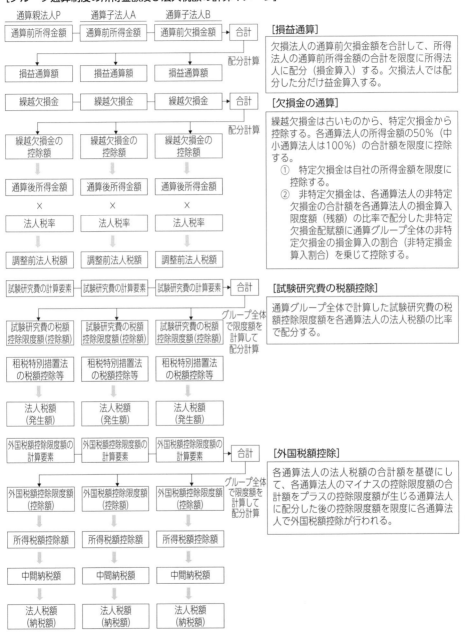

[損益通算 （計算例)]

損益通算のイメージ①所得が多い場合

A社(親法人) 所得　500	B社(子法人) 所得　100	C社(子法人) 欠損　▲50	D社(子法人) 欠損　▲250

① グループ各社の所得及び欠損をそれぞれ合算

所得を合算 〈A社500+B社100=600〉		欠損を合算 〈C社▲50+D社▲250=▲300〉	

② 損益通算　所得金額の比により、欠損の合計額を配分する。

▲300×500/600=250 ⇒損金算入	▲300×100/600=50 ⇒損金算入	300(※)×50/300=50 ⇒益金算入	300(※)×250/300=250 ⇒益金算入

※所得の合計(600)が欠損の合計(▲300)を超えることから、欠損の合計(▲300)が上限

③ 損益通算後

所得　250	所得　50	欠損⇒ゼロ	欠損⇒ゼロ

④ 調整前法人税額の計算

250×税率	50×税率	ゼロ	ゼロ

⑤ 税額調整

⑥ 申告・納税

損益通算のイメージ②欠損が多い場合

A社(親法人) 所得　250	B社(子法人) 所得　50	C社(子法人) 欠損　▲500	D社(子法人) 欠損　▲100

① グループ各社の所得及び欠損をそれぞれ合算

所得を合算 〈A社　250+B社　50=300〉		欠損を合算 〈C社　▲500+D社　▲100=▲600〉	

② 損益通算　欠損金額の比により、他社へ渡す欠損の額を配分する。

▲300(※)×250/300=250 ⇒損金算入	▲300(※)×50/300=50 ⇒損金算入	300×500/600=250 ⇒益金算入	300×100/600=50 ⇒益金算入

※欠損の合計(▲600)が所得の合計(300)を超えることから、所得の合計(300)が上限

③ 損益通算後

有所得⇒ゼロ	有所得⇒ゼロ	欠損　▲250 ⇒翌事業年度に繰越し	欠損　▲50 ⇒翌事業年度に繰越し

④ 調整前法人税額の計算

⑤ 税額調整

⑥ 申告

[出典] 財務省資料（租税研究2020年10月号）

法人税率は、各通算法人の区分に応じた税率が適用され、普通法人である通算法人は23.2％、協同組合等である通算親法人は19％の税率が適用される（法法66①③）。

　また、中小通算法人の所得金額のうち軽減対象所得金額以下の金額は15％（適用除外事業者は19％）の税率が適用される（法法66①⑥、措法42の3の2①）。

　ここで、中小通算法人とは、通算法人のすべてが単体納税制度の中小法人に該当する場合の通算法人をいう（法法66⑥）。

　一方、中小通算法人以外の通算法人（通算法人のいずれかが単体納税制度の中小法人に該当しない場合の通算法人）を大通算法人という（法法66⑥）。

　各中小通算法人の軽減対象所得金額の計算方法は次のとおりである（法法66⑦⑪⑫）。

[軽減対象所得金額の計算方法]

$$\text{軽減対象所得金額}^{※2} = 800万円^{※1} \times \frac{\text{その中小通算法人の所得金額}}{\text{各中小通算法人の所得金額の合計額}}$$

※1　通算親法人の事業年度が1年に満たない場合は月数按分した金額となる。
※2　その中小通算法人が通算子法人である場合において、その事業年度終了日が通算親法人の事業年度終了日でないときは800万円を月数按分した金額となる（つまり、通算親法人の事業年度の中途で離脱した通算子法人のその離脱日の前日に終了する事業年度は、軽減対象所得金額が「800万円の月数按分額」となり、他の通算法人との間で800万円を配分しない）。

　また、グループ通算制度では各通算法人で計算された法人税額を課税標準（基準法人税額）として、各通算法人で地方法人税額が計算される（地方法6一）。

　この場合、地方法人税率は、10.3％となる（地方法10①）。

　また、地方法人税の外国税額控除は、グループ通算制度の法人税の取扱いに準じてグループ調整計算となる（地方法12①④⑬、地方法令3④⑤⑥）。

　さらに、地方法人税の中間申告、確定申告、青色申告、電子申告、納付についても、グループ通算制度における法人税と同様の取扱いとなる（地方法16、19、19の3①②、20、21、27③④、30）。

5 | 青色申告

　青色申告の承認を受けていない内国法人がグループ通算制度の承認を受けた場合には、青色申告の承認を受けたものとみなされる（法法125②）。

　この場合、過去に青色申告の承認を受けていなかった連結法人は、グループ通算制度への移行により、通算承認の効力が生じた日において青色申告の承認があったものとみなされる（法法125②）。

　なお、通算法人は、青色申告の取りやめの届出ができない（法法128）。これは、青色申告の取りやめを自由にできるようにしてしまうと、青色申告制度を前提としているグループ通算制度を自由に取りやめることができるようになってしまうためである。したがって、仮に、青色申告を取りやめたい場合、まず、国税庁長官の承認を受けてグループ通算制度を取りやめた後、青色申告の取りやめの届出をすることになる。

6 | 申告・納付

❶ 申告・納付

　グループ通算制度では、各通算法人を納税単位として、各通算法人が個別に法人税額の計算及び申告を行う（法法74、77）。

　この場合、通算法人には法人税の電子申告義務が課される（法法75の4①②、法規36の3の2）。

　また、通算親法人の電子署名により通算子法人の申告及び申請、届出等を行うことができる（法法150の3①②、法規68①②、国税関係法令に係る情報通信技術を活用した行政の推進等に関する省令5⑦、6②）。

　さらに、ダイレクト納付（e-TAX を利用した納付）について所要のシステム修正等を行い、通算親法人が通算子法人の法人税の納付を可能とすることについて、令和4年4月以降に対応を開始することを予定している。

❷ 申告期限の延長

通算法人の申告については、申告期限の延長特例による延長期間を原則2か月とする（法法75の2①⑪）。

申告期限の延長申請は通算親法人が行うものとし、通算親法人に延長処分があった場合におけるその通算子法人及び申告期限の延長の適用を受けている通算グループに加入した通算子法人は申告期限が延長されたものとみなされる（法法75の2⑪）。

なお、内国法人が通算承認を受けた場合、通算承認の効力が生じた日以後に終了する事業年度については、通算承認の効力が生ずる前に受けていた申告期限の延長の処分、つまり、単体納税制度の時に受けていた申告期限の延長の処分は、その効力を失う（法法75の2⑪）。

この申告期限の延長特例の適用を受けるためには、最初に適用を受けようとする事業年度終了日の翌日から45日以内に、通算親法人が納税地の所轄税務署長に対して、延長申請書を提出する必要がある（法法75の2①③⑪）。

また、住民税については、法人税の申告期限の延長の処分に係る事業年度終了日から22日以内に、その処分があったことを届け出るため、主たる事務所又は事業所所在地の道府県知事に対して、申告期限の延長の処分等の届出書を提出する必要がある（地法53㊿㊾㊿、地規3の3）。

この場合、通算承認の効力が生ずる前に受けていた申告期限の延長の処分の失効についても、その失効のあった日の属する事業年度終了日から22日以内に届出書を提出する必要がある（地法53㊿㊾㊿、地規3の3）。

事業税についても、最初に適用を受けようとする事業年度終了の日の翌日から45日以内に、主たる事務所又は事業所所在地の道府県知事に対して、申告期限の延長申請書を提出する必要がある（地法72の25⑤、72の28②、地令24の4の3、24の3⑥、24の4②③⑧）。

17

7 | 事業年度

❶ 通算事業年度（下記❷❸を除く）

　グループ通算制度では、損益通算や欠損金の通算など通算申告を行う事業年度（通算事業年度）は、通算親法人の事業年度となる（法法64の5①③、64の7①）。

　この場合、通算親法人の事業年度開始時に通算完全支配関係がある通算子法人の事業年度は、その開始日に開始し、通算親法人の事業年度終了の時に通算完全支配関係がある通算子法人の事業年度は、その終了日に終了する（法法14③、地法72の13⑦）。

　そのため、通算法人は、会計期間に関係なく、通算親法人の事業年度でグループ通算制度を適用する申告を行うことになる（法法14③⑦、64の5①③、64の7①）。

❷ 加入法人の事業年度

　加入法人の事業年度は、完全支配関係を有することとなった日（加入日）の前日に終了し、これに続く事業年度は、加入日から開始する（法法14④一）。

　そして、加入日から通算親法人の事業年度終了日までの期間を最初にグループ通算制度を適用する事業年度として申告を行うことになる（法法64の9⑪、14③④一）。

　また、加入法人は、加入時期の特例の適用がないものとした場合の完全支配関係発生日の前日の属する事業年度に係る確定申告書の提出期限となる日までに、通算親法人が特例適用の届出書を納税地の所轄税務署長に提出したときは、完全支配関係発生日の前日の属する特例決算期間の末日の翌日を加入日とすることができる（法法14⑧一、法規8の3の3）。

18 第1部 グループ通算制度の概要

ここで、特例決算期間とは、届出書に記載した期間をいい、次のいずれかを選択することができる。

（1）加入法人の月次決算期間
（2）加入法人の会計期間

❸ 離脱法人の事業年度

　離脱法人の事業年度は、通算完全支配関係を有しなくなった日（離脱日）の前日に終了し、これに続く事業年度は、離脱日から開始する（法法14④二）。

　この場合、離脱日の前日が通算親法人の事業年度終了日と同日でない場合、離脱日の前日の属する事業年度（離脱直前事業年度）において、通算法人としてグループ通算制度を適用せずに申告を行う。一方、離脱日の前日が通算親法人の事業年度終了日と同日である場合、離脱直前事業年度において、グループ通算制度を適用して申告を行うことになる（法法64の5①③、64の7①）。

　そして、離脱事業年度（離脱日からその離脱法人の決算日までの期間）以後、単体法人として申告を行うことになる（法法64の10⑥六）。

[通算親法人となる法人と決算期が異なる通算子法人となる法人のグループ通算制度の規定の適用時期と事業年度の特例]

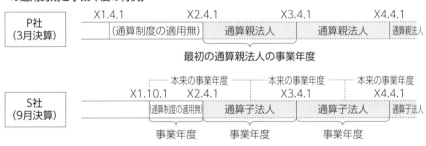

[出典] グループ通算制度に関するQ&A 問31（令和3年6月改訂・国税庁）

[グループ通算制度に加入する場合の事業年度の特例]

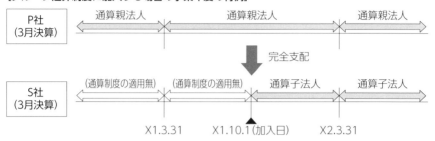

[出典] グループ通算制度に関するQ&A問32（令和3年6月改訂・国税庁）

[会計期間の中途でグループ通算制度に加入する法人の加入時期の特例]

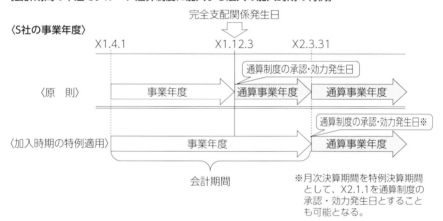

[出典] グループ通算制度に関するQ&A問36（令和3年6月改訂・国税庁）を一部加工

[グループ通算制度から離脱する場合の事業年度の特例]

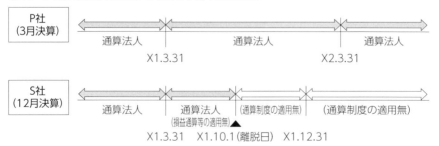

[出典] グループ通算制度に関するQ&A問33（令和3年6月改訂・国税庁）

8 | 開始・加入・離脱時の取扱い

❶ 開始時の取扱い

グループ通算制度を開始する場合、通算法人において次の取扱いが適用される。

（1）保有資産の時価評価

イ）時価評価対象法人は、通算開始直前事業年度において対象資産の時価評価を行う。通算開始直前事業年度とは、最初通算事業年度開始日の前日の属する事業年度（最後の単体納税制度の事業年度）をいう（法法64の11①）。

ロ）時価評価除外法人は、時価評価を行わない。

ハ）但し、時価評価除外法人で、「5年前の日又は設立日からの支配関係継続要件」及び「共同事業性の要件」のいずれも満たさない場合、開始前の資産の含み損等について、損金算入又は損益通算の制限が課される（法法64の6①③、64の14①）。

ニ）離脱見込みの法人株式について、その株主である通算法人において開始時に時価評価を行う（法法64の11②）。

［時価評価除外法人］
● いずれかの通算子法人との間に完全支配関係の継続が見込まれる通算親法人
● 通算親法人との間に完全支配関係の継続が見込まれる通算子法人

（2）繰越欠損金の切捨て

イ）時価評価対象法人は、グループ通算制度の開始前の繰越欠損金（単体納税制度適用時の繰越欠損金）が全額切り捨てられる（法法57⑥）。

ロ）時価評価除外法人は、原則として、開始前の繰越欠損金は切り捨てられない。

ハ）但し、時価評価除外法人で、「5年前の日又は設立日からの支配関係継続要件」及び「共同事業性の要件」のいずれも満たさない場合、支配関係発生日以後に新たな事業を開始したときには、開始前の繰越欠損金の一部又は全部が切り捨てられる（法法57⑧）。

❷ 加入時の取扱い

新たな通算子法人がグループ通算制度に加入する場合、その通算子法人では次の取扱いが適用される。

（1）保有資産の時価評価

イ）時価評価対象法人は、通算加入直前事業年度において対象資産の時価評価を行う。通算加入直前事業年度とは、通算承認の効力が生ずる日の前日の属する事業年度をいう（最後の単体納税制度の事業年度）をいう（法法64の12①）。

ロ）時価評価除外法人は、時価評価を行わない。

ハ）但し、時価評価除外法人で、「5年前の日又は設立日からの支配関係継続要件」及び「共同事業性の要件」のいずれも満たさない場合、加入前の資産の含み損等について、損金算入又は損益通算の制限が課される（法法64の6①③、64の14①）。

ニ）離脱見込みの法人株式について、その株主である通算法人において加入時に時価評価を行う（法法64の12②）。

［時価評価除外法人］
- 適格株式交換等により加入した株式交換等完全子法人
- 通算グループ内の新設法人
- 適格組織再編成と同様の要件に該当する法人

（2）繰越欠損金の切捨て

イ）時価評価対象法人は、グループ通算制度の加入前の繰越欠損金（単体納税制度適用時の繰越欠損金）が全額切り捨てられる（法法57⑥）。

ロ）時価評価除外法人は、原則として、加入前の繰越欠損金は切り捨てられない。

ハ）但し、時価評価除外法人で、「5年前の日又は設立日からの支配関係継続要件」及び「共同事業性の要件」のいずれも満たさない場合、支配関係発生日以後に新たな事業を開始したときには、加入前の繰越欠損金の一部又は全部が切り捨てられる（法法57⑧）。

❸ 離脱時の取扱い

通算子法人がグループ通算制度から離脱する場合、その通算子法人では次の取扱いが適用される。

（1）離脱時の時価評価

> 離脱法人が次に掲げる場合に該当する場合、離脱直前事業年度において、保有資産の時価評価を行う（法法64の13①）。
> イ）主要な事業を継続することが見込まれていない場合
> ロ）帳簿価額が10億円を超える資産の譲渡等による損失を計上することが見込まれ、かつ、その離脱法人の株式の譲渡等による損失が計上されることが見込まれている場合

（2）離脱法人株式の投資簿価修正

> 離脱法人株式を有する通算法人において、その離脱法人株式の離脱直前の帳簿価額を離脱法人の簿価純資産価額に相当する金額とする（法令119の3⑤、119の4①）。

［ 9 ］ 地方税の計算の仕組み

❶ 住民税

住民税の課税標準については、グループ通算制度を適用した後の法人税額を基礎にして計算される。

ただし、繰越欠損金の切捨て、損益通算、欠損金の通算が行われなかったものとするため、それらの金額に法人税率を乗じた金額を調整して課税標準である法人税額が計算される。

住民税の課税標準の計算は以下のとおりとなる（地法23①三・四、292①三・四、53③④⑥～⑭⑯～⑳㉒㉚、321の8③④⑥～⑭⑯～⑳㉒㉚、地令8の14①、8の16の2、48の11の3①、48の11の6）。

23

[グループ通算制度の住民税の課税標準の計算]

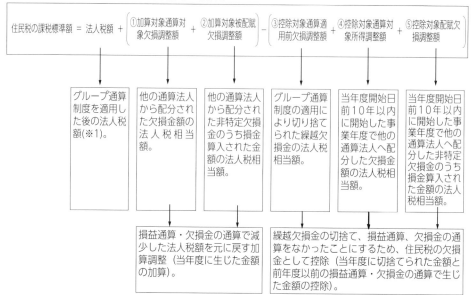

※1 通算法人が大企業（適用除外事業者を含む）に該当する場合は試験研究費の税額控除額等を加算した金額とする（地方税法附則8①、地法23①四、292①四）。

[各項目の計算方法]

①加算対象通算対象欠損調整額 ＝ 通算対象欠損金額 × 法人税率（当事業年度）

※1 通算対象欠損金額とは、法人税で損金算入された他の通算法人からの欠損金額の配分額をいう。

②加算対象被配賦欠損調整額 ＝ 被配賦欠損金控除額 × 法人税率（当事業年度）
　　　　　　　　　　　　　 ＝ 被配賦欠損金額 × 非特定損金算入割合 × 法人税率（当事業年度）
　　　　　　　　　　　　　 ＝（非特定欠損金配賦額 － 非特定欠損金の発生残額）× 非特定損金算入割合 × 法人税率（当事業年度）

※1 加算対象被配賦欠損調整額は、各発生事業年度の非特定欠損金ごとに計算される。
※2 非特定欠損金配賦額とは、各通算法人の非特定欠損金の合計額を各通算法人の損金算入限度額（残額）の比率で配分した金額をいう。
※3 非特定損金算入割合＝各通算法人の損金算入限度額（残額）の合計額／各通算法人の非特定欠損金の合計額
※4 非特定損金算入割合は、分母＜分子の場合、1とし、分母が0の場合、0とする。

$$\begin{array}{l}\text{③控除対象通算適用} \\ \text{前欠損調整額}\end{array} = \text{通算適用前欠損金額} \times \begin{array}{c}\text{法人税率} \\ \text{(当事業年度)}\end{array}$$

※1 控除対象通算適用前欠損調整額は当事業年度開始日前10年以内に開始した事業年度において生じた通算適用前欠損金額（グループ通算制度の適用により切り捨てられた法人税の繰越欠損金）が対象となる。法人税で切り捨てられた事業年度から控除が可能となる。

※2 通算適用前欠損金額は次の金額となる。
  ① 時価評価対象法人で、グループ通算制度適用により切り捨てられたグループ通算制度適用前の繰越欠損金の金額。
  ② 時価評価対象外法人で、新たな事業を開始したことにより切り捨てられたグループ通算制度適用前の繰越欠損金の金額（最初通算事業年度の翌事業年度以後に切り捨てられたものを含む）

※3 年数「10年」については、2018年（平成30年）4月1日前に開始した事業年度において生じた法人税の繰越欠損金に係るものは「9年」となる（令和2年地法改正法附則5⑦、13⑦、令和2年地令改正法令附則3⑤、5⑤）。

$$\begin{array}{l}\text{④控除対象通算対象} \\ \text{所得調整額}\end{array} = \text{通算対象所得金額} \times \begin{array}{c}\text{法人税率} \\ \text{(翌事業年度)}\end{array}$$

※1 控除対象通算対象所得調整額は当事業年度開始日前10年以内に開始した事業年度において生じた通算対象所得金額が対象となる。法人税で通算対象所得金額が生じた事業年度の翌事業年度から控除が可能となる。

※2 通算対象所得金額とは、法人税で益金算入された他の通算法人への欠損金額の配分額をいう。

$$\begin{array}{l}\text{⑤控除対象配賦欠損} \\ \text{調整額}\end{array} = \text{配賦欠損金控除額} \times \begin{array}{c}\text{法人税率} \\ \text{(翌事業年度)}\end{array}$$
$$= \text{配賦欠損金額} \times \text{非特定損金算入割合} \times \begin{array}{c}\text{法人税率} \\ \text{(翌事業年度)}\end{array}$$
$$= \left(\begin{array}{l}\text{非特定欠損金の} \\ \text{発生残額}\end{array} - \text{非特定欠損金配賦額}\right) \times \text{非特定損金算入割合} \times \begin{array}{c}\text{法人税率} \\ \text{(翌事業年度)}\end{array}$$

※1 控除対象配賦欠損調整額は当事業年度開始日前10年以内に開始した事業年度において生じた配賦欠損金控除額が対象となる。法人税で配賦欠損金控除額が生じた事業年度の翌事業年度から控除が可能となる。

※2 控除対象配賦欠損調整額は、各発生事業年度の非特定欠損金ごとに計算される。

※3 非特定欠損金配賦額とは、各通算法人の非特定欠損金の合計額を各通算法人の損金算入限度額（残額）の比率で配分した金額をいう。

※4 非特定損金算入割合＝各通算法人の損金算入限度額（残額）の合計額／各通算法人の非特定欠損金の合計額

※5 非特定損金算入割合は、分母＜分子の場合、1とし、分母が0の場合、0とする。

❷ 事業税

　事業税については、損益通算及び欠損金の通算を適用する前の所得金額から事業税の繰越欠損金を控除して課税標準である所得金額が計算される。

　事業税の繰越欠損金については、グループ通算制度を適用しない場合と同様に、法人税とは区別して計算される。

そのため、事業税の繰越欠損金については、開始・加入前の繰越欠損金の切り捨ては行われない。

　なお、事業税の繰越欠損金の繰越期間は、2018年（平成30年）4月1日前に開始した事業年度又は連結事業年度において生じた繰越欠損金については9年、2018年（平成30年）4月1日以後に開始した事業年度又は連結事業年度において生じた繰越欠損金については10年となる（地法72の23①②、令和2年地令改正法令附則4④）。

　また、事業税の繰越欠損金の控除限度割合（50％又は100％）については、グループ通算制度（法人税）のように、他の通算法人を含めて中小法人の判定は行わず、グループ通算制度を適用していない場合と同様に、各法人単独で中小法人又は新設法人に該当する場合、100％が適用される（地令20の3①）。

　事業税の課税標準の計算は以下のとおりとなる（地法72の23①②、地令20の3①）。

[グループ通算制度の事業税の課税標準の計算]

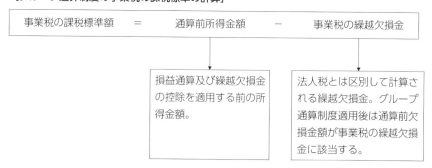

10　通算税効果額（グループ内の税金精算）

　通算税効果額とは、損益通算の規定又は欠損金の通算の規定その他通算法人及び通算法人であった法人のみに適用される規定を適用することによ

り減少する法人税及び地方法人税の額に相当する金額として通算法人（通算法人であった法人を含む）と他の通算法人（通算法人であった法人を含む）との間で授受される金額をいう（法法26④）。

　そして、通算法人が他の通算法人との間で授受する通算税効果額は、益金の額及び損金の額に算入しないことになる（法法26④、38③）。

　また、この通算税効果額は、合理的に計算することになる。

　例えば、通算税効果額の合理的な計算方法と計算例は次のとおりとなる。

（1）損益通算

　通算対象欠損金額又は通算対象所得金額に法人税率を乗じて算出された金額（地方法人税相当額を含む）を通算税効果額とする方法

（2）試験研究費の総額に係る税額控除額

　通算グループ全体の税額控除額の合計額を各通算法人の試験研究費の額の比で按分して算出された金額と各通算法人の税額控除額との差額（地方法人税相当額を含む）に基づいて通算税効果額を算出する方法

（3）欠損金の通算

　被配賦欠損金控除額又は配賦欠損金控除額に法人税率を乗じて算出された金額（地方法人税相当額を含む）を通算税効果額とする方法

[計算例1]

(前提条件)

	P社	A社	B社	合計
通算前所得	8,000	12,000	▲ 10,000	
損益通算	▲ 4,000	▲ 6,000	10,000	
損益通算後所得	4,000	6,000	0	
調整前法人税額(23.2%)	928	1,392	0	2,320
試験研究費の額	500	0	300	800
税額控除額	32	48	0	80

（通算税効果額）

	P社	A社	B社	合計
損益通算	▲ 4,000	▲ 6,000	10,000	0
損益通算に係る通算税効果額（①）	▲1,024[※1] ⇒損金不算入	▲1,535[※2] ⇒損金不算入	2,559 ⇒益金不算入	0
	（※1）法人税　4,000×23.2%＝928 　　　　地方法人税　928×10.3%＝96 　　　　合計　928＋96＝1,024 （※2）法人税　6,000×23.2%＝1,392 　　　　地方法人税　1,392×10.3%＝143 　　　　合計　1,392＋143＝1,535			
試験研究費の額	500	0	300	800
税額控除額	32	48	0	80
試験研究費の額の比で按分	50 ＝80×500／800	0 ＝80×0／800	30 ＝80×300／800	80
税額控除に係る通算税効果額（②）	20[※3] ⇒益金不算入	▲53 ⇒損金不算入	33[※4] ⇒益金不算入	0
	（※3）法人税　50−32＝18 　　　　地方法人税　18×10.3%＝2 　　　　合計　18＋2＝20 （※4）法人税　30−0＝30 　　　　地方法人税　30×10.3%＝3 　　　　合計　30＋3＝33			
通算税効果額合計（①＋②）	▲1,004 ⇒損金不算入	▲1,588 ⇒損金不算入	2,592 ⇒益金不算入	0

[計算例 2]

(前提条件)

	P社	A社	B社	合計
通算前所得金額	440	0	360	800
損金算入限度額（50%）	220	0	180	400
非特定欠損金額(発生額)	200	400	600	1,200
被配賦欠損金額	460	—	—	460
配賦欠損金額	—	400	60	460
非特定欠損金配賦額	660	0	540	1,200
非特定損金算入割合	400／1,200			
非特定欠損金額の損金算入額	220	0	180	400

(通算税効果額)

	P社	S1社	S2社	合計
非特定欠損金額(発生額)	200	400	600	1,200
被配賦欠損金額	460	—	—	460
配賦欠損金額	—	400	60	460
非特定欠損金配賦額	660	0	540	1,200
非特定損金算入割合	400／1,200			
欠損金の通算に係る通算税効果額	▲40 ⇒損金不算入	34[※1] ⇒益金不算入	6[※2] ⇒益金不算入	
	（※1）法人税　400×400／1,200×23.2%＝31 　　　　地方法人税　31×10.3%＝3　合計　31＋3＝34 （※2）法人税　60×400／1,200×23.2%＝5 　　　　地方法人税　5×10.3%＝1　合計　5＋1＝6			

11 | 法人税申告書の別表の概要

　グループ通算制度を適用する場合の法人税申告書の別表の概要は次のとおりとなる。なお、以下の別表様式は株式会社TKCから提供を受けている。

① 　基本的な別表は、単体納税制度と共通の別表を使用する。

　別表1、別表4、別表5（1）、別表5（2）は、グループ通算制度を適用する場合もグループ通算制度を適用しない場合も同じものを使用する。

　ただし、別表4について、通算法人特有の加算・減算項目について、付表が用意されている。

別表一　各事業年度の所得に係る申告書－内国法人の分

税務署受付印	年　月　日
	税務署長殿

納税地	電話（　）　－
（ふりがな）法人名	
法人番号	
（ふりがな）代表者記名押印	
代表者住所	

法人区分	普通法人（特定の医療法人を除く。）、一般社団法人等、みなし公益法人等又は人格のない社団等	左記以外の公益法人等、協同組合等又は特定の医療法人	※税務署処理欄
事業種目			
期末現在の資本金の額又は出資金の額		円	
同上が1億円以下の普通法人のうち中小法人に該当しないもの	非中小法人		
同非区分	特定同族会社　同族会社　非同族会社		
旧納税地及び旧法人名等			
添付書類	貸借対照表、損益計算書、株主（社員）資本等変動計算書又は損益金処分表、勘定科目内訳明細書、事業概況書、組織再編成に係る契約書等の写し、組織再編成に係る移転資産等の明細書		

	年　月　日		中間申告の場合の	年　月　日
	年　月　日	事業年度分の　　　申告書	の計算期間	年　月　日

所得金額又は欠損金額（別表四「52の①」）	1	円	この申告による還付金額	所得税額等の還付金額（44）	17		円
法人税額 (34)+(35)+(36)	2			中間納付額 (15)-(14)	18		
法人税額の特別控除額（別表六（六）「4」）	3			欠損金の繰戻しによる還付請求税額	19	外	
差引法人税額 (2)-(3)	4			計 (17)+(18)+(19)	20	外	
税額控除超過額相当額等の加算額	5		この申告が修正申告である場合	所得金額又は欠損金額	21		
課税土地譲渡利益金額（別表三（二）「24」＋別表三（二の二）「25」＋別表三（三）「20」）	6			課税土地譲渡利益金額	22		
同上に対する税額 (37)+(38)+(39)	7			課税留保金額	23		
課税留保金額（別表三（一）「4」）	8			法人税額	24		
同上に対する税額（別表三（一）「8」）	9			還付金額	25	外	
法人税額計 (4)+(5)+(7)+(9)	10			この申告により納付すべき法人税額又は減少する還付請求税額 ((16)-(24))又は((25)-(20))	26	外	
分配時調整外国税相当額及び外国関係会社等に係る控除対象所得税額等相当額の控除額（別表六（五の二）「7」＋別表十七（三の十二）「3」）	11			欠損金又は災害損失金等の当期控除額（別表七（一）「4の計」＋（別表七（三）「9」若しくは「21」又は別表七（四）「10」））	27		
仮装経理に基づく過大申告の更正に伴う控除法人税額	12			翌期へ繰り越す欠損金又は災害損失金（別表七（一）「5の合計」）	28		
控除税額 (((10)-(11)-(12))と(42)のうち少ない金額)	13		この申告がこの申告前の修正申告である場合	欠損金又は災害損失金等の当期控除額	29		
差引所得に対する法人税額 (10)-(11)-(12)-(13)	14			翌期へ繰り越す欠損金又は災害損失金	30		
中間申告分の法人税額	15						
差引確定法人税額（中間申告の場合はその税額とし、マイナスの場合は(18)へ記入）(14)-(15)	16						

法人税額の計算	(1)のうち中小法人等の年800万円相当額以下の金額 ((1)と800万円×12分の のうち少ない金額)又は別表一付表「5」	31	円	(31)の15％又は19％相当額	34	円
	(1)のうち特例税率の適用がある協同組合等の年10億円相当額を超える金額 (1)-10億円×12分の	32		(32)の22％相当額	35	
	その他の所得金額 (1)-(31)-(32)	33		(33)の19％又は23.2％相当額	36	

土地譲渡税額の内訳	土地譲渡税額（別表三（二）「27」）	37	円	土地譲渡税額内訳	土地譲渡税額（別表三（三）「23」）	39	円
	同上（別表三（二の二）「28」）	38					

控除税額の計算	所得税額（別表六（一）「6の③」）	40	円	決算確定の日	年　月　日
	外国税額（別表六（二）「20」）	41		残余財産の最後の分配又は引渡しの日	年　月　日
	計 (40)+(41)	42		還付を受けようとする銀行又は郵便局名	
	控除した金額 (13)	43			
	控除しきれなかった金額 (42)-(43)	44			

※改正前の様式に株式会社 TKC が加筆して独自に作成

別表四　所得の金額の計算に関する明細書

事業年度	・　・	法人名	

区　　分		総　額①	処　分	
			留保②	社外流出③
当期利益又は当期欠損の額	1	円	円	配当　　　　円
				その他
加算	損金経理をした法人税及び地方法人税（附帯税を除く。）	2		
	損金経理をした道府県民税及び市町村民税	3		
	損金経理をした納税充当金	4		
	損金経理をした附帯税（利子税を除く。）、加算金、延滞金（延納分を除く。）及び過怠税	5		その他
	減価償却の償却超過額	6		
	役員給与の損金不算入額	7		その他
	交際費等の損金不算入額	8		その他
	通算法人に係る加算額（別表四付表「5」）	9		外※
		10		
	小　　計	11		外※
減算	減価償却超過額の当期認容額	12		
	納税充当金から支出した事業税等の金額	13		
	受取配当等の益金不算入額（別表八（一）「13」又は「26」）	14		※
	外国子会社から受ける剰余金の配当等の益金不算入額（別表八（二）「26」）	15		※
	受贈益の益金不算入額	16		※
	適格現物分配に係る益金不算入額	17		※
	法人税等の中間納付額及び過誤納に係る還付金額	18		
	所得税額等及び欠損金の繰戻しによる還付金額等	19		※
	通算法人に係る減算額（別表四付表「10」）	20		※
		21		
	小　　計	22		外※
仮　計　(1)＋(11)－(22)	23			外※
対象純支払利子等の損金不算入額（別表十七（二の五）「27」又は「32」）	24			その他
超過利子額の損金算入額（別表十七（二の三）「10」）	25	△		※　　　△
仮　計　(23)から(25)までの計	26			外※
寄附金の損金不算入額（別表十四（二）「24」又は「40」）	27			その他
沖縄の認定法人又は国家戦略特別区域における指定法人の所得の特別控除額（別表十（一）「9」若しくは「13」又は別表十（二）「8」）	28	△		※　　　△
法人税額から控除される所得税額（別表六（一）「6の③」）	29			その他
税額控除の対象となる外国法人税の額（別表六（二の二）「7」）	30			その他
分配時調整外国税相当額及び外国関係会社等に係る控除対象所得税額等相当額（別表六（五の二）「5の②」＋別表十七（三の十二）「1」）	31			その他
組合等損失額の損金不算入額又は組合等損失超過合計額の損金算入額（別表九（二）「10」）	32			
対外船舶運航事業者の日本船舶による収入金額に係る所得の金額の損金算入額又は益金算入額（別表十（四）「20」、「21」又は「23」）	33			※
合　計　(26)＋(27)＋(28)＋(29)＋(30)＋(31)＋(32)＋(33)	34			外※
契約者配当の益金算入額（別表九（一）「13」）	35			
特定目的会社等の支払配当又は特定目的信託に係る受託法人の利益の分配等の損金算入額（別表十（八）「13」、別表十（九）「11」又は別表十（十）「16」若しくは「33」）	36	△	△	
中間申告における繰戻しによる還付に係る災害損失欠損金額の益金算入額	37			※
非適格合併又は残余財産の全部分配等による移転資産等の譲渡利益額又は譲渡損失額	38			※
差　引　計　(34)から(38)までの計	39			外※
更生欠損金又は民事再生等評価換えが行われる場合の再生等欠損金の損金算入額（別表七（三）「9」又は「21」）	40	△		※　　　△
通算対象欠損金額の損金算入額（別表七の三「5」）	41	△		※　　　△
通算対象所得金額の益金算入額（別表七の三「11」）	42			※
当初配賦欠損金控除額の益金算入額（別表七（二）付表一「23の計」）	43			※
差　引　計　(39)から(43)までの計	44			外※
欠損金又は災害損失金等の当期控除額（別表七（一）「4の計」＋別表七（四）「10」）	45	△		※　　　△
総　計　(44)＋(45)	46			外※
新鉱床探鉱費又は海外新鉱床探鉱費の特別控除額（別表十（三）「43」）	47	△		※　　　△
農用地等を取得した場合の圧縮額の損金算入額（別表十二（十三）「43の計」）	48	△	△	
関西国際空港用地整備準備金積立額、中部国際空港整備準備金積立額又は再投資準備金積立額の損金算入額（別表十二（十）「15」、別表十二（十一）「10」又は別表十二（十四）「12」）	49	△	△	
特別新事業開拓事業者に対し特定事業活動として出資をした場合の特別勘定繰入額の損金算入額又は特別勘定取崩額の益金算入額（別表十（六）「14」～「21」）	50			※
残余財産の確定の日の属する事業年度に係る事業税及び特別法人事業税の損金算入額	51	△	△	
所得金額又は欠損金額	52			外※

※改正前の様式に株式会社 TKC が加筆して独自に作成

別表四付表　通算法人の所得の金額の調整に関する明細書

事業年度	：　： ：　：	法人名	

区　　分		総　額	処　　　　分	
		①	留　保 ②	社　外　流　出 ③
加	損金経理をした通算税効果額(附帯税の額に係る部分の金額を除く。)	1	円	円	
	損金経理をした通算税効果額の支払額(附帯税の額に係る部分の金額に限る。)	2			その他　　　　円
	他の通算法人に対する通算法人株式の譲渡損失額	3			その他
	当初支払利子配賦額の控除不足額の益金算入額 (別表八(一)付表二「24」)	4			※
算	通算法人に係る加算額 ((1)から(4)までの計)	5			外※
減	収益として経理した通算税効果額(附帯税の額に係る部分の金額を除く。)	6			
	収益として経理した通算税効果額の受取額(附帯税の額に係る部分の金額に限る。)	7			※
	他の通算法人に対する通算法人株式の譲渡利益額	8			※
	通算法人の合併等があった場合の欠損金の損金算入額	9			※
算	通算法人に係る減算額 ((6)から(9)までの計)	10			※

33

別表五（一）　利益積立金額及び資本金等の額の計算に関する明細書

事業年度	・　・	法人名	
	・　・		

Ⅰ　利益積立金額の計算に関する明細書

区　　分		期首現在利益積立金額 ①	当期の増減		差引翌期首現在利益積立金額 ①－②＋③ ④
			減 ②	増 ③	
利　益　準　備　金	1	円	円	円	円
積　立　金	2				
	3				
	4				
	5				
	6				
	7				
	8				
	9				
	10				
	11				
	12				
	13				
	14				
	15				
	16				
	17				
	18				
	19				
	20				
	21				
	22				
	23				
繰　越　損　益　金（損は赤）	25				
納　税　充　当　金	26				
未納法人税等 退職年金等積立金を除く。	未納法人税及び未納地方法人税（附帯税を除く。）	27	△	△	中間 △	△
					確定 △	
	未払通算税効果額（附帯税の額に係る部分の金額を除く。）	28			中間	
					確定	
	未納道府県民税（均等割額を含む。）	29	△	△	中間 △	△
					確定 △	
	未納市町村民税（均等割額を含む。）	30	△	△	中間 △	△
					確定 △	
差　　引　　合　　計　　額	31				

Ⅱ　資本金等の額の計算に関する明細書

区　　分		期首現在資本金等の額 ①	当期の増減		差引翌期首現在資本金等の額 ①－②＋③ ④
			減 ②	増 ③	
資　本　金　又　は　出　資　金	32	円	円	円	円
資　本　準　備　金	33				
	34				
	35				
差　　引　　合　　計　　額	36				

※改正前の様式に株式会社 TKC が加筆して独自に作成

別表五（二）　租税公課の納付状況等に関する明細書

事業年度	：　：　：	法人名	

税目及び事業年度				期首現在未納税額 ①	当期発生税額 ②	当期中の納付税額 充当金取崩しによる納付 ③	仮払経理による納付 ④	損金経理による納付 ⑤	期末現在未納税額 ①＋②－③－④－⑤ ⑥
法人税及び地方法人税		：　：	1	円			円	円	円 円
		：　：	2						
	当期分	中間	3		円				
		確定	4						
		計	5						
道府県民税		：　：	6						
		：　：	7						
	当期分	中間	8						
		確定	9						
		計	10						
市町村民税		：　：	11						
		：　：	12						
	当期分	中間	13						
		確定	14						
		計	15						
事業税及び特別法人事業税		：　：	16						
		：　：	17						
	当期中間分		18						
	計		19						
その他	損金算入のもの	利子税	20						
		延滞金（延納に係るもの）	21						
			22						
			23						
	損金不算入のもの	加算税及び加算金	24						
		延滞税	25						
		延滞金（延納分を除く。）	26						
		過怠税	27						
			28						
			29						

納　税　充　当　金　の　計　算							
期首納税充当金	30	円	取崩額	その他	損金算入のもの	36	円
繰入額	損金経理をした納税充当金	31			損金不算入のもの	37	
		32				38	
	計 (31)＋(32)	33			仮払税金消却	39	
取崩額	法人税額等 (5の③)＋(10の③)＋(15の③)	34			計 (34)＋(35)＋(36)＋(37)＋(38)＋(39)	40	
	事業税及び特別法人事業税 (19の③)	35		期末納税充当金 (30)＋(33)－(40)		41	

通算法人の通算税効果額又は連結法人税個別帰属額及び連結地方法人税個別帰属額の発生状況等の明細

事業年度			期首現在未決済額 ①	当期発生額 ②	当期中の決済額 支払額 ③	受取額 ④	期末現在未決済額 ⑤
	：　：	42	円		円	円	円
	：　：	43					
当期分		44		中間 円			
				確定			
計		45					

※改正前の様式に株式会社 TKC が加筆して独自に作成

② グループ調整計算となる取扱いについては、個別の別表が用意されて
いる。

(外国税額控除)

別表六(二)付表五　通算法人の控除限度額の計算に関する明細書　　事業年度　・　・ ／ ・　・　法人名

項目	No.	円	項目	No.	円
当期の法人税額 (別表一「4」−別表六(五の二)「5の③」−別表十七(三の十二)「1」)(マイナスの場合は0)	1		(19)の金額が0を超える場合 非課税国外所得金額が0を下回る場合のその下回る額の合計額 (別表十八「12の計」)	20	
法人税額の合計額 (別表十八「9の計」)	2		非課税国外所得金額のうち0を超えるものの合計額 (別表十八「13の計」)	21	
所得金額又は欠損金額 (別表四「52の①」)	3		(20)のうち(21)に達するまでの金額	22	
繰越欠損金又は災害損失金の当期控除額 (別表七(一)「4の計」)	4		加算前国外所得金額のうち0を超えるものの合計額 (別表十八「14の計」)	23	
通算対象欠損金額の損金算入額 (別表七の三「5」)	5		加算調整額 (22)×(19)/(23)	24	
通算対象所得金額の益金算入額 (別表七の三「11」)	6		調整前国外所得金額 (19)+(24)	25	
当初配賦欠損金控除額の益金算入額 (別表七(二)付表一「23の計」)	7		(19)の金額が0を超える場合 調整前国外所得金額の合計額 (別表十八「15の計」)	26	
通算法人の合併等があつた場合の欠損金の損金算入額 (別表四付表「9の①」)	8		(14)×90%	27	
対外船舶運航事業者の日本船舶による収入金額に係る所得の金額の損金算入額 (別表十(四)「20」)	9		(26)−(27)(マイナスの場合は0)	28	
対外船舶運航事業者の日本船舶による収入金額に係る所得の益金算入額 (別表十(四)「21」又は「23」)	10		調整金額 (28)×(19)/(23)	29	
組合等損失額の損金不算入額 (別表九(二)「6」)	11		調整国外所得金額 (25)−(29)	30	
組合等損失超過合計額の損金算入額 (別表九(二)「9」)	12		調整前控除限度額 (2)×(30)/(14)	31	
計 (3)+(4)+(5)−(6)−(7)+(8)+(9)−(10)−(11)+(12)	13		(31)の金額が0を超える場合 調整前控除限度額が0を下回る場合のその下回る額の合計額 (別表十八「17の計」)	32	
所得金額の合計額 (別表十八「10の計」)(マイナスの場合は0)	14		調整前控除限度額のうち0を超えるものの合計額 (別表十八「18の計」)	33	
国外事業所等帰属所得に係る所得の金額 (別表六(二)付表一「25」)	15		控除限度額調整額 (32)×(31)/(33)	34	
その他の国外源泉所得に係る所得の金額 (別表六(二)「47の①」)	16		法人税の控除限度額 (31)−(34)(マイナスの場合は0)	35	
非課税国外所得金額 (別表六(二)「47の②」+別表六(二)付表一「26」)	17				
(17)のうち0を超える金額	18				
加算前国外所得金額 (15)+(16)−(18)	19				

（欠損金の通算）

別表七（二）	通算法人の欠損金の翌期繰越額の計算及び控除未済欠損金額の調整計算に関する明細書	事業年度	・ ・	法人名	

欠 損 金 の 翌 期 繰 越 額 の 計 算

事 業 年 度	控除未済欠損金額 （前期の(4)＋(7)）	特 定 欠 損 金 翌 期 繰 越 額 の 計 算			非 特 定 欠 損 金 翌 期 繰 越 額 の 計 算		
		(1)のうち特定欠損金額に係る控除未済額 （前期の(4)）	損金算入特定欠損金額 ((2)と(当該事業年度開始の日の属する10年内事業年度の別表七(二)付表一「14」)のうち少ない金額)又は(別表七(二)付表二「5」)	特定欠損金翌期繰越額 ((2)－(3))又は(別表七(四)「15の内書」)	(1)のうち非特定欠損金額に係る控除未済額 (1)－(2)	損金算入非特定欠損金額 ((5)×(当該事業年度開始の日の属する10年内事業年度の別表七(二)付表一「20」))又は(別表七(二)付表二「1」＋「6」)	非特定欠損金翌期繰越額 ((5)－(6))又は(別表七(四)「15」－「15の内書」)
	1	2	3	4	5	6	7
・ ・	円	円	円		円	円	円
・ ・				円			
・ ・							
・ ・							
・ ・							
・ ・							
・ ・							
・ ・							
・ ・							
・ ・							
当 期 分	別表四「52の①」	別表七の三「15」	通算対象外欠損金額による繰戻し額	(2)－(3)	(1)－(2)	(3)以外の欠損金による繰戻し額	(5)－(6)
	円	円	円		円	円	円

控 除 未 済 欠 損 金 額 の 調 整 計 算

事 業 年 度	通算開始・加入事業年度である場合			通算開始・加入事業年度後に新たな事業を開始した場合			調整後控除未済欠損金額 (10)又は(13)
	通算開始・加入直前事業年度の翌期繰越欠損金額 （前期の別表七(一)「5」）	制限対象欠損金額	開始・加入時持込対象欠損金額 ((8)－(9))又は(別表七(二)付表四「5」)	控除未済欠損金額 （前期の(4)＋(7)）	制限対象欠損金額	控除対象欠損金額 ((11)－(12))又は(別表七(二)付表四「5」)	
	8	9	10	11	12	13	14
・ ・	内　　円	内　　円	内　　円	内	内	内　　円	内　　円
・ ・	内	内	内	内	内	内	内
・ ・	内	内	内	内	内	内	内
・ ・	内	内	内	内	内	内	内
・ ・	内	内	内	内	内	内	内
・ ・	内	内	内	内	内	内	内
・ ・	内	内	内	内	内	内	内
・ ・	内	内	内	内	内	内	内

支 配 関 係 発 生 日	・ ・	新 た な 事 業 を 開 始 し た 日	・ ・

支 配 関 係 事 業 年 度 以 後 の 欠 損 金 額 の う ち 特 定 資 産 譲 渡 等 損 失 相 当 額 の 計 算 の 明 細

支配関係事業年度以後の事業年度	支配関係事業年度以後の欠損金発生額 (支配関係事業年度以後の事業年度のそれぞれの別表七(一)「当期分の災害損失金又は青色欠損金」)	欠 損 金 額 の う ち 特 定 資 産 譲 渡 等 損 失 相 当 額 の 計 算			
		特定資産の譲渡等による損失の額の合計額	特定資産の譲渡等による利益の額の合計額	特定資産譲渡等損失額 ((16)－(17))又は(別表七(二)付表三「5」)	欠損金額のうち特定資産譲渡等損失相当額 (15)と(18)のうち少ない金額
	15	16	17	18	19
・ ・	内　　円	内　　円	内　　円	内　　円	内　　円
・ ・	内	内	内	内	内
・ ・	内	内	内	内	内
・ ・	内	内	内	内	内
・ ・	内	内	内	内	内

別表七（二）付表一　通算法人の欠損金の通算に関する明細書

事業年度	・　・	法人名	

控除前所得金額 （別表七（一）「1」）	1	円	損金算入限度額 （別表七（一）「2」）	2	円	他の通算法人の損金算入限度額の合計額 （別表十八「21の計」）－(2)	3	円

10年内事業年度	発生欠損金額の明細		当期欠損金控除額の明細			当該10年内事業年度前の各10年内事業年度における既控除欠損金額の合計額 （当該10年内事業年度前の(8)の合計額）	他の通算法人の既控除欠損金額の合計額 （9）
	特定欠損金額に係る控除未済額 （当該10年内事業年度に係る対応事業年度の別表七（二）「2」）	非特定欠損金額に係る控除未済額 （当該10年内事業年度に係る対応事業年度の別表七（二）「5」）	特定欠損金控除額 (4)と(14)のうち少ない金額	非特定欠損金控除額 (18)×(20)	当期欠損金控除額の合計額 (6)＋(7)		
	4	5	6	7	8	9	10
・　・ ・　・	円	円	円	円	円	円	円
・　・ ・　・							
・　・ ・　・							
・　・ ・　・							
・　・ ・　・							
・　・ ・　・							
・　・ ・　・							
計							

欠損金の通算に関する計算

10年内事業年度	特定欠損金額の計算				非特定欠損金額の計算		
	欠損控除前所得金額 (1)－(9)	控除可能特定欠損金額 ((4)と(11)のうち少ない金額)	特定損金算入割合 （別表十八「21の計」）－（別表十八付表「3」）／（別表十八付表「4」）（1を超える場合は1）（別表十八付表「4」＝0の場合は0）	特定損金算入限度額 (12)×(13)	各通算法人の非特定欠損金額に係る控除未済額の合計額 （別表十八付表「1」）	既損金算入額及び特定欠損金額控除後の欠損金額 (2)－((6)＋(9))（マイナスの場合は0）	他の通算法人の既損金算入額及び特定欠損金額控除後の損金算入限度額の合計額 （別表十八付表「5」）－(16)
	11	12	13	14	15	16	17
・　・ ・　・	円	円		円	円	円	円
・　・ ・　・							
・　・ ・　・							
・　・ ・　・							
・　・ ・　・							
・　・ ・　・							
・　・ ・　・							

10年内事業年度	非特定欠損金額の計算			修正申告である場合		
	非特定欠損金配賦額 (15)×(16)／（別表十八付表「5」）（別表十八付表「5」＝0の場合は0）	通算総調整損金算入限度額 （別表十八「21の計」）－（別表十八付表「2」＋「3」）	非特定損金算入割合 (19)／(15)（1を超える場合は1）（(15)＝0の場合は0）	被配賦欠損金控除額 ((18)－(5))×(20)（マイナスの場合は0）	配賦欠損金控除額 ((5)－(18))×(20)（マイナスの場合は0）	当初配賦欠損金控除額の益金算入額 （この申告前の(22)）－(5)（マイナスの場合は0）	調整当初配賦欠損金控除額 （この申告前の(22)）－(23)
	18	19	20	21	22	23	24
・　・ ・　・	円	円		円	円	円	円
・　・ ・　・							
・　・ ・　・							
・　・ ・　・							
・　・ ・　・							
・　・ ・　・							
・　・ ・　・							
計							

（損益通算）

別表七の三　通算対象欠損金額又は通算対象所得金額の計算及び通算対象外欠損金額の計算に関する明細書	事業年度	・　・	法人名	

通算対象欠損金額又は通算対象所得金額の計算

所得事業年度である場合	通算前所得金額 （別表四「39の①」＋「40の①」）	1	円	欠損事業年度である場合	通算前欠損金額 （別表四「39の①」が0を下回る場合のその下回る額）	6	円
	他の通算法人の通算前所得金額の合計額 （別表十八「25の計」）－(1)	2			調整通算前欠損金額 (6)又は(16)	7	
	計 (1)＋(2)	3			他の通算法人の調整通算前欠損金額の合計額 （別表十八「26の計」）－(7)	8	
	他の通算法人の調整通算前欠損金額の合計額 （別表十八「25の計」と「26の計」のうち少ない金額）	4			計 (7)＋(8)	9	
	通算対象欠損金額 $(4) \times \dfrac{(1)}{(3)}$	5			他の通算法人の通算前所得金額の合計額 （別表十八「25の計」と「26の計」のうち少ない金額）	10	
					通算対象所得金額 $(10) \times \dfrac{(7)}{(9)}$	11	

通算前欠損金額の調整計算の明細

多額の償却費が生ずる事業年度である場合の通算対象外欠損金額 (6)	制限対象額	特定資産譲渡等損失額 (19)	通算対象外欠損金額 (12)又は((6)と((13)＋(14))のうち少ない金額)	調整通算前欠損金額 (6)－(15)
12	13	14	15	16
円	円	円	円	円

適用期間において生ずる特定資産譲渡等損失額の計算の明細

支配関係発生日	・　・	当期中の適用期間における特定資産の譲渡等による損失の額	17	円
通算承認の効力が生じた日以後3年を経過する日と支配関係発生日以後5年を経過する日とのうちいずれか早い日	・　・	当期中の適用期間における特定資産の譲渡等による利益の額	18	
当期中の適用期間	・　・	特定資産譲渡等損失額 (((17)－(18))又は(別表七の三付表二「6」))－(別表七の三付表一「5」又は「9」)	19	

支配関係事業年度開始日における時価が帳簿価額を下回っていない資産の明細

名称等	時価	帳簿価額	名称等	時価	帳簿価額
	円	円		円	円

（受取配当金の益金不算入）

別表八（一）付表一　支払利子等の額及び受取配当等の額に関する明細書			事業年度	・　　・	法人名		

支　払　利　子　等　の　額　の　明　細						
令第19条第2項の規定による支払利子控除額の計算	1	適用・不適用				
当期に支払う利子等の額	2	円	超過利子額の損金算入額 （別表十七（二の三）「10」）	4		円
国外支配株主等に係る負債の利子等の損金不算入額、対象純支払利子等の損金不算入額又は恒久的施設に帰せられるべき資本に対応する負債の利子の損金不算入額	3		支払利子等の額の合計額 (2) − (3) + (4)	5		
（別表十七（一）「35」と別表十七（二の五）「27」のうち多い金額）又は（別表十七（二の五）「32」と別表十七（二の三）「17」のうち多い金額）						

	受　取　配　当　等　の　額　の　明　細						
完全子法人株式等	法　　人　　名	6					計
	本　店　の　所　在　地	7					
	受取配当等の額の計算期間	8	・　・	・　・	・　・	・　・	
	受　取　配　当　等　の　額	9	円	円	円	円	円
関連法人株式等	法　　人　　名	10					計
	本　店　の　所　在　地	11					
	受取配当等の額の計算期間	12	・　・	・　・	・　・	・　・	
	保　　有　　割　　合	13					
	受　取　配　当　等　の　額	14	円	円	円	円	円
	同上のうち益金の額に算入される金額	15					
	益金不算入の対象となる金額 (14) − (15)	16					
	(1)が「不適用」の場合又は別表八（一）付表二「13」が「非該当」の場合 (16) × 0.04	17					
	同上以外の場合 $\frac{(16)}{(16の計)}$	18					
	支払利子等の10％相当額 (((5) × 0.1) 又は（別表八（一）付表二「14」)) × (18)	19	円	円	円	円	円
	支払利子等控除後の受取配当等の額 (16) − ((17) 又は (19))	20					
その他株式等	法　　人　　名	21					計
	本　店　の　所　在　地	22					
	保　　有　　割　　合	23					
	受　取　配　当　等　の　額	24	円	円	円	円	円
	同上のうち益金の額に算入される金額	25					
	益金不算入の対象となる金額 (24) − (25)	26					
非支配目的株式等	法　人　名　又　は　銘　柄	27					計
	本　店　の　所　在　地	28					
	基　　準　　日　　等	29	・　・	・　・	・　・	・　・	
	保　　有　　割　　合	30					
	受　取　配　当　等　の　額	31	円	円	円	円	円
	同上のうち益金の額に算入される金額	32					
	益金不算入の対象となる金額 (31) − (32)	33					

別表八（一）付表二　通算法人の関連法人株式等に係る配当等の額から控除する利子の額の計算に関する明細書	事業年度	・　・	法人名	

支　払　利　子　等　の　控　除　額　の　計　算

適用関連法人配当等の額の合計額 （別表八（一）付表一「16の計」）	1	円	支払利子合計額の配賦割合 $\dfrac{(1)}{(3)}$	9	
他の通算法人の適用関連法人配当等の額の合計額の合計 （別表十八「27の計」）－(1)	2		支　払　利　子　配　賦　額 (8)×(9)	10	円
計 (1)+(2)	3		適用関連法人配当等の額の合計額の4％相当額 (1)×0.04	11	
支　払　利　子　等　の　額　の　合　計　額 （別表八（一）付表一「5」）	4		支払利子配賦額の10％相当額 (10)×0.1	12	
他の通算法人に対する支払利子等の額	5		令第19条第2項の適用の判定 ((11)≧(12)の場合には「該当」、その他の場合には「非該当」)	13	該当 ・ 非該当
支　払　利　子　合　計　額 (4)－(5) （マイナスの場合は0）	6				
他の通算法人の支払利子合計額の合計 （別表十八「28の計」）－(6)	7		支　払　利　子　等　の　控　除　額 ((10)+(21))×0.1 （マイナスの場合は0）	14	円
計 (6)+(7)	8				

修　正　申　告　で　あ　る　場　合

再計算要否の判定	当初申告適用関連法人配当合計額の合計の4％相当額 （この申告前の(3)）×0.04	15	円	(19)が「非該当」の場合	調整前当初支払利子配賦額 (10)	20	円
	当初申告支払利子合計額の合計の10％相当額 （この申告前の(8)）×0.1	16			利　子　修　正　額 (6)－（この申告前の(6)）	21	
	適用関連法人配当等の額の合計額の合計の4％相当額 (3)×0.04	17			調整当初支払利子配賦額 (20)+(21) （マイナスの場合は0）	22	
	支払利子合計額の合計の10％相当額 (8)×0.1	18			調整当初支払利子配賦額の10％相当額 (22)×0.1	23	
	法第64条の5第6項の規定の適用がある場合、(15)<(16)である場合又は(17)<(18)である場合	19	該当 ・ 非該当		当初支払利子配賦額の控除不足額の益金算入額 (23)－(1) （マイナスの場合は0）	24	

③ 別表18「各通算法人の所得金額等に関する明細書」で各通算法人の計算要素の集計が行われる。

別表十八　各通算法人の所得金額等に関する明細書		事業年度	・・・		法人名			
法　　　人　　　名	1	通算親法人						計
納　　　税　　　地	2							
事　　　業　　　年　　　度	3	・・・	・・・	・・・	・・・	・・・		
所　　得　　金　　額 （別表一付表「1」） （欠損の場合は0）	4	円	円	円	円	円		円
調整通算外配当等流出額 （別表三（一）付表二「20」）	5							
純通算内配当等の額 （別表三（一）付表二「22」）	6							
所　得　金　額　差　引　計 （別表四「39の①」）	7							
欠　損　金　額　差　引　計 （別表四「39の①」）	8							
法　　　人　　　税　　　額 （別表六（二）付表五「1」）	9							
所　　　得　　　金　　　額 （別表六（二）付表五「13」）	10							
非　課　税　国　外　所　得　金　額 （別表六（二）付表五「17」）	11							
(11)が0を下回る場合のその下回る額	12							
(11)のうち0を超える金額	13							
加算前国外所得金額のうち0を超えるもの （別表六（二）付表五「19」）のうち0を超える金額	14							
調　整　前　国　外　所　得　金　額 （別表六（二）付表五「25」）	15							
調　整　前　控　除　限　度　額 （別表六（二）付表五「31」）	16							
(16)が0を下回る場合のその下回る額	17							
(16)のうち0を超える金額	18							
当　初　損　金　算　入　超　過　額 （この申告前の別表七（一）「4の計」－「2」） （マイナスの場合は0）	19							
当　初　損　金　算　入　不　足　額 （この申告前の別表七（一）「2」－「4の計」） （マイナスの場合は0）	20							
損　金　算　入　限　度　額 （別表七（二）付表一「2」）	21							
控　除　対　象　欠　損　金　額 （別表七（三）付表「9」）	22							
中間申告における発生災害損失欠損金額 （別表七（五）「3」）	23							
通算対象外欠損金額以外の部分に係る繰越し額 （別表七（五）「5」）	24							
通　算　前　所　得　金　額 （別表七の三「1」）	25							
調　整　通　算　前　欠　損　金　額 （別表七の三「7」）	26							
適　用　関　連　法　人　配　当　等　の　額　の　合　計　額 （別表八（一）付表二「1」）	27							
支　払　利　子　合　計　額 （別表八（一）付表二「6」）	28							

42　第1部　グループ通算制度の概要

別表十八付表　10年内事業年度に係る各通算法人の欠損金額等に関する明細書

事業年度	・　・	法人名	

法人名　通算税法人

10年内事業年度	非特定欠損金額に係る控除未済額（別表七(二)付表一「5」）	特定欠損金控除額（別表七(二)付表一「6」）	既損金算入額の合計額（別表七(二)付表一「9」）	控除可能特定欠損金額（別表七(二)付表一「12」）	既損金算入額等控除後の損金算入限度額（別表七(二)付表一「16」）	非特定欠損金額に係る控除未済額（別表七(二)付表一「5」）	特定欠損金控除額（別表七(二)付表一「6」）	既損金算入額の合計額（別表七(二)付表一「9」）	控除可能特定欠損金額（別表七(二)付表一「12」）	既損金算入額等控除後の損金算入限度額（別表七(二)付表一「16」）
・　・	円	円		円	円	円	円		円	円
・　・			円					円		
・　・										
・　・										
・　・										
・　・										
・　・										
・　・										
・　・										
・　・										

法人名

10年内事業年度	非特定欠損金額に係る控除未済額（別表七(二)付表一「5」）	特定欠損金控除額（別表七(二)付表一「6」）	既損金算入額の合計額（別表七(二)付表一「9」）	控除可能特定欠損金額（別表七(二)付表一「12」）	既損金算入額等控除後の損金算入限度額（別表七(二)付表一「16」）	非特定欠損金額に係る控除未済額（別表七(二)付表一「5」）	特定欠損金控除額（別表七(二)付表一「6」）	既損金算入額の合計額（別表七(二)付表一「9」）	控除可能特定欠損金額（別表七(二)付表一「12」）	既損金算入額等控除後の損金算入限度額（別表七(二)付表一「16」）
・　・	円	円		円	円	円	円		円	円
・　・			円					円		
・　・										
・　・										
・　・										
・　・										
・　・										
・　・										
・　・										
・　・										

法人名　　　　　計

10年内事業年度	非特定欠損金額に係る控除未済額（別表七(二)付表一「5」）	特定欠損金控除額（別表七(二)付表一「6」）	既損金算入額の合計額（別表七(二)付表一「9」）	控除可能特定欠損金額（別表七(二)付表一「12」）	既損金算入額等控除後の損金算入限度額（別表七(二)付表一「16」）	非特定欠損金額に係る控除未済額 1	特定欠損金控除額 2	既損金算入額の合計額 3	控除可能特定欠損金額 4	既損金算入額等控除後の損金算入限度額 5
・　・	円	円		円	円	円	円		円	円
・　・			円					円		
・　・										
・　・										
・　・										
・　・										
・　・										
・　・										
・　・										
・　・										

④ 遮断措置・当初申告固定措置を適用するための修正申告等に係る別表
が用意されている。

(外国税額控除の当初申告固定措置が適用される場合)

別表六（二）付表六　税額控除不足額相当額及び税額控除超過額相当額の計算に関する明細書							
事業年度	・　・		法人名				
過去適用事業年度	過去当初申告税額控除額（過去適用事業年度の別表六（二）「22」）	税額控除額（過去適用事業年度の別表六（二）「19」＋「20」＋「21」）	(2)につき法第69条第18項により対象前各事業年度の法人税額に加算した金額	(2)につき法第69条第17項により対象前各事業年度の法人税額から控除した金額	調整後過去税額控除額(2)＋(3)－(4)	(5)＞(1)の場合　税額控除不足額相当額（((5)－(1))又は当初申告税額控除不足額相当額）	(1)＞(5)の場合　税額控除超過額相当額（((1)－(5))又は当初申告税額控除超過額相当額）
	1	2	3	4	5	6	7
	円	円	円	円	円	円	円
・　・							
・　・							
・　・							
・　・							
・　・							
・　・							
計							

（欠損金の通算の修正申告をする場合）

別表七（二）付表二 通算法人が修正申告をする場合の欠損金の 当期控除額の計算に関する明細書	事業 年度	・ ・	法人 名	

修 正 申 告 に お け る 欠 損 金 の 当 期 控 除 額 の 計 算

事 業 年 度	調整当初配賦欠損 金控除額 （当該事業年度開始 日の属する10年内事 業年度の別表七（二） 付表一「24」）	当初配賦欠損金控 除額以外の非特定 欠損金額 （別表七（二）「5」－(1)）	既金算入額控除後 の損金算入限度額 (16)－（当該事業年 度前の(4)の合計額）	当 期 控 除 額 （(別表七（二）「2」＋ (2)）と(3)のうち少 ない金額）	(4)のうち損金算入 特定欠損金額 （(別表七（二）「2」と (4)のうち少ない金 額）	(4)のうち損金算入 非特定欠損金額 （(2)と((4)－(5))の うち少ない金額）
	1	2	3	4	5	6
・ ・	円	円	円	円	円	円
・ ・						
・ ・						
・ ・						
・ ・						
・ ・						
・ ・						
・ ・						
計						

損 金 算 入 限 度 額 の 調 整 計 算

		当 初 損 金 算 入 過 不 足 額 の 調 整				
控除前所得金額 （別表七（一）「1」）	損金算入限度額 （別表七（一）「2」）	当初損金算入超過額 （この申告前の別表七 （一）「4の計」－「2」） （マイナスの場合は0）	当初損金算入不足額 （この申告前の別表七 （一）「2」－「4の計」） （マイナスの場合は0）	他の当初損金算入 超過額の合計額 （別表十八「19の計」）	当初損金算入不足 額の合計額 （別表十八「20の計」）	損金算入不足割合 $\dfrac{(11)}{(12)}$
7	8	9	10	11	12	13
円	円	円	円	円	円	

当 初 損 金 算 入 過 不 足 額 の 調 整 / 益 金 算 入 額 が あ る 場 合 の 調 整

調整当初損金算入不 足額 (10)×(13)	当初過不足調整損金算 入限度額 （((8)又は(19))＋(9)）又は （((8)又は(19))－(14)）	調整損金算入限度額 （(15)－(この申告前の別表七 （二）付表一「21の計」）	当初配賦欠損金控除 額の益金算入額 （別表七（二）付表一「23の 計」）	益金算入後所得金額の うち当初配賦欠損金控 除額の益金算入額に達 するまでの金額 （(7)と(17)のうち少ない金 額）	益金算入後損金算入限 度額 （(7)－(18)）×$\dfrac{50}{100}$＋(18)
14	15	16	17	18	19
円	円	円	円	円	円

（受取配当金の益金不算入の修正申告をする場合）

別表八（一）付表二　通算法人の関連法人株式等に係る配当等の額から控除する利子の額の計算に関する明細書

事業年度	． ．	法人名	

支払利子等の控除額の計算

支　払　利　子　等　の		控　除　額　の　計　算		
適用関連法人配当等の額の合計額 （別表八（一）付表一「16の計」）	1	支払利子合計額の配賦割合 $\frac{(1)}{(3)}$	9	
他の通算法人の適用関連法人配当等の額の合計の合計 （別表十八「27の計」）－(1)	2	支　払　利　子　配　賦　額 (8)×(9)	10	円
計 (1)+(2)	3	適用関連法人配当等の額の合計額の4％相当額 (1)×0.04	11	
支払利子等の額の合計額 （別表八（一）付表一「5」）	4	支払利子配賦額の10％相当額 (10)×0.1	12	
他の通算法人に対する支払利子等の額	5	令第19条第2項の適用の判定 ((11)≧(12)の場合には「該当」、その他の場合には「非該当」)	13	該当 ・ 非該当
支　払　利　子　合　計　額 (4)－(5) （マイナスの場合は0）	6	支　払　利　子　等　の　控　除　額 ((10)+(21))×0.1 （マイナスの場合は0）	14	円
他の通算法人の支払利子合計額の合計 （別表十八「28の計」）－(6)	7			
計 (6)+(7)	8			

修　正　申　告　で　あ　る　場　合

再計算要否の判定				(19)が「非該当」の場合			
	当初申告適用関連法人配当合計額の合計の4％相当額 （この申告前の(3)）×0.04	15	円	調整前当初支払利子配賦額 (10)	20		円
	当初申告支払利子合計額の合計の10％相当額 （この申告前の(8)）×0.1	16		利　子　修　正　額 (6)－（この申告前の(6)）	21		
	適用関連法人配当等の額の合計額の合計の4％相当額 (3)×0.04	17		調整当初支払利子配賦額 (20)+(21) （マイナスの場合は0）	22		
	支払利子合計額の合計の10％相当額 (8)×0.1	18		調整当初支払利子配賦額の10％相当額 (22)×0.1	23		
	法第64条の5第6項の規定の適用がある場合、(15)<(16)である場合又は(17)<(18)である場合	19	該当 ・ 非該当	当初支払利子配賦額の控除不足額の益金算入額 (23)－(1) （マイナスの場合は0）	24		

46　第1部　グループ通算制度の概要

12 修正・更正

　グループ通算制度では、通算グループ内の一法人に修更正事由が生じた場合でも、グループ調整計算の項目について、全体再計算を行わずに、原則として、他の通算法人への影響を遮断し、その修更正事由が生じた通算法人の申告のみが是正される。

　これを、「修更正の遮断措置」又は「当初申告の固定措置」という。

　ただし、一定の場合については、通算グループ内の全ての通算法人で全体再計算を行って、各通算法人で申告が是正される。

　グループ調整計算の項目ごとの修更正の遮断措置（当初申告の固定措置）の取扱いは次のとおりとなる。

❶ 損益通算

　各通算法人（修更正の対象となる法人を含む）では損益通算を当初申告額のまま固定する（法法64の5⑤）。

　その上で、修更正の対象となる法人において損益通算を固定したまま所得金額又は欠損金額を再計算する（法法64の5⑤）。

　ただし、次のいずれかの場合、通算グループ内の全ての通算法人で全体再計算を行って、各通算法人で申告が是正される（法法64の5⑥⑧）。

- 通算グループ全体で所得金額がマイナスであること等の要件に該当する場合
- 法人税の負担を不当に減少させる結果となると認められる場合（損益通算の濫用防止に係る遮断措置の不適用の規定）

47

❷ 欠損金の通算

　各通算法人（修更正の対象となる法人を含む）では欠損金額及び損金算入限度額（中小通算法人等である場合を除く）で他の通算法人との間で配分し又は配分された金額を当初申告のまま固定する（法法64の7④⑤⑥⑦、法令131の9②）。

　その上で、修更正の対象となる通算法人において、繰越欠損金の繰越控除額を再計算する（法法64の7④⑤⑥⑦、法令131の9②）。

　ただし、損益通算について全体再計算の規定が適用される場合、通算グループ内の全ての通算法人で全体再計算を行って、各通算法人で申告が是正される（法法64の7⑧）。

❸ 軽減税率の適用対象所得金額

　軽減税率の適用対象所得金額（年800万円）の所得の金額の比による配分計算は、各通算法人で所得の金額に修更正があった場合も当初申告額のまま固定する（法法66⑧）。

　ただし、修更正後の各中小通算法人の所得の金額の合計額が年800万円以下である場合又は損益通算について全体再計算の規定が適用される場合、通算グループ内の全ての通算法人で配分計算をやり直して、各通算法人で申告が是正される（法法66⑨）。

❹ 受取配当金の益金不算入（負債利子控除額の上限額の計算）

　各通算法人（修更正の対象となる法人を含む）では支払利子等の額で他の通算法人との間で配分し又は配分された金額を当初申告額のまま固定する（法令19⑤⑥）。

　その上で、修更正の対象となる通算法人のみで益金不算入額を再計算す

る（法令19⑤⑥）。

　ただし、負債利子控除額の支払利子等の額の10％の特例を適用できるようになる場合又は適用できなくなる場合、あるいは、損益通算について全体再計算の規定が適用される場合、通算グループ内の全ての通算法人で全体再計算を行って、各通算法人で申告が是正される（法令19⑦）。

❺ 外国税額控除

　通算法人で事後的に誤りがあった場合、他の通算法人を含めて、外国税額控除額の全体再計算をするが、差額は進行年度（誤っていたことが判明した日又は修更正のあった日の属する事業年度）の法人税額に加算又は法人税額から控除する（法法69⑮⑰⑱⑲、法令148⑨）。

　ただし、外国税額控除の計算の基礎となる事実を隠蔽又は仮装している場合、あるいは、損益通算の濫用防止に係る遮断措置の不適用の規定が適用される場合、通算グループ内の全ての通算法人で全体再計算を行って、各通算法人で当初の申告が是正される（法法69⑯⑳）。

　なお、地方税に係る外国税額控除についても、法人税と同様の当初申告の固定措置が適用されることになる（地法53㊴〜㊹、321の8㊴〜㊹、地令9の7の2、48の13の2）。

❻ 研究開発税制

　通算法人で事後的に誤りがあった場合、他の通算法人の税額控除額は当初申告額のままとするが、その通算法人で全体再計算を行い、当初申告のグループ全体の税額控除額が過大となっていた場合はその通算法人で追徴され、過少となっていた場合は還付されない（措法42の4⑧⑩〜⑮⑱、措令27の4⑤）。

　ただし、損益通算の濫用防止に係る遮断措置の不適用の規定が適用される場合、通算グループ内の全ての通算法人で全体再計算を行って、各通算法人で申告が是正される（措法42の4⑯⑰⑱）。

49

[損益通算の遮断措置]

【例:欠損法人が増額更正になるケース】

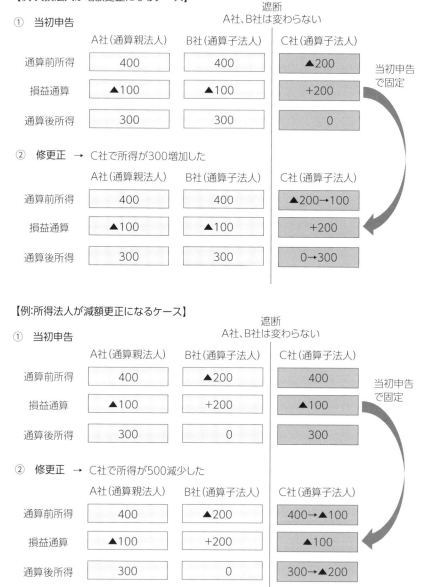

第1部　グループ通算制度の概要

13 適用時期

グループ通算制度は、令和４年４月１日以後に開始する事業年度から適用される（令和２年所法等改正法附則14）。

14 経過措置

グループ通算制度の適用に係る経過措置は次のとおりとなる。

① 連結納税制度の特定連結欠損金個別帰属額又は非特定連結欠損金個別帰属額は、それぞれ、グループ通算制度の特定欠損金額又は非特定欠損金額として引き継がれる（令和２年所法等改正法附則20①④⑦⑧、28③）。

② 連結法人について、グループ通算制度の移行時に開始時の取扱い（時価評価、繰越欠損金の切捨て、含み損等の損金算入又は損益通算の制限）は適用されない（令和２年所法等改正法附則20⑪、25③、26③、27①、30②④、31①）。

③ グループ通算制度の開始・加入時の時価評価は、令和４年３月31日以後に終了する通算開始・通算加入直前事業年度において適用される（令和２年所法等改正法附則25②、26②、30①）。

④ 親法人が３月決算で、令和４年３月31日に終了する通算開始・通算加入直前事業年度については、連結納税制度とグループ通算制度で時価評価除外法人又は時価評価対象法人の判定結果が逆になる場合はどちらか一方を選択できる（令和２年所法等改正法附則30③⑤、20⑫、25④、26④、27②、28④、29⑥、31②）。

⑤ 連結納税制度における法人税の申告期限の延長の承認は、グループ通算制度に引き継がれる（令和２年所法等改正法附則34）。

第2部

グループ通算制度を適用する場合の会計処理

第1章
グループ通算制度を適用する場合の会計処理及び開示に関する取扱い

グループ通算制度を適用する場合の会計処理については、実務対応報告第42号「グループ通算制度を適用する場合の会計処理及び開示に関する取扱い（2021年8月12日企業会計基準委員会）」（以下、**第2部**で「実務対応報告第42号」という）において定められている。

実務対応報告第42号の適用範囲、用語の定義、適用時期等は次のとおりとなる。

1　適用範囲

実務対応報告第42号は、次に掲げる企業の連結財務諸表及び個別財務諸表に適用される（実務対応報告第42号3）。

① 　グループ通算制度を適用する企業

② 　連結納税制度から単体納税制度に移行する企業

なお、実務対応報告第42号は、グループ通算制度を適用する場合の会計処理について、通算税効果額の授受を行うことを前提としており、通算税効果額の授受を行わない場合の会計処理及び開示については取り扱っていない（実務対応報告第42号3）。そのため、本書においても、通算グループ内で通算税効果額の授受を行うことを前提とした会計処理について解説している。

また、グループ通算制度の対象とされていない住民税及び事業税については、それぞれ法人税及び地方法人税と区別して、単体納税制度を適用している場合と同様に「税効果会計に係る会計基準（企業会計審議会）」「『税効果会計に係る会計基準』の一部改正（企業会計基準第28号）、「税効果会

計に係る会計基準の適用指針（企業会計基準適用指針第28号）」「繰延税金資産の回収可能性に関する適用指針（企業会計基準適用指針第26号）」を適用する（実務対応報告第42号8）。また、住民税の税額計算は、グループ通算制度によって算定された法人税額からグループ通算制度による影響を控除して算定するため、これを考慮して繰延税金資産の回収可能性の判断を行う（実務対応報告第42号8）。

2 用語の定義

実務対応報告第42号では、グループ通算制度に関する用語について次のように定義している（実務対応報告第42号5）。

用　　語	定　　義
通算会社	グループ通算制度を適用する企業をいう。
通算親会社	通算会社のうち、通算親法人をいう。
通算子会社	通算会社のうち、通算子法人をいう。
通算グループ	通算親会社及び通算親会社との間に完全支配関係がある通算子会社により構成される集団をいう。
通算前所得	法人税法第64条の5に規定する通算前所得金額をいい、課税所得から損益通算及び欠損金の通算による損金算入額又は益金算入額等を除いた額をいう。
通算前欠損金	法人税法第64条の5に規定する通算前欠損金額をいい、税務上の欠損金から損益通算及び欠損金の通算による損金算入額又は益金算入額等を除いた額をいう。
特定繰越欠損金	「特定繰越欠損金」とは、法人税法第64条の7第2項に規定する特定欠損金額をいい、グループ通算制度を開始する前に生じた繰越欠損金であって一定の要件を満たす場合にグループ通算制度適用後にも控除可能な繰越欠損金をいう。

損益通算	法人税法第64条の5に規定する損益通算をいい、通算グループ内で通算前欠損金が生じている通算会社（以下、「欠損会社」という）の通算前欠損金の合計額を、通算前所得が生じている通算会社（以下、「所得会社」という）の通算前所得の合計額を限度として、所得会社の通算前所得の金額の比で配分し、所得会社において損金に算入するとともに、損金に算入された金額の合計額を欠損会社の通算前欠損金の比で配分した額を、欠損会社において益金に算入することをいう。
欠損金の通算	法人税法第64条の7に規定する欠損金の通算をいい、通算グループ全体の特定繰越欠損金額以外の繰越欠損金の合計額を通算会社の損金算入限度額の比で配分した金額を通算会社において損金に算入することをいう。
通算税効果額	法人税法第26条第4項に規定する通算税効果額をいい、損益通算、欠損金の通算及びその他のグループ通算制度に関する法人税法上の規定を適用することにより減少する法人税及び地方法人税の額に相当する金額として、通算会社と他の通算会社との間で授受が行われた場合に損金の額又は益金の額に算入されない金額をいう。
一時差異等加減算前通算前所得	将来の事業年度における通算前所得の見積額から、当該事業年度において解消することが見込まれる当期末に存在する将来加算一時差異及び将来減算一時差異の額を除いた額をいう。

[出典]「実務対応報告第42号」（企業会計基準委員会）

3 適用時期等

　実務対応報告第42号の適用時期と経過措置は次のとおりとなる（実務対応報告第42号31、32）。

(1)　実務対応報告第42号は、2022年4月1日以後に開始する連結会計年度及び事業年度の期首から適用する。

　　但し、税効果会計に関する会計処理及び開示については、2022年3月31日以後に終了する連結会計年度及び事業年度の期末の連結財務諸表及び個別財務諸表から適用することができる。

(2)　税効果会計の会計処理及び開示に関する経過的な取扱いは、次のとおりとする。

　①　連結納税制度を適用している企業がグループ通算制度に移行する場合、実務対応報告第42号の適用は、会計基準等の改正に伴う会計方針の変更に該当するが、会計方針の変更による影響はないものとみなす。また、会計方針の変更に関する注記は要しない。

② 単体納税制度を適用している企業が2022年4月1日以後最初に開始する連結会計年度及び事業年度の期首からグループ通算制度に移行する場合の実務対応報告第42号に基づく税効果会計の適用時期については、「適用時の取扱い」の定めによらず、上記(1)に定める時期から適用する。

(3) 連結納税制度を適用している企業が単体納税制度に移行する場合、上記(1)の定めにかかわらず、グループ通算制度を適用しない旨の届出書を提出した日の属する会計期間（四半期会計期間を含む）から、2022年4月1日以後最初に開始する事業年度より単体納税制度を適用するものとして税効果会計を適用する。

[出典]「実務対応報告第42号」（企業会計基準委員会）

[実務対応報告第42号の適用時期等のまとめ]

3月決算を前提に適用時期及び経過措置をまとめると以下のとおりとなる。

	会計処理区分	2021年6月（1Q）	2021年9月（2Q）基準公表	2021年12月（3Q）	2022年3月（4Q）	2022年4月1日～グループ通算制度の適用開始（税法）
(1) 連結納税制度からグループ通算制度へ移行する企業	税金	連結納税制度				グループ通算制度
	税効果	「原則的な取扱い」（注4）or「特例的な取扱い」（注4）			早期適用可能（注1）	強制適用（注1）
(2) 単体納税制度からグループ通算制度へ移行する企業	税金	単体納税制度				グループ通算制度
	税効果	単体納税制度として税効果会計を適用			早期適用可能（注2）	強制適用（注2）
(3) 連結納税制度から単体納税制度へ移行する企業	税金	連結納税制度				単体納税制度
	税効果	「原則的な取扱い」or「特例的な取扱い」	届出書を提出した日の属する会計期間（四半期会計期間を含む）から単体納税制度を前提として税効果会計を適用（注3）			

（注1）会計方針の変更による影響はないものとみなす。また、「特例的な取扱い」を採用していた場合、税制の変更による影響を適用初年度の損益として計上する。

（注2）税制の変更による影響を、適用初年度の損益に計上する。

（注3）税制の変更による影響を、届出書を提出した日の属する会計期間（四半期会計期間を含む）の損益に計上する。

（注4）「特例的な取扱い」とは、実務対応報告第39号における特例的な取扱い（実務対応報告第5号等に関する必要な改廃をASBJが行うまでの間は、改正前の税法の規定に基づくことができるとする取扱い）をいう。「原則的取扱い」とは、税効果適用指針第44項の原則的な取扱いに従い、グループ通算制度の改正税法が国会で成立したとき、つまり、2020年3月期（四半期会計期間を含む）よりグループ通算制度を前提とした会計処理を行う取扱いをいう。実務上、連結納税制度を適用している企業のほとんどが特例的な取扱いを適用しているものと思われる。

［出典］第454回企業会計基準委員会（2021年3月25日）審議事項（3）－5を一部加工

　第2章及び第3章では、実務対応報告第42号に従い、グループ通算制度を適用する場合の会計処理（法人税及び地方法人税に関する会計処理と税効果会計に関する会計処理）について、それぞれ解説する。

第2章
法人税及び地方法人税に関する会計処理

　個別財務諸表における損益計算書において、通算税効果額は当事業年度の所得に対する法人税及び地方法人税に準じるものとして取り扱う（実務対応報告第42号7）。

　この場合、通算税効果額は、法人税及び地方法人税を示す科目に含めて、損益計算書に表示し、通算税効果額に係る債権及び債務は、未収入金や未払金などに含めて貸借対照表に表示する（実務対応報告第42号25）。

　第1部 10の「**通算税効果額（グループ内の税金精算）**」の［**計算例1**］について、会計仕訳の例は次のとおりとなる。

[税金の内訳]

前提条件より計算	P社	A社	B社	合計
法人税額	896	1,344	0	2,240
通算税効果額	1,004	1,588	▲2,592	0
地方法人税額（10.3%）	92	138	0	230
住民税（10.4%）[※1]	97	145	0	242
事業税（3.78%）[※2]	302	454	0	756

※1　試験研究費の税額控除適用前の法人税額を課税標準とする。

※2　通算前所得を課税標準とする。

[会計仕訳（例）]

(1)　P社

科目	補助科目	金額	科目	補助科目	金額
法人税、住民税及び事業税	法人税	896	未払法人税等	法人税	896
法人税、住民税及び事業税	法人税	92	未払法人税等	法人税	92
法人税、住民税及び事業税	住民税	97	未払法人税等	住民税	97
法人税、住民税及び事業税	事業税	302	未払法人税等	事業税	302
法人税、住民税及び事業税	法人税	1,004	未払金	通算税効果額	1,004

(2) A社

科目	補助科目	金額	科目	補助科目	金額
法人税、住民税及び事業税	法人税	1,344	未払法人税等	法人税	1,344
法人税、住民税及び事業税	法人税	138	未払法人税等	法人税	138
法人税、住民税及び事業税	住民税	145	未払法人税等	住民税	145
法人税、住民税及び事業税	事業税	454	未払法人税等	事業税	454
法人税、住民税及び事業税	法人税	1,588	未払金	通算税効果額	1,588

(3) B社

科目	補助科目	金額	科目	補助科目	金額
法人税、住民税及び事業税	法人税	0	未払法人税等	法人税	0
法人税、住民税及び事業税	法人税	0	未払法人税等	法人税	0
法人税、住民税及び事業税	住民税	0	未払法人税等	住民税	0
法人税、住民税及び事業税	事業税	0	未払法人税等	事業税	0
未収入金	通算税効果額	2,592	法人税、住民税及び事業税	法人税	2,592

　上記は、国税庁「グループ通算制度に関するQ&A（令和3年6月改訂）」の「問59　通算税効果額等の申告書別表への記載について」（以下、「問59」という）で示された会計仕訳と同様の仕訳としている（問59では、どの法人間で通算税効果額の授受を行うかについて、前提の記載がないため、上記についてもその前提の記載をしていない）。

　ただし、実務では、所得法人と欠損法人が「複数対複数」になることが一般的であるため、そのような場合は、通算親法人など一の通算法人を通じて通算税効果額の授受を行うことになる。例えば、通算親法人を通じて通算税効果額の授受を行う場合に、会計仕訳が上記と同じ仕訳となるのか、通算親法人P社において、通算子法人A社に対する未収入金、通算子法人B社に対する未払金を計上するのか、今後の検討課題となろう。

第3章
税効果会計に関する会計処理

1　個別財務諸表における繰延税金資産の回収可能性

❶ 繰延税金資産の回収可能性の判断に関する手順

　グループ通算制度を適用している場合の個別財務諸表における繰延税金資産の回収可能性の判断に関する手順については、通算税効果額の影響を考慮し、次のとおり取り扱う（実務対応報告第42号11、回収可能性適用指針11（5）（6））。

(1)	期末における将来減算一時差異の解消見込年度のスケジューリングを行う。
(2)	期末における将来加算一時差異の解消見込年度のスケジューリングを行う。
(3)	将来減算一時差異の解消見込額と将来加算一時差異の解消見込額とを、解消見込年度ごとに相殺する。
(4)	(3)で相殺し切れなかった将来減算一時差異の解消見込額については、解消見込年度を基準として繰戻・繰越期間の将来加算一時差異（(3)で相殺後）の解消見込額と相殺する。
(5)	(1)から(4)により相殺し切れなかった将来減算一時差異の解消見込額については、まず、通算会社単独の将来の一時差異等加減算前通算前所得の見積額と解消見込年度ごとに相殺し、その後、損益通算による益金算入見積額（当該年度の一時差異等加減算前通算前所得の見積額がマイナスの場合には、マイナスの見積額に充当後）と解消見込年度ごとに相殺する。
(6)	(5)で相殺し切れなかった将来減算一時差異の解消見込額については、解消見込年度の翌年度以降において、特定繰越欠損金以外の繰越欠損金として取り扱われることから、(8)に従って、税務上の繰越欠損金の控除見込年度ごとの損金算入のスケジューリングに従って回収が見込まれる金額と相殺する。
(7)	(1)から(6)により相殺し切れなかった将来減算一時差異に係る繰延税金資産の回収可能性はないものとし、繰延税金資産から控除する。

62　第2部　グループ通算制度を適用する場合の会計処理

(8)	また、期末に税務上の繰越欠損金を有する場合、特定繰越欠損金と特定繰越欠損金以外の繰越欠損金ごとに、その繰越期間にわたって、将来の課税所得の見積額（税務上の繰越欠損金控除前）に基づき、税務上の繰越欠損金の控除見込年度ごとに損金算入限度額計算及び翌期繰越欠損金額の算定手続に従って損金算入のスケジューリングを行い、回収が見込まれる金額を繰延税金資産として計上する。

［出典］「実務対応報告第42号」（企業会計基準委員会）

　このように、将来の課税所得（将来加算一時差異を含む）と将来減算一時差異等の解消額を比較して、将来の課税所得の範囲で将来減算一時差異等が回収可能であると判断する回収可能額の計算方法を「スケジューリング」という。

　なお、上記の手順による個別財務諸表における将来減算一時差異の回収可能額の計算例は下記2❶で示している。

❷ 企業分類に応じた繰延税金資産の回収可能性に関する取扱い

　グループ通算制度を適用している場合の個別財務諸表における繰延税金資産の回収可能性の判断を行うにあたっての企業分類について、次のとおり取り扱う（実務対応報告第42号13）。

①	通算グループ内の全ての納税申告書の作成主体を1つに束ねた単位（通算グループ全体）の分類と通算会社の分類をそれぞれ判定する。なお、通算グループ全体の分類は、通算グループ全体を判定単位として、個社単位の分類と同様に判定し、通算会社の分類は、損益通算や欠損金の通算を考慮せず、自社の通算前所得又は通算前欠損金に基づいて判定する。
②	将来減算一時差異に係る繰延税金資産の回収可能性の判断については、通算グループ全体の分類が、通算会社の分類と同じか上位にあるときは、通算グループ全体の分類に応じた判断を行う。また、通算グループ全体の分類が、通算会社の分類の下位にある場合は、当該通算会社の分類に応じた判断を行う。
③	税務上の繰越欠損金に係る繰延税金資産の回収可能性の判断において、特定繰越欠損金以外の繰越欠損金については通算グループ全体の分類に応じた判断を行う。また、特定繰越欠損金については、損金算入限度額計算における課税所得ごとに、通算グループ全体の課税所得は通算グループ全体の分類に応じた判断を行い、通算会社の課税所得は通算会社の分類に応じた判断を行う。

［出典］「実務対応報告第42号」（企業会計基準委員会）

上記に従い、グループ通算制度を適用している場合の個別財務諸表における企業分類の判定方法をまとめると次のとおりとなる。

【個別財務諸表】　グループ通算制度を適用している場合の企業分類の判定																											
企業分類の判定	通算グループ全体の分類	通算グループ全体の判定による分類	①					②					③					④					⑤				
	各通算会社の分類	各通算会社単独の判定による分類	①	②	③	④	⑤	①	②	③	④	⑤	①	②	③	④	⑤	①	②	③	④	⑤	①	②	③	④	⑤
適用される企業分類の決定	将来減算一時差異に係る分類	より上位の分類が優先	①					①	②				①	②	③			①	②	③	④		①	②	③	④	⑤
	非特定欠損金に係る分類	通算グループ全体の分類	①					②					③					④					⑤				
	特定欠損金に係る分類	より下位の分類が優先	①	②	③	④	⑤	②		③	④	⑤	③			④	⑤	④				⑤	⑤				

※分類1＝①、分類2＝②、分類3＝③、分類4＝④、分類5＝⑤、と表記している。

　なお、通算グループ全体の分類の判定とそれに基づく個別財務諸表における将来減算一時差異の回収可能額の計算例は下記2❷で示している。

2　連結財務諸表における繰延税金資産の回収可能性

❶ 繰延税金資産の回収可能性の判断に関する手順

　グループ通算制度を適用している場合の連結財務諸表における将来減算一時差異及び税務上の繰越欠損金に係る繰延税金資産の回収可能性については、通算グループ内のすべての納税申告書の作成主体を1つに束ねた単位で、回収可能性の判断を行い、個別財務諸表において計上した繰延税金資産の合計との差額は、連結上修正する（実務対応報告第42号14）。

　この場合、連結財務諸表における繰延税金資産の回収可能性の判断に関

する手順については、次のとおり取り扱う（実務対応報告第42号15・16）。

(1)	期末における通算グループ全体の将来減算一時差異の合計の解消見込年度のスケジューリングを行う。
(2)	期末における通算グループ全体の将来加算一時差異の合計の解消見込年度のスケジューリングを行う。
(3)	通算グループ全体の将来減算一時差異の合計の解消見込額と通算グループ全体の将来加算一時差異の合計の解消見込額とを、解消見込年度ごとに相殺する。
(4)	(3)で相殺し切れなかった通算グループ全体の将来減算一時差異の合計の解消見込額については、解消見込年度を基準として繰戻・繰越期間の通算グループ全体の将来加算一時差異の合計（(3)で相殺後）の解消見込額と相殺する。
(5)	(1)から(4)により相殺し切れなかった通算グループ全体の将来減算一時差異の合計の解消見込額については、将来の通算グループ全体の一時差異等加減算前課税所得の見積額の合計（タックス・プランニングに基づく通算グループ全体の一時差異等加減算前課税所得の見積額の合計を含む）と解消見込年度ごとに相殺する。
(6)	(5)で相殺し切れなかった通算グループ全体の将来減算一時差異の合計の解消見込額については、解消見込年度を基準として繰戻・繰越期間の通算グループ全体の一時差異等加減算前課税所得の見積額の合計（(5)で相殺後）と相殺する。
(7)	(1)から(6)により相殺し切れなかった通算グループ全体の将来減算一時差異の合計に係る繰延税金資産の回収可能性はないものとし、繰延税金資産から控除する。
(8)	また、期末に税務上の繰越欠損金を有する場合、個別財務諸表と同様に取扱い、特定繰越欠損金と特定繰越欠損金以外の繰越欠損金ごとに損金算入のスケジューリングを行い、回収が見込まれる金額を繰延税金資産として計上する。

［出典］「実務対応報告第42号」（企業会計基準委員会）

　上記の手順に従った場合で、個別財務諸表における回収可能見込額の合計額と連結財務諸表における繰延税金資産の回収可能見込額に差額が生じるケースとしては、例えば、個別所得見積額がプラスの会社とマイナスの会社がともに存在しており、かつ、通算グループ全体の一時差異等加減算前課税所得の合計では、通算グループ全体の将来減算一時差異の合計の解消見込額を賄えず、解消年度において通算グループ全体で繰越欠損金が生じる場合が想定される。

グループ通算制度を適用している場合の個別財務諸表及び連結財務諸表におけるスケジューリングによる回収可能額の計算例は、次のとおりとなる。

［設問１］将来減算一時差異に係る繰延税金資産の回収可能性

１．前提

(1) Ｘ１年（当期）末の将来減算一時差異はＰ社1,000、Ａ社200、Ｂ社600であり、すべてＸ２年に解消が見込まれるものとする。また、将来加算一時差異及び税務上の繰越欠損金は有していない。

(2) Ｘ２年の一時差異等加減算前通算前所得の見積額は、Ｐ社1,200、Ａ社▲700、Ｂ社800とする。

(3) Ｘ３年以降の一時差異等加減算前課税所得の見積額は、０とする。

２．回収可能性の判断の手順（個別財務諸表）

(1) 各通算会社は、Ｘ１年末に存在する将来減算一時差異の解消見込額（将来加算一時差異の解消見込額と相殺後。以下同じ）をＸ２年の一時差異等加減算前通算前所得の見積額と相殺する。

(2) (1)で相殺し切れなかった将来減算一時差異の解消見込額は、Ｘ２年における損益通算による益金算入見積額と相殺する。但し、Ａ社は、Ｘ２年の一時差異等加減算前通算前所得の見積額がマイナスであるため、Ｘ２年の一時差異等加減算前通算前所得のマイナスの見積額に充当した後の損益通算による益金算入見積額と相殺する。

(3) (2)で相殺し切れなかった将来減算一時差異の解消見込額は、解消見込年度の翌年度以降において、特定繰越欠損金以外の繰越欠損金として取り扱われることから、税務上の繰越欠損金の控除見込年度ごとの損金算入のスケジューリングに従って回収が見込まれる金額と相殺する。

　以上を表に示すと次のようになる。

発生及び解消見込年度			将来減算一時差異			
			Ｐ社	Ａ社	Ｂ社	合計
発生	Ｘ１年末		▲ 1,000	▲ 200	▲ 600	▲ 1,800
回収可能見込額の見積り (※1)	Ｘ２年	一時差異等加減算前通算前所得の見積額	1,200	▲ 700	800	1,300
		将来減算一時差異の解消見込額	▲ 1,000	▲ 200	▲ 600	▲ 1,800
		通算前所得の見積額	200	▲ 900	200	▲ 500
		損益通算(※2)	▲ 200	400	▲ 200	0
		課税所得の見積額	0	▲ 500	0	▲ 500
		一時差異等加減算前通算前所得の見積額による回収可能見込額	1,000	0	600	1,600
		損益通算による益金算入見積額	0	400	0	400
		上記のうち、一時差異等加減算前通算前所得のマイナスの見積額への充当額	0	▲ 400	0	▲ 400
		回収可能見込額	1,000	0	600	1,600

※1　各社の個別財務諸表における取扱い

　　　個別財務諸表における繰延税金資産の回収可能性の判断にあたっては、個社の一時差異等加減算前通算前所得の見積額に加えて、他の会社の通算前所得との損益通算を加味して回収可能性の判断を行うこととなる。具体的には、まず、個社の一時差異等加減算前通算前所得に基づき、Ｐ社とＢ社においては回収可能となるが、Ａ社においては、個社の一時差異等加減算前通算前所得が▲700であり全額が回収できない。また、損益通算によってＰ社とＢ社の通算前所得合計400と通算されるが、損益通算による益金算入見積額400をＡ社の一時差異等加減算前通算前所得▲700に充当した残額は▲300となることから、Ａ社において全額が回収不能となる。

※2　Ａ社の通算前欠損金▲900について、Ｐ社の通算前所得200とＢ社の通算前所得200それぞれに配分する。

3．回収可能性の判断の手順（連結財務諸表）

(1)　連結財務諸表における通算グループ全体についての回収可能性の判断として、Ｘ１年末に存在する通算グループ全体の将来減算一時差異の合計の解消見込額をＸ２年の通算グループ全体の一時差異等加減算前課税所得の見積額と相殺する。

(2)　(1)で相殺し切れなかった通算グループ全体の将来減算一時差異の合計の解消見込額は、解消見込年度の翌年度以降において、特定繰越欠損金以外の繰越欠損金として取り扱われることから、税務上の繰越欠損金の控除見込年度ごとの損金算入のスケジューリングに従って回収が見込まれる金額と相殺する。

発生及び解消見込年度			将来減算一時差異		
			個別財務諸表合計	連結財務諸表	差額
発生	Ｘ１年末		▲ 1,800	▲ 1,800	0
回収可能見込額の見積り (※3)	Ｘ２年	一時差異等加減算前課税所得の見積額	1,300	1,300	0
		将来減算一時差異の解消見込額	▲ 1,800	▲ 1,800	0
		課税所得の見積額	▲ 500	▲ 500	0
		一時差異等加減算前課税所得の見積額による回収可能見込額(※4)	1,600	1,300	300
		回収可能見込額(※4)	1,600	1,300	300

※3　連結財務諸表における取扱い

　　　連結財務諸表においては、通算グループ全体を１つの単位として、繰延税金資産の回収可能性を判断することになる。具体的には、通算グループ全体の一時差異等加減算前課税所得の合計1,300が、通算グループ全体の将来減算一時差異の解消見込額の合計1,800を下回るため、通算グループ全体の一時差異等加減算前課税所得の合計1,300に対応する繰延税金資産が回収可能となる。

　　　この結果、各社の個別財務諸表における回収可能見込額の合計1,600と、通算グループ全体を１つの単位とした回収可能見込額1,300に差異が生じることとなり、連結財務諸表においては、繰延税金資産の回収可能性の見直しを行い、連結修正として、差額の回収可能見込額300に対応する繰延税金資産を取り崩すこととなる。

※4　個別財務諸表合計1,600は、「２．回収可能性の判断の手順（個別財務諸表）」の表における回収可能見込額の合計である。

［設問2］ 税務上の繰越欠損金に係る繰延税金資産の回収可能性

1．前提

(1) X1年末の税務上の繰越欠損金の額は、P社0、A社0、B社▲1,000とする。

(2) X2年（当期）より、親会社P社と100％子会社A社、B社はグループ通算制度を適用することとなった。X1年末のB社の税務上の繰越欠損金は特定繰越欠損金に該当する。

(3) X2年の課税所得は、P社▲200、A社▲300、B社0とし、P社及びA社の課税所得のマイナスについては、各通算会社の税務上の繰越欠損金としてX3年に繰り越している。

(4) X3年の課税所得の見積額（税務上の繰越欠損金控除前）（通算前所得に損益通算を考慮した課税所得の見積額となる。以下同じ）は、P社600、A社0、B社200とする。

(5) X4年以降の課税所得の見積額（税務上の繰越欠損金控除前）は、0とする。

2．回収可能性の判断の手順

(1) 特定繰越欠損金と特定繰越欠損金以外の繰越欠損金ごとに、その繰越期間にわたって、将来の課税所得の見積額（税務上の繰越欠損金控除前）に基づき、回収可能性の判断を行う。まず、最も古い年度に発生したX1年末の繰越欠損金について、X3年の課税所得の見積額（税務上の繰越欠損金控除前）と相殺できるか検討を行う。X1年の税務上の繰越欠損金はB社の特定繰越欠損金だけであるため、B社の課税所得の見積額（税務上の繰越欠損金控除前）と通算グループ全体の課税所得見積額の合計（税務上の繰越欠損金控除前）のうちいずれか小さい額と相殺する。

(2) (1)で相殺し切れなかったX1年末の税務上の繰越欠損金の回収可能性について、X4年以降のB社の課税所得の見積額（税務上の繰越欠損金控除前）は0であるため、回収可能性はないと判断される。

(3) 続いてX2年の税務上の繰越欠損金について、X3年の課税所得の見積額（税務上の繰越欠損金控除前）と相殺できるか検討を行う。X2年の税務上の繰越欠損金はP社及びA社の特定繰越欠損金以外の繰越欠損金であり、通算グループ全体の課税所得の見積額の合計（税務上の繰越欠損金控除前）から(1)で相殺された金額を控除した金額と相殺する。

以上を表に示すと次のようになる。

発生及び解消見込年度			税務上の繰越欠損金			
			P社	A社	B社	合計
特定繰越欠損金	X1年末		0	0	▲1,000	▲1,000
特定繰越欠損金以外の繰越欠損金	X2年		▲200	▲300	0	▲500
回収可能見込額の見積り	X3年	課税所得の見積額（税務上の繰越欠損金控除前）	600	0	200	800
		特定繰越欠損金の控除見積額(※1)	0	0	▲200	▲200
		特定繰越欠損金控除後の課税所得の見積額（税務上の繰越欠損金控除前）(※2)	600	0	0	600
		翌期繰越欠損金額の算定手続における損金算入額(※2)	▲200	▲300	0	▲500
		回収可能見込額	200	300	200	700

※1 特定繰越欠損金に該当する部分に係る繰延税金資産の回収可能性は、税務上認められる繰戻・繰越期間内における当該通算会社の課税所得の見積額（税務上の繰越欠損金控除前）と通算グループ全体の課税所得の見積額の合計（税務上の繰越欠損金控除前）のうちいずれか小さい額を限度に、当該各事業年度における特定繰越欠損金額の繰越控除額を見積もることにより判断する。そのため、X3年の通算グループ全体の課税所得の見積額の合計（税務上の繰越欠損金控除前）が800あるが、B社の課税所得の見積額（税務上の繰越欠損金控除前）200がこれを下回ることから、B社の特定繰越欠損金の繰越控除が可能な額はB社の課税所得の見積額（税務上の繰越欠損金控除前）である200となる。

※2 X2年の特定繰越欠損金以外の繰越欠損金の合計額▲500は、X3年の通算グループ全体の課税所得の見積額の合計（税務上の繰越欠損金控除前）800からX1年末のB社の特定繰越欠損金と相殺した200を控除した600により全額回収が見込まれることになる。

❷ 企業分類に応じた繰延税金資産の回収可能性に関する取扱い

　グループ通算制度を適用している場合の連結財務諸表における繰延税金資産の回収可能性の判断における企業分類については、通算グループ全体（通算グループ内のすべての納税申告書の作成主体を1つに束ねた単位）を判定単位として、個別財務諸表における個社単位の企業分類と同様に判定を行う（実務対応報告第42号17）。

　この場合、個別財務諸表における企業分類の判定で使用する「一時差異等」は「通算グループ全体の一時差異等の合計」と、「課税所得」は「通算グループ全体の課税所得の合計」と、「税務上の欠損金」は「通算グループ全体の税務上の欠損金の合計」と、「一時差異等加減算前課税所得」は「通算グループ全体の一時差異等加減算前課税所得の合計額」と読み替えた上で、通算グループ全体の企業分類を判断する（実務対応報告第42号17）。

　また、繰越欠損金に係る繰延税金資産の回収可能性の判断については、個別財務諸表における繰越欠損金に係る企業分類と同様に取り扱う（実務対応報告第42号17）。

　上記について、グループ通算制度を適用している場合の連結財務諸表における企業分類の判定方法をまとめると次のとおりとなる。

【連結財務諸表】　グループ通算制度を適用している場合の企業分類の判定							
企業分類の判定	通算グループ全体の分類	通算グループ全体の判定による分類	①	②	③	④	⑤
	各通算会社の分類	各通算会社単独の判定による分類	①②③④⑤	①②③④⑤	①②③④⑤	①②③④⑤	①②③④⑤
適用される企業分類の決定	将来減算一時差異に係る分類	通算グループ全体の分類	①	②	③	④	⑤
	非特定欠損金に係る分類	通算グループ全体の分類	①	②	③	④	⑤
	特定欠損金に係る分類	より下位の分類が優先	①②③④⑤	②③④⑤	③④⑤	④⑤	⑤

※分類1＝①、分類2＝②、分類3＝③、分類4＝④、分類5＝⑤、と表記している。

　また、通算グループ全体の分類の判定とそれに基づく個別財務諸表及び連結財務諸表における将来減算一時差異に係る繰延税金資産の回収可能額の計算例は次のとおりとなる。

[設問3] 企業分類による繰延税金資産の回収可能性

1．前提

(1) 当期（X4年）末の将来減算一時差異は、次のとおりであった。スケジューリング可能な一時差異はすべて5年以内に解消するものとする。また、当期末の税務上の繰越欠損金はいずれの会社も0であった。

	P社	A社	B社	合　計
スケジューリング可能な一時差異	▲ 1,000	▲ 800	▲ 1,200	▲ 3,000
スケジューリング不能な一時差異	▲ 1,000	▲ 600	▲ 400	▲ 2,000
将来減算一時差異合計	▲ 2,000	▲ 1,400	▲ 1,600	▲ 5,000

(2) X1〜X4年の各期の課税所得は次のとおりであった。

		P社	A社	B社	合　計
X1年の課税所得	通算前所得	3,000	1,000	▲ 240	3,760
	損益通算(※1)	▲ 180	▲ 60	240	0
	課税所得	2,820	940	0	3,760
X2年の課税所得	通算前所得	2,500	900	300	3,700
	損益通算	―	―	―	―
	課税所得	2,500	900	300	3,700
X3年の課税所得	通算前所得	2,400	1,200	▲ 180	3,420
	損益通算(※2)	▲ 120	▲ 60	180	0
	課税所得	2,280	1,140	0	3,420
X4年の課税所得	通算前所得	2,600	900	260	3,760
	損益通算	―	―	―	―
	課税所得	2,600	900	260	3,760

※1　B社の通算前欠損金▲240をP社とA社の通算前所得3,000と1,000の比で配分

※2　B社の通算前欠損金▲180をP社とA社の通算前所得2,400と1,200の比で配分

(3) X5〜X9年の各期の通算前所得の見積額は次のとおりとする。

	P社	A社	B社	合計
X5年からX9年の各期の通算前所得の見積額	2,000	1,000	200	3,200

２．繰延税金資産の回収可能性における企業の分類と回収可能見込額

	全体	Ｐ社	Ａ社	Ｂ社
将来減算一時差異	▲ 5,000	▲ 2,000	▲ 1,400	▲ 1,600
スケジューリング可能な一時差異	▲ 3,000	▲ 1,000	▲ 800	▲ 1,200
スケジューリング不能な一時差異	▲ 2,000	▲ 1,000	▲ 600	▲ 400
Ｘ１年の通算前所得	3,760	3,000	1,000	▲ 240
Ｘ２年の通算前所得	3,700	2,500	900	300
Ｘ３年の通算前所得	3,420	2,400	1,200	▲ 180
Ｘ４年の通算前所得	3,760	2,600	900	260
企業の分類	分類 2	分類 1	分類 2	分類 3
Ｘ５年～Ｘ９年の各期の通算前所得の見積額	3,200	2,000	1,000	200
回収可能見込額	▲ 3,000	▲ 2,000	▲ 800	▲ 1,200

⑴　通算グループ全体の分類

　グループ全体でみた場合、過去（３年）及び当期のすべての事業年度において、課税所得が期末における将来減算一時差異▲5,000を下回るものの、安定的に生じていると判断した場合には（なお、重要な税務上の欠損金は生じておらず、Ｘ４年末において、近い将来に経営環境に著しい変化は見込まれていないものとする）、（分類２）の企業に該当することとなる。この場合、スケジューリング不能な一時差異▲2,000を除く、スケジューリング可能な一時差異▲3,000の回収可能性があると判断される。

⑵　Ｐ社の分類

　Ｐ社は、過去（３年）及び当期のすべての事業年度において、期末における将来減算一時差異▲2,000を十分に上回る通算前所得が生じていると判断した場合には（なお、Ｘ４年末において、近い将来に経営環境に著しい変化は見込まれていないものとする）、（分類１）の企業に該当することとなる。この場合、繰延税金資産の全額について回収可能性があると判断される。

⑶　Ａ社の分類

　Ａ社は、過去（３年）及び当期のすべての事業年度において、通算前所得が期末における将来減算一時差異▲1,400を下回るものの、安定的に生じていると判断した場合には（なお、重要な税務上の欠損金は生じておらず、Ｘ４年末において、近い将来に経営環境に著しい変化は見込まれていないものとする）、（分類２）の企業に該当することとなる。この場合、スケジューリング不能な一時差異▲600を除く、スケジューリング可能な一時差異▲800の回収可能性があると判断される。

72　第２部　グループ通算制度を適用する場合の会計処理

(4) B社の分類

　B社は、過去（3年）及び当期において、臨時的な原因により生じたものを除いた通算前所得が大きく増減しており、X1年及びX3年に生じた通算前欠損金が重要でないと判断した場合には、（分類3）の企業に該当することとなる。一方で(1)のとおり、通算グループ全体の分類が（分類2）であることから、通算グループ全体に応じた判断を行い、スケジューリング不能な一時差異▲400を除く、スケジューリング可能な一時差異▲1,200の回収可能性があると判断される。

(5) 連結財務諸表における繰延税金資産の回収可能性の見直し

	P社	A社	B社	合計	差額	全体
将来減算一時差異合計	▲2,000	▲1,400	▲1,600	▲5,000	―	▲5,000
スケジューリング可能な一時差異	▲1,000	▲800	▲1,200	▲3,000	―	▲3,000
スケジューリング不能な一時差異	▲1,000	▲600	▲400	▲2,000	―	▲2,000
企業分類	分類1	分類2	分類3	―		分類2
回収可能見込額	▲2,000	▲800	▲1,200	▲4,000	1,000	▲3,000

　個別財務諸表における回収可能見込額の合計▲4,000と連結財務諸表における通算グループ全体での回収可能見込額▲3,000とが一致せず、連結財務諸表において繰延税金資産の回収可能性の見直しによって、連結上修正が必要となる。

これは、P社の分類である（分類1）が通算グループ全体の分類である（分類2）を上回っており、個別財務諸表においては個社の分類である（分類1）に基づいて、スケジューリング不能な一時差異▲1,000に係る繰延税金資産を計上したが、連結財務諸表においては、通算グループ全体の分類の（分類2）に基づいて、スケジューリング不能な一時差異▲1,000に係る繰延税金資産を取り崩す必要があることによるものである。

(参考) 企業分類とは

　税効果会計の実務では、収益力に基づく一時差異等加減算前課税所得等に基づいて繰延税金資産の回収可能性を判断する際に、次のように要件に基づき企業を分類し、その分類に応じて、回収が見込まれる繰延税金資産の計上額を決定する（回収可能性適用指針15〜31）。

《（分類1）に該当する企業の取扱い》

A. 分類の要件

　次の要件をいずれも満たす企業は、（分類1）に該当する。

(1) 過去（3年）及び当期のすべての事業年度において、期末における将来減算一時差異を十分に上回る課税所得が生じている。

(2) 当期末において、近い将来に経営環境に著しい変化が見込まれない。

B. 回収可能性の判断

　（分類1）に該当する企業においては、原則として、繰延税金資産の全額について回収可能性があるものとする。

《（分類2）に該当する企業の取扱い》

A. 分類の要件

　次の要件をいずれも満たす企業は、（分類2）に該当する。

⑴　過去（3年）及び当期のすべての事業年度において、臨時的な原因により生じたものを除いた課税所得が、期末における将来減算一時差異を下回るものの、安定的に生じている。

⑵　当期末において、近い将来に経営環境に著しい変化が見込まれない。

⑶　過去（3年）及び当期のいずれの事業年度においても重要な税務上の欠損金が生じていない。

B. 回収可能性の判断

- （分類2）に該当する企業においては、一時差異等のスケジューリングの結果、繰延税金資産を見積る場合、当該繰延税金資産は回収可能性があるものとする。

- なお、（分類2）に該当する企業においては、原則として、スケジューリング不能な将来減算一時差異に係る繰延税金資産について、回収可能性がないものとする。但し、スケジューリング不能な将来減算一時差異のうち、税務上の損金の算入時期が個別に特定できないが将来のいずれかの時点で損金に算入される可能性が高いと見込まれるものについて、当該将来のいずれかの時点で回収できることを企業が合理的な根拠をもって説明する場合、当該スケジューリング不能な将来減算一時差異に係る繰延税金資産は回収可能性があるものとする。

《（分類3）に該当する企業の取扱い》

A. 分類の要件

　次の要件をいずれも満たす企業は、（分類4）の⑵又は⑶の要件を満たす場合を除き、（分類3）に該当する。

⑴　過去（3年）及び当期において、臨時的な原因により生じたものを除いた課税所得が大きく増減している。

⑵　過去（3年）及び当期のいずれの事業年度においても重要な税務上の欠損金が生じていない。

　なお、⑴における課税所得から臨時的な原因により生じたものを除いた数値は、負の値となる場合を含む。

B. 回収可能性の判断

- （分類3）に該当する企業においては、将来の合理的な見積可能期間（おおむね5年）以内の一時差異等加減算前課税所得の見積額に基づいて、当該見積可能期間の一時差異等のスケジューリングの結果、繰延税金資産を見積る場合、当該繰延税金資産は回収可能性があるものとする（以下、（分類4）で「原則的取扱い」とする）。

- 但し、上記にかかわらず、（分類3）に該当する企業においては、臨時的な原因により生じたものを除いた課税所得が大きく増減している原因、中長期計画、過去における中長期計画の達成状況、過去（3年）及び当期の課税所得の推移等を勘案して、5年を超える見積可能期間においてスケジューリングされた一時差異等に係る繰延税金資産が回収可能であることを企業が合理的な根拠をもって説明する場合、当該繰延税金資産は回収可能性があるものとする。なお、ここでいう中長期計画は、おおむね3年から5年の計画を想定している。
- 将来の合理的な見積可能期間は、個々の企業の業績予測期間、業績予測能力、当該企業の置かれている経営環境等を勘案した結果、5年以内のより短い期間となる場合がある。その場合、当該期間を合理的な見積可能期間とする。

《（分類4）に該当する企業の取扱い》

A．分類の要件

次のいずれかの要件を満たし、かつ、翌期において一時差異等加減算前課税所得が生じることが見込まれる企業は、（分類4）に該当する。

(1) 過去（3年）又は当期において、重要な税務上の欠損金が生じている。

(2) 過去（3年）において、重要な税務上の欠損金の繰越期限切れとなった事実がある。

(3) 当期末において、重要な税務上の欠損金の繰越期限切れが見込まれる。

B．回収可能性の判断

- （分類4）に該当する企業においては、翌期の一時差異等加減算前課税所得の見積額に基づいて、翌期の一時差異等のスケジューリングの結果、繰延税金資産を見積る場合、当該繰延税金資産は回収可能性があるものとする。
- 上記にかかわらず、（分類4）の要件を満たす企業においては、重要な税務上の欠損金が生じた原因、中長期計画、過去における中長期計画の達成状況、過去（3年）及び当期の課税所得又は税務上の欠損金の推移等を勘案して、将来の一時差異等加減算前課税所得を見積る場合、将来において5年超にわたり一時差異等加減算前課税所得が安定的に生じることを企業が合理的な根拠をもって説明するときは（分類2）に該当するものとして取り扱い、（分類2）の定めに従って繰延税金資産を見積る場合、当該繰延税金資産は回収可能性があるものとする。
- 上記にかかわらず、（分類4）の要件を満たす企業においては、重要な税務上の欠損金が生じた原因、中長期計画、過去における中長期計画の達成状況、過去（3年）及び当期の課税所得又は税務上の欠損金の推移等を勘案して、将来の一時差異等加減算前課税所得を見積る場合、将来においておおむね3年から5年程度は一時差異等加減算前課税所得が生じることを企業が合理的な根拠をもって説明するときは（分類3）に該当するものとして取り扱い、（分類3）の原則的取扱いに従って繰延税金資産を見積る場合、当該繰延税金資産は回収可能性があるものとする。

《（分類5）に該当する企業の取扱い》

A. 分類の要件

次の要件をいずれも満たす企業は、（分類5）に該当する。

(1) 過去（3年）及び当期のすべての事業年度において、重要な税務上の欠損金が生じている。

(2) 翌期においても重要な税務上の欠損金が生じることが見込まれる。

B. 回収可能性の判断

（分類5）に該当する企業においては、原則として、繰延税金資産の回収可能性はないものとする。

[分類ごとの将来減算一時差異の回収可能性の判定]

	スケジューリング可能差異						長期の差異	スケジューリング不能差異
	1年	2年	3年	4年	5年	5年超		
（分類1）	回収可能額（全額）							
（分類2）	回収可能額							
（分類3）	回収可能額						回収可能額	
（分類4）	回収可能額							
（分類5）								

※スケジューリング可能差異とは、具体的に解消時期がわかる一時差異をいう。

※長期の差異とは、スケジューリング可能差異のうち、解消時期が将来にわたって長期となる一時差異をいう。実務上、退職給付引当金や建物の減価償却超過額（減損損失に係るものを除く）に係る将来減算一時差異が該当する。

※スケジューリング不能差異とは、解消時期が不明な一時差異をいう。

なお、本書では、以下において、（分類1）＝分類①、（分類2）＝分類②、（分類3）＝分類③、（分類4）＝分類④、（分類5）＝分類⑤、と表記することとする。

（参考）グループ通算制度の法定実効税率

グループ通算制度を適用している場合、法人税及び地方法人税、住民税、事業税の税目ごとに、将来減算一時差異及び繰越欠損金の回収可能額を計算することから、法定実効税率についても、税目ごとの法定実効税率を使用することとなる（実務対応報告第42号9）。

[グループ通算制度の法定実効税率]

① 法定税率

		資本金1億円以下の法人		外形標準課税法人	
		標準税率	東京都	標準税率	東京都
法人税		23.200%	23.200%	23.200%	23.200%
地方法人税		10.300%	10.300%	10.300%	10.300%
住民税	制限税率	10.400%	10.400%	10.400%	10.400%
	標準税率	7.000%	7.000%	7.000%	7.000%
事業税	所得割	3.500%	3.750%	0.400%	0.495%
		5.300%	5.665%	0.700%	0.835%
		7.000%	7.480%	1.000%	1.180%
	付加価値割	—	—	1.200%	1.260%
	資本割	—	—	0.500%	0.525%
特別法人事業税	税率	37.000%	37.000%	260.000%	260.000%
	×所得割（標準税率）	1.295%	1.295%	1.040%	1.040%
		1.961%	1.961%	1.820%	1.820%
		2.590%	2.590%	2.600%	2.600%
事業税合計	所得割	4.795%	5.045%	1.440%	1.535%
		7.261%	7.626%	2.520%	2.655%
		9.590%	10.070%	3.600%	3.780%
	合計税率	37.592%	38.072%	31.602%	31.782%

② 法定実効税率（住民税：制限税率、事業税：最高税率）

税目	計算式	資本金1億円以下の法人		外形標準課税法人	
		標準税率	東京都	標準税率	東京都
法人税及び地方法人税	法人税率×（1＋地方法人税率）／（1＋事業税率）	23.3503%	23.2485%	24.7004%	24.6575%
住民税	法人税率×住民税率／（1＋事業税率）	2.2017%	2.1921%	2.3290%	2.3249%
事業税	事業税率／（1＋事業税率）	8.7508%	9.1487%	3.4749%	3.6423%
	合計税率	34.3028%	34.5893%	30.5042%	30.6248%

3 | 繰延税金資産及び繰延税金負債に関する表示

❶ 個別財務諸表における表示

　通算会社で計上した繰延税金資産及び繰延税金負債の表示は、単体納税制度を適用する場合と同様の取り扱いとなる。

　具体的には、繰延税金資産は投資その他の資産の区分に、繰延税金負債は固定負債の区分に表示し、同一納税主体の繰延税金資産と繰延税金負債は、双方を相殺して表示する（実務対応報告第42号26）。

❷ 連結財務諸表における表示

　法人税及び地方法人税に係る繰延税金資産及び繰延税金負債は、通算グループ全体の繰延税金資産の合計と繰延税金負債の合計を相殺して、連結貸借対照表の投資その他の資産の区分又は固定負債の区分に表示する（実務対応報告第42号27）。

4 | 単体納税制度からグループ通算制度に移行する場合のグループ通算制度に基づく税効果会計の適用時期と繰延税金資産の影響額の会計処理（税法の移行初年度を除く）

❶ グループ通算制度に基づく税効果会計の適用時期

　グループ通算制度を新たに適用する場合には、グループ通算制度の適用の承認があった日又は承認があったものとみなされた日の前日を含む連結会計年度及び事業年度（四半期会計期間を含む）の連結財務諸表及び個別財務諸表から、翌年度よりグループ通算制度を適用するものとして、税効

果会計を適用する（実務対応報告第42号21）。

　ただし、適用の承認を受けていない場合であっても、翌年度よりグループ通算制度を適用することが明らかな場合であって、かつ、グループ通算制度に基づく税効果会計の会計処理が合理的に行われると認められる場合には、これらを満たした時点を含む連結会計年度及び事業年度（四半期会計期間を含む）の連結財務諸表及び個別財務諸表から、翌年度よりグループ通算制度を適用するものと仮定して、税効果会計を適用することができる（実務対応報告第42号21）。

❷ 繰延税金資産の影響額の会計処理

　グループ通算制度に基づく税効果会計への変更によって生じる影響額（繰延税金資産の積み増し額又は取崩し額）は、損益計算書上、グループ通算制度に基づく税効果会計を適用する最初の事業年度（四半期会計期間を含む）の法人税等調整額に加減して処理をする。

　つまり、グループ通算制度の採用によって生じる繰延税金資産の積み増し額又は取崩し額は、当期の損益に一括で計上されることになる。

　したがって、前年度末の繰延税金資産に対する影響額を別途計算する必要はなく、グループ通算制度に基づく税効果会計を適用する最初の事業年度（四半期会計期間を含む）の期末の将来減算一時差異及び繰越欠損金等に対して、グループ通算制度を適用した場合の繰延税金資産の回収可能額を計算すればよいことになる（なお、四半期特有の会計処理を適用する場合、前年度末に計上された繰延税金資産及び繰延税金負債について、繰延税金資産の回収見込額を各四半期決算日時点で見直した上で四半期貸借対照表に計上することになる）。

[グループ通算制度に基づく税効果会計の適用時期（原則）]

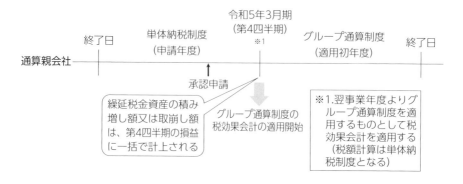

[グループ通算制度に基づく税効果会計の適用時期（例外）]

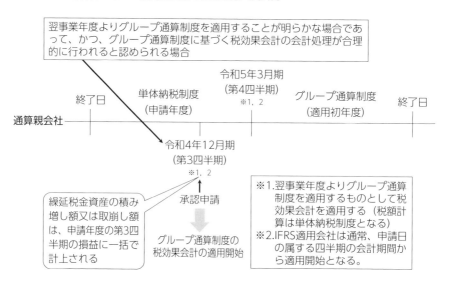

| 5 | 2022年4月1日以後最初に開始する事業年度（税法の移行初年度）に単体納税制度からグループ通算制度に移行する場合の実務対応報告第42号に基づく税効果会計の適用時期と繰延税金資産の影響額の会計処理 |

❶ 適用時期

　単体納税制度を適用している企業が2022年4月1日以後最初に開始する連結会計年度及び事業年度の期首からグループ通算制度に移行する場合の実務対応報告第42号に基づく税効果会計の適用時期については、上記4の定めによらず、2022年4月1日以後最初に開始する連結会計年度及び事業年度の期首から適用する。

　ただし、2022年3月31日以後に終了する連結会計年度及び事業年度の期末の連結財務諸表及び個別財務諸表から実務対応報告第42号を早期適用することができる。

❷ 繰延税金資産の影響額の会計処理

　実務対応報告第42号に基づく税効果会計の適用によって生じる影響額は、損益計算書上、実務対応報告第42号に基づく税効果会計を適用する最初の事業年度（四半期会計期間を含む）の法人税等調整額に加減して処理をする。

　つまり、グループ通算制度の採用によって生じる繰延税金資産の積み増し額又は取崩し額は、当期の損益に一括で計上されることになる。

　したがって、前年度末の繰延税金資産に対する影響額を別途計算する必要はなく、実務対応報告第42号に基づく税効果会計を適用する最初の事業年度（四半期会計期間を含む）の期末の将来減算一時差異及び繰越欠損金

等に対して、グループ通算制度を適用するものとして繰延税金資産の回収可能額を計算すればよいことになる（なお、四半期特有の会計処理を適用する場合、前年度末に計上された繰延税金資産及び繰延税金負債について、繰延税金資産の回収見込額を各四半期決算日時点で見直した上で四半期貸借対照表に計上することになる）。

したがって、通算親会社が3月決算の場合、グループ通算制度の採用によって生じる影響額（繰延税金資産の積み増し額又は取崩し額）は、早期適用の場合、2022年3月期（第4四半期決算）に、強制適用の場合、2022年6月期（第1四半期決算）に、法人税等調整額に加減して一括計上される。

そして、強制適用の場合、2022年6月期（第1四半期決算）において、年間の4分の1の税引前当期純利益に対してグループ通算制度の採用による影響額が一括で計上されることになり、税引前四半期純利益と税金費用のバランスが大きく崩れる可能性がある。

そのため、四半期会計期間の損益に与える影響を考慮に入れて、強制適用又は早期適用のいずれかの選択をする必要がある。

[実務対応報告第42号に基づく税効果会計の適用時期（税法の移行初年度：強制適用）]

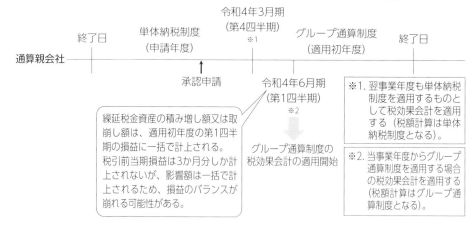

第2部　グループ通算制度を適用する場合の会計処理

[実務対応報告第42号に基づく税効果会計の適用時期（税法の移行初年度：早期適用）]

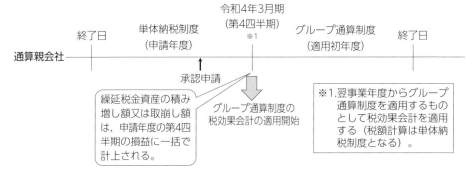

第3部

単体法人の
「グループ通算制度」採用の
有利・不利とシミュレーション
と実務対応

第3部は、単体納税制度を採用している企業グループが、令和4年4月1日以後に開始する事業年度において、グループ通算制度を採用する場合に生じる有利・不利とシミュレーションについて解説したい。

[単体納税制度を採用している企業グループ]

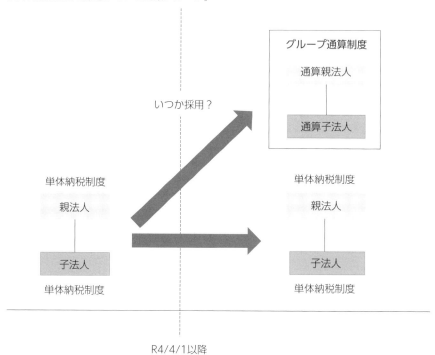

第1章
「グループ通算制度」採用の有利・不利

税金コストの有利・不利

1 グループ通算制度の有利・不利

単体納税制度と比較したグループ通算制度の有利・不利は次のとおりとなる。

[グループ通算制度の有利・不利]

項　目	グループ通算制度 (有利・不利)	
1．損益通算又は欠損金の通算	有利	通算グループ内の赤字と黒字を相殺できる。
2．グループ通算制度適用前の繰越欠損金の控除限度割合の拡大	有利[※1]	通算法人のグループ通算制度適用前の繰越欠損金の控除限度額が自社の所得金額の50％から100％に拡大する。
3．開始に伴う時価評価、繰越欠損金の切捨て、含み損の損金算入制限	不利	●時価評価対象法人では、時価評価が必要となり、開始前の繰越欠損金が切り捨てられる。 ●時価評価除外法人でも一定の要件を満たさない場合、開始前の繰越欠損金の切捨てと開始前の含み損等の損金算入・損益通算の制限が課される。

87

4. 研究開発税制・外国税額控除	有利 ※2	グループ全体で税額控除限度額が計算されるため、税額控除額が増加する。
5. 特定同族会社の留保金課税	有利又は不利	留保金額を損益通算後の所得金額で計算し、通算法人間の配当金を調整して計算するため、留保税額が増加又は減少する。
6. 中小法人・中小企業者・適用除外事業者の判定	不利	1社でも中小法人又は中小企業者(適用除外事業者を除く)に該当しない場合、大通算法人又は大企業(適用除外事業者を含む)に該当するため、中小法人の特例措置又は中小企業者の租税特別措置が適用できない。
7. 軽減税率の適用対象枠又は交際費の定額控除枠の縮小	不利	中小法人の軽減税率の適用対象枠(800万円)について、グループ内で1回しか利用できない(交際費の定額控除枠は適用期限の関係で現時点では明らかにされていない)。
8. 加入に伴う有利・不利	不利	●加入法人について、損益通算及び欠損金の通算が適用可能になる。 ●時価評価対象法人では、時価評価が必要となり、加入前の繰越欠損金が切り捨てられる。時価評価除外法人でも一定の要件を満たさない場合、加入前の繰越欠損金の切捨てと加入前の含み損等の損金算入・損益通算の制限が課される。
9. 離脱に伴う有利・不利	有利又は不利	●離脱法人が一定の要件に該当する場合、保有資産について時価評価が必要となる。 ●離脱法人の株式について、投資簿価修正により株式譲渡損益が増加又は減少する。離脱法人の株式の離脱直前の帳簿価額を離脱法人の簿価純資産価額に相当する金額とする。

※1 単体納税制度の適用時に控除限度割合が100%となる中小法人等に該当する場合は有利とならない。

※2 損益通算や欠損金の通算によりグループ全体の法人税額が少なくなることにより、税額控除限度額が単体納税制度と比較して縮小するケースもある。

　上記について、節税効果が不利益(税負担の増加、事務負担の増加、人件費、システムコスト)を上回る企業グループにおいて、グループ通算制度を採用するメリットが生じることになる。

2 グループ通算制度の採用がメリットになるケース

メリット1：グループ内の赤字と黒字を相殺して節税できる

1	損益通算
	通算グループ内で黒字と赤字の会社がある場合、損益通算が可能となる。
	対象例：赤字会社がある企業グループ、損益通算機能を保持したい企業グループ、常に税負担率を最小化したい企業グループ

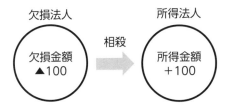

[損益通算のメリット（イメージ）]

　グループ通算制度とは、損益通算制度であり、通算グループ内の所得金額と欠損金額を相殺して通算グループの税負担が計算される。
　この損益通算による節税効果がグループ通算制度を採用する一番のメリットとなる。
　この点、平常時に赤字の会社が生じない企業グループであっても、数年に一度の経済的なショックなどで大規模な損失が生じる場合があるが、仮に、そのような状況に陥っても、グループ通算制度を採用していれば、企業グループの税負担率を最小化することができる。
　つまり、損益通算機能の保持自体にメリットがあることも認識しておく必要があろう。

グループ通算制度の損益通算のメリットが生じる場合の計算例は次のとおりとなる。

[損益通算のメリット]

[単体納税制度]

X 年度	親法人 P（大法人）	子法人 A（大法人）	子法人 B（大法人）	合計
通算前所得	800	400	▲ 600	600
損益通算	0	0	0	0
通算後所得	800	400	▲ 600	600
法人税等（25%）	200	100	0	300

[グループ通算制度]

X 年度	通算親法人 P（大通算法人）	通算子法人 A（大通算法人）	通算子法人 B（大通算法人）	合計
通算前所得	800	400	▲ 600	600
損益通算	▲ 400	▲ 200	600	0
通算後所得	400	200	0	600
法人税等（25%）	100	50	0	150

※法人税等とは、法人税及び地方法人税をいう（以下、第3部で同じ）。

節税効果	150

グループ通算制度の損益通算の計算方法は次のとおりとなる（法法64の5①②③④）。

[損益通算]

- 欠損法人の欠損金額の合計額（所得法人の所得金額の合計額を限度）を所得法人の所得金額の比で配分し、所得法人において損金算入する。
- この損金算入された金額の合計額を欠損法人の欠損金額の比で配分し、欠損法人において益金算入する。

なお、損益通算の効果は結局のところ期ズレにすぎない、という考え方もあるが、グループ法人が大法人に該当する場合、当期の欠損金額が繰越欠損金に転化しても翌期以後、所得金額の50％ずつしか解消できないため、単体納税制度の場合、赤字（繰越欠損金）の解消スピードが遅くなる。

[2年間トータルでもグループ通算制度の方が税負担が少ない！]

[単体納税制度]

X+1年度	親法人P（大法人）	子法人A（大法人）	子法人B（大法人）	合計
控除前所得	800	400	600	1,800
繰越欠損金の控除	0	0	▲300	▲300
控除後所得	800	400	300	1,500
法人税等（25％）	200	100	75	375

[グループ通算制度]

X+1年度	通算親法人P（大通算法人）	通算子法人A（大通算法人）	通算子法人B（大通算法人）	合計
欠損金通算前所得	800	400	600	1,800
繰越欠損金の控除	0	0	0	0
通算後所得	800	400	600	1,800
法人税等（25％）	200	100	150	450

2年間トータルの節税効果	75

メリット2：グループ全体で赤字でも繰越欠損金の解消スピードが速い

2	欠損金の通算
	通算グループ内で繰越欠損金（非特定欠損金）が生じた場合でも、翌年度以後、通算グループ全体の所得金額の50％（中小通算法人に該当する場合、100％）を限度に解消できる。
	対象例：グループ全体で赤字のケース

[欠損金の通算の節税効果（イメージ）]

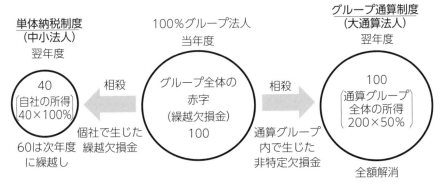

グループ全体で赤字となる場合、その年度については損益通算の節税効果は生じない。

　しかし、通算グループ内で繰越欠損金（非特定欠損金）が生じた場合、翌年度以後、通算グループ全体の所得金額の50%（中小通算法人に該当する場合、100%）を限度に解消できるため、自社の所得金額の50%（中小法人に該当する場合、100%）を限度にしか解消できない単体納税制度と比べて、繰越欠損金の解消が早くなり、税負担が減少することに繋がる。

　グループ通算制度の欠損金の通算のメリットが生じる場合の計算例は次のとおりとなる。

[欠損金の通算のメリット]

[単体納税制度]

X年度	親法人P （大法人）	子法人A （大法人）	子法人B （大法人）	合計
通算前所得	▲ 700	▲ 200	0	▲ 900
損益通算	0	0		0
通算後所得	▲ 700	▲ 200		▲ 900
法人税等 （25%）	0	0	0	0

[グループ通算制度]

X年度	通算親 法人P （大通算 法人）	通算子 法人A （大通算 法人）	通算子 法人B （大通算 法人）	合計
通算前所得	▲ 700	▲ 200	0	▲ 900
損益通算	0	0		0
通算後所得	▲ 700	▲ 200		▲ 900
法人税等 （25%）	0	0	0	0

通算グループ全体で使用可能となる非特定欠損金に該当する。

次年度以降の繰越欠損金の解消スピードが違う

[単体納税制度]

X+1年度	親法人P （大法人）	子法人A （大法人）	子法人B （大法人）	合計
控除前所得	0	600	1,200	1,800
繰越欠損金 の控除	0	▲ 200	0	▲ 200
控除後所得	0	400	1,200	1,600
法人税等 （25%）	0	100	300	400

[グループ通算制度]

X+1年度	通算親 法人P （大通算 法人）	通算子 法人A （大通算 法人）	通算子 法人B （大通算 法人）	合計
欠損金通算 前所得	0	600	1,200	1,800
繰越欠損金 の控除	0	▲ 300	▲ 600	▲ 900
通算後所得	0	300	600	900
法人税等 （25%）	0	75	150	225

節税効果	175

通算グループ全体の所得金額の50%と相殺可能。

非特定欠損金は、各通算法人の損金算入限度額（所得金額の50%）の比で配分され、各通算法人の損金算入限度額を限度に控除される。

グループ通算制度の欠損金の通算の計算方法は次のとおりとなる（法法
64の7①、法令131の9①、令和2年所法等改正法附則20①⑦、28②）。

[欠損金の通算]

1．通算グループ全体の控除限度額

　通算法人の欠損金の繰越控除額の計算について、控除限度額は各通算法人の欠損金の繰越控除前の所得金額の50％相当額（中小通算法人、更生法人及び新設法人については、所得の金額）の合計額とする。

2．繰越欠損金の帰属事業年度

　グループ通算制度では、通算法人の適用事業年度開始日前10年以内に開始した各事業年度（10年内事業年度）において生じた欠損金額（特定欠損金と非特定欠損金の合計額）を通算グループ全体の欠損金の通算により繰越控除する。この場合、通算子法人の適用事業年度開始日前10年以内に開始した各事業年度（繰越欠損金の発生事業年度）の期間が、通算親法人の10年内事業年度（親法人10年内事業年度）の期間と異なる場合は、親法人10年内事業年度の期間を、通算子法人の「10年内事業年度」とする。そして、通算子法人の繰越欠損金の発生事業年度の開始日が属する10年内事業年度（親法人10年内事業年度）をその繰越欠損金の帰属事業年度として、欠損金の通算を行う。つまり、欠損金の通算においては、通算子法人の繰越欠損金の発生事業年度を通算親法人の事業年度に揃えることになる。なお、通算親法人の開始前の繰越欠損金は、グループ通算制度を開始後も通算親法人の事業年度（10年内事業年度）にそのまま帰属する。繰越期間は、2018年（平成30年）4月1日前に開始した事業年度において生じた欠損金額は「親法人9年内事業年度」に帰属するものが欠損金の通算の対象となり、2018年（平成30年）4月1日以後に開始した事業年度において生じた欠損金額は「親法人10年内事業年度」に帰属するものが欠損金の通算の対象となる。

3．欠損金の通算の計算方法

　各通算法人の繰越欠損金（特定欠損金及び非特定欠損金）について、通算グループ全体で、発生事業年度が古い繰越欠損金から、同一の発生事業年度の繰越欠損金は特定欠損金から、以下の手順で控除額を計算する。

《ステップ1》　欠損金の発生金額の調整計算

　通算法人の適用事業年度開始日前10年以内に開始した事業年度において生じた欠損金額は、次の①及び②の金額の合計額とする。

①　その通算法人の特定欠損金額
②　各通算法人の非特定欠損金の合計額を各通算法人の特定欠損金の控除後の損金算入限度額[※1]の比で配賦した金額（非特定欠損金配賦額）[※2]

《ステップ2》 損金算入限度額の計算

　　損金算入限度額はそれぞれ次に掲げる金額を限度とする。

　　① 特定欠損金の損金算入限度額

　　各通算法人の損金算入限度額の合計額を各通算法人の特定欠損金額のうち欠損金控除前の所得金額に達するまでの金額の比で配分した金額

　　② 非特定欠損金の損金算入限度額

　　各通算法人の特定欠損金の控除後の損金算入限度額の合計額を各通算法人の非特定欠損金配賦額の比で配分した金額[※3]

　　※1 ここでいう損金算入限度額とは、その通算法人の所得金額の50％に相当する金額（中小通算法人、更生法人等及び新設法人については、所得金額）をいう。

　　※2 各通算法人において、非特定欠損金配賦額が非特定欠損金の発生額を超える場合のその超える部分の金額を「被配賦欠損金額」といい、非特定欠損金配賦額が非特定欠損金の発生額に満たない場合のその満たない部分の金額を「配賦欠損金額」という。

　　※3 各通算法人の非特定欠損金の合計額に占める各通算法人の特定欠損金の控除後の損金算入限度額の合計額の割合を非特定損金算入割合という。

4．特定欠損金と非特定欠損金

　　特定欠損金又は非特定欠損金はそれぞれ次に掲げる欠損金をいう。

(1) 特定欠損金

　　① 通算法人のグループ通算制度適用前の繰越欠損金

　　② 原価及び費用の額の合計額のうちに占める減価償却費の額の割合が30％を超える場合の損益通算の対象外となった欠損金

　　③ 損益通算の対象外となった支配関係発生前から有する資産の実現損から成る欠損金

　　④ 特定連結欠損金個別帰属額（連結納税制度からの引継額）

(2) 非特定欠損金

　　① グループ通算制度適用後に通算グループ内で生じた繰越欠損金（上記(1)①②③を除く）

　　② 非特定連結欠損金個別帰属額（連結納税制度からの引継額）

5．欠損金の通算の計算例

　　具体的な計算例は次のとおりとなる。

	A	B	C	合計
X－1年度 繰越欠損金(内　特定欠損金額) X年度（適用事業年度） 損金算入限度額（所得×50％）	150（0） 110	120（50） 40	300（0） 90	570（50） 240
イ　欠損金額のうち特定欠損金 　　額（内　損金算入額）		50（50）		
特定欠損金損金算入後の損金算 入限度額	110	0	90	200

第3部　単体法人の「グループ通算制度」採用の有利・不利とシミュレーションと実務対応

ロ　欠損金額のうち特定欠損金額以外の金額	150	70	300	520
	（非特定欠損金配賦額＝ロの合計額を「特定欠損金損金算入後の損金算入限度額」の比で按分）			
	$520\times\dfrac{110}{(110+0+90)}$	$520\times\dfrac{0}{(0+110+90)}$	$520\times\dfrac{90}{(90+110+0)}$	
ハ　非特定欠損金配賦額がロに掲げる金額を超える場合のその超える部分の金額 ニ　非特定欠損金配賦額がロに掲げる金額に満たない場合のその満たない部分の金額	286 ＞ 150 ∴ハ＝136	0 ＜ 70 ∴ニ＝70	234 ＜ 300 ∴ニ＝66	※　非特定欠損金配賦額の計算の基礎となる損金算入限度額からは、特定欠損金及び既に損金の額に算入した欠損金額が控除される（B：損金算入限度額40から特定欠損金額50を控除＝0）。
配賦後の欠損金額（内　特定）	イ＋ロにハを加算した金額＝286	イ＋ロからニを控除した金額＝50（50）	イ＋ロからニを控除した金額＝234	570（50）
ホ　非特定欠損金の合計に占める損金算入限度額の合計（特定欠損金控除後）の割合	36.5％＝（240−50）／520			
ヘ　非特定欠損金の損金算入額（非特定欠損金配賦額×ホ）	104 ＝286×36.5％	0	86 ＝234×36.5％	190
欠損金の損金算入額（内　特定）（イ内書＋ヘ）	104	50（50）	86	240（50）

[出典] 財務省資料（租税研究2020年10月号）を一部加工

6．繰越欠損金の控除上限の特例

　グループ通算制度においても、単体納税制度と同様に、コロナ禍の厳しい経営環境の中、赤字であっても果敢に前向きな投資（カーボンニュートラル、DX、事業再構築・再編等）を行う通算グループについて、通算法人又は他の通算法人が認定事業適応法人に該当する場合、コロナ禍の影響を受けた2年間に生じた繰越欠損金額について、その投資額の範囲内で、最大5年間、繰越欠損金の控除限度額を最大100％とする特例を創設している（措法66の11の4、措令39の23の2、令和2年所法等改正法附則127の2、令和2年法令改正法令附則56の2）。

　この場合、特例事業年度で生じた特定欠損金額について、その認定事業適応法人の所得金額の50％を超えて損金算入できる（但し、その認定事業適応法人の所得金額に達するまで、かつ、「累積投資残額」に達するまでの金額に限る）。

　また、特例事業年度で生じた通算グループ全体の非特定欠損金額について、通算グループ全体の所得金額の50％を超えて損金算入できる（但し、通算グループ全体の「累積投資残額」に達するまでの金額に限る）。

メリット3：グループ通算制度では適用前の繰越欠損金の解消スピードが速い

3	繰越欠損金の活用
	グループ通算制度適用前の繰越欠損金（特定欠損金）の控除限度額が自社の所得金額の50％から100％に拡大する。
	対象例：適用前に繰越欠損金があるグループ

[繰越欠損金の活用（イメージ）]

　単体納税制度では、グループ法人が大法人に該当する場合、繰越欠損金の控除限度割合は50％になるが、グループ通算制度では、大通算法人に該当する場合であっても、グループ通算制度に持ち込まれた適用前の繰越欠損金は特定欠損金として自社の所得金額の100％を限度として控除することができる（ただし、通算グループ全体の所得金額の50％を限度とする）。

　そのため、単体納税制度と比べて繰越欠損金の解消が早くなり、税負担が減少することに繋がる。

　グループ通算制度の繰越欠損金の活用のメリットが生じる場合の計算例は次のとおりとなる。

[繰越欠損金の活用]

X年度末	親法人P (大法人)	子法人A (大法人)	子法人B (大法人)	合計
グループ通算 制度適用前の 繰越欠損金	1,000	0	800	1,800

グループ通算制度を適用する前の繰越欠損金は、特定欠損金に該当し、それを有する通算法人の所得金額の100%を限度に控除することができる。

[単体納税制度]

X年度	親法人P (大法人)	子法人A (大法人)	子法人B (大法人)	合計
控除前所得	1,000	2,000	900	3,900
繰越欠損金の 控除	▲500	0	▲450	▲950
控除後所得	500	2,000	450	2,950
法人税等 (25%)	125	500	113	738

[グループ通算制度]

X年度	通算親 法人P (大通算 法人)	通算子 法人A (大通算 法人)	通算子 法人B (大通算 法人)	合計
欠損金通算前 所得	1,000	2,000	900	3,900
繰越欠損金の 控除	▲1,000	0	▲800	▲1,800
通算後所得	0	2,000	100	2,100
法人税等 (25%)	0	500	25	525

節税効果	213

　グループ通算制度の欠損金の通算の計算方法は、**メリット2**で解説したとおりとなる。

　実際のところ、損益通算、外国税額控除、研究開発税制の節税効果がある企業グループでは、既に連結納税制度を採用していることが多いと思われる。

　また、連結納税制度の採用動機として一番多い、親法人の開始前の繰越欠損金を子法人の所得と相殺することによる節税効果については、グループ通算制度から適用を開始すると実現しない（親法人にもSRLYルールが適用される）。

　そのため、現在、グループ通算制度に興味を持たない企業グループが、将来、グループ通算制度を採用するタイミングとして想定されるのは、「グループ法人で多額な繰越欠損金が生じてしまい、その繰越欠損金の控除限度割合を50%から100%に拡大させたい」時となるだろう。

　なお、グループ通算制度適用前の繰越欠損金が切り捨てられる場合については、「3．グループ通算制度の採用がデメリットになるケース」で解説している。

1 税金コストの有利・不利

メリット4：赤字の会社で試験研究費を負担している場合、税額控除額が発生する

4	研究開発税制
	通算グループ全体で税額控除限度額が計算されるため、税額控除額が増加する。
	対象例：赤字の会社で試験研究費を支出しているケース

[研究開発税制の節税効果（イメージ）]

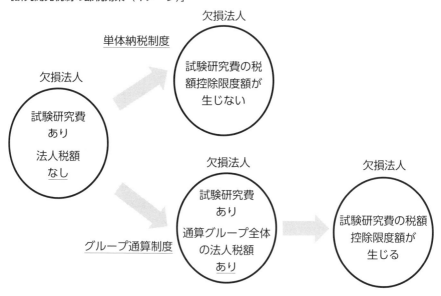

　単体納税制度では、欠損法人において試験研究費をどんなに支出しても、法人税額が生じないため、税額控除額は0となるが、グループ通算制度では、通算グループ全体で法人税額が生じる場合、通算グループ全体の試験研究費に対応する税額控除を受けることができるため、節税効果が生じる。

　グループ通算制度の研究開発税制のメリットが生じる場合の計算例は次のとおりとなる。

[研究開発税制のメリット]

	単体納税制度			グループ通算制度		
	親法人 P	子法人 A	合 計	通算親法人 P	通算子法人 A	合 計
試験研究費	0	1,000,000	—	0	1,000,000	1,000,000
(うち、特別試験研究費)	0	0	—	0	0	0
比較試験研究費	0	650,000	—	0	650,000	650,000
増減試験研究費割合	0%	53.846%	—			53.846%
税額控除率	0%	14%	—			14%
税額控除限度額	0	140,000	—			140,000
所得金額(損益通算後)	4,000,000	▲1,000,000	—	3,000,000	0	3,000,000
調整前法人税額(23.2%)	928,000	0	—	696,000	0	696,000
限度割合	25%	25%	—			25%
控除上限額	232,000	0	—			174,000
税額控除可能額	—	—	—			140,000
控除分配割合	—	—	—	100.000%	0.000%	—
各法人の税額控除限度額 (税額控除可能分配額)	—	—	—	140,000	0	—
各法人の税額控除額	0	0	0	140,000	0	140,000

通算グループ全体で税額控除限度額を計算することになるため、欠損法人の試験研究費についても税額控除額が生じる。

節税効果	140,000

単体納税制度の場合、欠損法人では法人税額(控除上限額)が0となるため、試験研究費の税額控除額が生じない。

※ 各通算法人は中小企業者及びベンチャー企業に該当せず、合算試験研究費割合は10%以下、基準年度比合算売上金額減少割合は2%未満とする。

　なお、損益通算又は欠損金の通算により、通算グループ全体の法人税額が減少する場合、控除上限額が単体納税制度より少なくなることで、グループ通算制度の方が税額控除額が小さくなるケースも生じる。

　この場合、ⅰ．研究開発税制の節税効果は減るが、損益通算又は欠損金の通算の節税効果が実現していること、ⅱ．損益通算又は欠損金の通算の節税効果は期ズレであるが研究開発税制の節税効果は永久差異であること、など総合的に有利・不利を判断する必要がある。

1 税金コストの有利・不利　99

[損益通算で税負担が減少すると研究開発税制のメリットが生じない]

	単体納税制度			グループ通算制度		
	親法人 P	子法人 A	合計	通算親法人 P	通算子法人 A	合計
試験研究費	0	1,000,000	—	0	1,000,000	1,000,000
(うち、特別試験研究費)	0	0	—	0	0	0
比較試験研究費	0	650,000	—	0	650,000	650,000
増減試験研究費割合	0%	53.846%	—	—	—	53.846%
税額控除率	0%	14%	—	—	—	14%
税額控除限度額	0	140,000	—	—	—	140,000
所得金額（損益通算後）	▲ 3,000,000	3,000,000	—	0	0	0
調整前法人税額(23.2%)	0	696,000	—	0	0	0
限度割合	25%	25%	—	—	—	25%
控除上限額	0	174,000	—	—	—	0
税額控除可能額	—	—	—	—	—	0
控除分配割合	—	—	—	0%	0%	—
各法人の税額控除限度額 （税額控除可能分配額）	—	—	—	0	0	—
各法人の税額控除額	0	140,000	140,000	0	0	0

税額控除額の減少	140,000

※　各法人は中小企業者及びベンチャー企業に該当せず、試験研究費割合は10％以下、基準
年度比売上金額減少割合は 2 ％未満とする。

　グループ通算制度の一般試験研究費に係る税額控除限度額の計算方法は
次のとおりとなる（措法42の 4 ①④⑦⑧⑨⑱⑲㉑）。

[試験研究費の税額控除]

一般試験研究費の税額控除について、令和4年4月1日から令和5年3月31日までの間に開始する事業年度において、各通算法人の税額控除限度額は次のように計算される。

❶ 通算グループ全体の税額控除限度額

各通算法人の試験研究費の合計額×税額控除割合

区　　分	税額控除割合	
	合算試験研究費割合が10%以下の場合	合算試験研究費割合が10%を超える場合
イ　合算増減試験研究費割合が9.4%超（ハに該当する場合を除く）	10.145%＋（合算増減試験研究費割合－9.4%）×0.35（上限14%）	左記の割合＋左記の割合×控除割増率（上限14%）
ロ　合算増減試験研究費割合が9.4%以下（ハに該当する場合を除く）	10.145%－（9.4%－合算増減試験研究費割合）×0.175（下限2%）	控除割増率＝（合算試験研究費割合－10%）×0.5（上限10%）
ハ　各通算法人の比較試験研究費の合計額が0である場合	8.5%	

❷ 通算グループ全体の控除上限額

各通算法人の調整前法人税額の合計額×25%
ただし、次の区分に該当する場合は次に掲げる金額とする。

区　　分	控除上限
イ　ベンチャー企業の場合（通算法人全社で設立10年以内、みなし大法人を除く大法人に該当すること、いずれかの通算法人で非特定欠損金額がある）	調整前法人税額×40%
ロ　合算試験研究費割合が10%を超える場合	調整前法人税額×25%＋調整前法人税額×特例割合 特例割合＝ （合算試験研究費割合－10%） ×2（上限10%）
ハ　①②に該当する事業年度（イを除く） ①基準年度比合算売上金額減少割合≧2% ②各通算法人の試験研究費の合計額＞各通算法人の基準年度試験研究費の合計額	調整前法人税額×30%

❸ 各通算法人の税額控除限度額

$$税額控除可能分配額（税額控除限度額）＝❶又は❷のいずれか少ない方（通算グループ全体の税額控除可能額）×\frac{その通算法人の調整前法人税額}{各通算法人の調整前法人税額の合計額}$$

中小企業技術基盤強化税制及びオープンイノベーション型も、通算グループ全体で、単体納税制度と同様に通算グループ全体の税額控除可能額を計算して、法人税額に基づき各通算法人に配分する。

1 税金コストの有利・不利

●法人税における試験研究費の税額控除額は、地方法人税の課税標準となる法人税額からも控除される（地方法法6一）
●通算法人のうち、中小企業者で適用除外事業者に該当しないものにおいて、法人税における試験研究費の税額控除額は、住民税の課税標準となる法人税額から控除される（地方税法附則8①、地法23①四、292①四）。

（用語の定義）
※１．合算増減試験研究費割合とは、増減試験研究費／比較試験研究費合計額となる。
※２．比較試験研究費とは、過去３年以内事業年度の試験研究費の平均額をいう。
※３．合算試験研究費割合とは、各通算法人の試験研究費の合計額／各通算法人の平均売上金額の合計額となる。
※４．増減試験研究費とは、各通算法人の試験研究費の合計額から比較試験研究費合計額を減算した金額をいう。
※５．比較試験研究費合計額とは、各通算法人の比較試験研究費の合計額をいう。
※６．平均売上金額とは、当期及び過去３年以内事業年度の売上金額の平均額をいう。
※７．調整前法人税額は留保金課税、所得税額控除、外国税額控除、租税特別措置法上の税額控除を適用する前の法人税額をいう。
※８．基準年度比合算売上金額減少割合とは、（分母－各通算法人の適用対象事業年度の売上金額の合計額）／各通算法人の基準売上金額の合計額をいう（分母が０の場合は、０となる）。
※９．基準年度試験研究費とは、各通算法人の基準事業年度の試験研究費の額をいう。
※10．基準売上金額とは、各通算法人の基準事業年度の売上金額をいう。
※11．基準事業年度とは、令和２年２月１日前に最後に終了した事業年度をいう。

　なお、試験研究費の税額控除に関する「大企業に対する租税特別措置の適用除外措置」については、通算グループ全体の合計額で要件の判定（継続雇用者給与等支給額に係る要件、国内設備投資額に係る要件、所得金額に係る要件）を行うことになる（措法42の13⑤⑦）。

メリット５：赤字の会社で国外所得金額がある場合、外国税額控除限度額が発生する

5	外国税額控除
	通算グループ全体で税額控除限度額が計算されるため、税額控除額が増加する。
	対象例：赤字の会社で国外所得金額及び外国税額が生じているケース

[外国税額控除の節税効果（イメージ）]

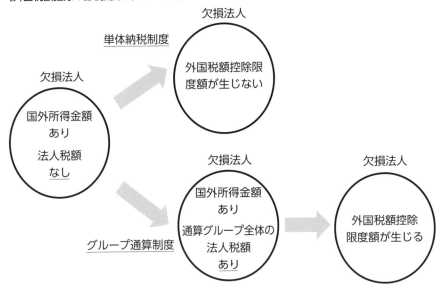

　単体納税制度では、欠損法人において国外所得金額がある場合でも、法人税額が生じないため、外国税額控除限度額は０となる。

　一方、グループ通算制度では、通算グループ全体で法人税額が生じる場合、欠損法人の国外所得金額に対応する外国税額控除限度額が生じるため、節税効果が生じる。

　ただし、控除限度超過額は３年間の繰越しができるため、単体納税制度で生じた控除限度超過額が３年間で解消される場合（控除余裕額と相殺できる場合）は、有利・不利は生じない。

　グループ通算制度の外国税額控除のメリットが生じる場合の計算例は次のとおりとなる。

[外国税額控除のメリット]

		単体納税制度			グループ通算制度		
		親法人P	子法人A	合計	通算親法人P	通算子法人A	合計
控除対象外国法人税の額	a	40,000	80,000	120,000	40,000	80,000	120,000
国外所得金額 (損益通算・欠損金の通算前)	b	200,000	400,000	—	200,000	400,000	600,000
国内所得金額 (損益通算・欠損金の通算前)	c	▲ 300,000	200,000	—	▲ 300,000	200,000	▲ 100,000
所得金額 (損益通算・欠損金の通算前)	d=b+c	▲ 100,000	600,000	—	▲ 100,000	600,000	500,000
所得金額 (損益通算・欠損金の通算後)	e=別途計算	▲ 100,000	600,000		0	500,000	500,000
法人税額	f=e×23.2%	0	139,200		0	116,000	116,000
国外所得割合	h=b/d、max90%	0.00%	66.67%		—	—	—
法人税に係る外国税額控除限度額	i=f×h	0	92,800		—	—	—
調整前控除限度額 (法人税)	j=b×Σf/Σd	—	—	—	46,400	92,800	—
控除限度調整額 (法人税)	k=−Σj (▲に限る) ×j (+に限る) /Σj (+に限る)	—	—	—	0	0	—
法人税に係る外国税額控除限度額	l=j−k	—	—	—	46,400	92,800	—
外国税額控除	m=aとi又はlのいずれか少ない方	0	80,000	80,000	40,000	80,000	120,000
控除限度超過額 (地方法人税及び住民税から控除。控除できない場合、3年間繰越可)	o=a−m＞0	40,000	0	40,000	0	0	0

節税効果	40,000

　なお、損益通算又は欠損金の通算により、通算グループ全体の法人税額が減少する場合、外国税額控除限度額が単体納税制度より少なくなる通算法人も生じる。

　この場合、ⅰ．外国税額控除額の節税効果は減るが、損益通算又は欠損金の通算の節税効果が実現していること、ⅱ．損益通算又は欠損金の通算の節税効果は期ズレであるが外国税額控除額の節税効果は3年以内に控除

余裕額が生じないと永久差異になること、など総合的に有利・不利を判断する必要がある。

　グループ通算制度の外国税額控除限度額の計算方法は次のとおりとなる（法法69①⑭、法令148①〜⑧、地方法法12①④、地方法令3④⑤⑥、地法53㊳、321の8㊳、地令9の7⑥㉘、48の13⑦㉙、地規3の2①、10の2の6①）。

[外国税額控除]

　通算法人が各事業年度において外国法人税を納付することとなる場合には、控除限度額を限度として、その外国法人税の額をその事業年度の所得に対する法人税の額から控除する。
(1)　控除限度額の計算
　この控除限度額とは、次の算式により計算した金額をいう。なお、調整前控除限度額が0を下回る場合には0とされる。

$$控除限度額 = 調整前控除限度額 - 控除限度調整額$$

(2)　調整前控除限度額の計算
　上記(1)の調整前控除限度額とは、次の算式により計算した金額をいう。

$$調整前控除限度額 = 各通算法人の法人税の額^{(注1)}の合計額 \times \frac{その通算法人の調整国外所得金額^{(注3)}}{各通算法人の所得金額^{(注2)}の合計額}$$

（注1）　この法人税の額は、特定同族会社の特別税率などの一定の規定を適用しないで計算した場合等の法人税の額をいい、附帯税の額は除く。
（注2）　この所得金額は、繰越欠損金の控除及び損益通算などの一定の規定を適用しないで計算した場合の所得の金額をいう。
（注3）　この調整国外所得金額は、次の算式により計算した金額をいい、調整前国外所得金額が0を下回る場合は、調整前国外所得金額となる。

（注4）　この国外所得金額は、繰越欠損金の控除及び損益通算などの一定の規定を適用しないで計算した場合の国外源泉所得に係る所得の金額をいう。
（注5）　国外所得金額から減算する非課税国外所得金額は、0を超えるものに限る。
（注6）　この加算調整額は、次の算式により計算した金額をいう。

$$\text{加算調整額} = \frac{\text{各通算法人の0を下回る非課税国外}}{\text{所得金額の合計額のうち非課税国外}} \times \frac{\text{その通算法人の加算前国外所得金}}{\text{各通算法人の加算前国外所得金額}}$$
（各通算法人の0を下回る非課税国外所得金額の合計額のうち非課税国外所得金額（0を超えるものに限る）の合計額に達するまでの金額）× （その通算法人の加算前国外所得金額（0を超えるものに限る）／各通算法人の加算前国外所得金額（0を超えるものに限る）の合計額）

（注7）　この調整金額は、次の算式により計算した金額をいう。

調整金額 ＝ （各通算法人の調整前国外所得金額の合計額が所得金額[注8]の合計額の90％を超える部分の金額）× （その通算法人の加算前国外所得金額（0を超えるものに限る）／各通算法人の加算前国外所得金額（0を超えるものに限る）の合計額）

（注8）　上記（注2）と同様。

(3)　控除限度調整額の計算

上記(1)の控除限度調整額とは、次の算式により計算した金額をいう。

控除限度調整額 ＝ （各通算法人の調整前控除限度額が0を下回る場合のその下回る額の合計額）× （その通算法人の調整前控除限度額（0を超えるものに限る）／各通算法人の調整前控除限度額（0を超えるものに限る）の合計額）

なお、各通算法人の地方法人税の控除限度額は、法人税の控除限度額と同様に計算される。

また、道府県民税の控除限度額は、単体納税制度と同様に、法人税の控除限度額に1％（又は超過税率）、市町村民税の控除限度額は、法人税の控除限度額に6％（又は超過税率）を乗じて計算される。

3　グループ通算制度の採用がデメリットになるケース

デメリット1：含み益に課税されるケースがある（含み損が実現するケースもある）

1	開始時の時価評価
	通算法人が時価評価対象法人（離脱予定法人）に該当する場合、開始直前に時価評価が行われる。
	対象例：離脱予定法人がある場合

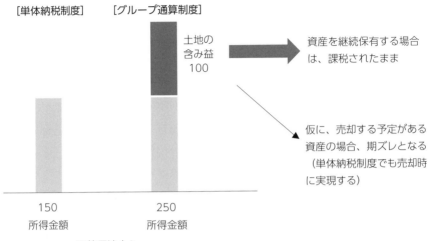

グループ通算制度を開始する場合、通算親法人又は通算子法人の通算開始直前事業年度終了の時に有する時価評価資産の評価益の額又は評価損の額は、その通算開始直前事業年度において、益金の額又は損金の額に算入する必要がある。

ただし、次に掲げる法人は、時価評価の対象外となる法人（時価評価除外法人）となる。

イ	いずれかの通算子法人との間に完全支配関係の継続が見込まれる通算親法人
ロ	通算親法人との間に完全支配関係の継続が見込まれる通算子法人

このように、グループ通算制度では、完全支配関係の継続が見込まれている場合は時価評価除外法人に該当するため、以下の理由から開始時に時価評価が必要となる通算法人はほとんどないといえる。

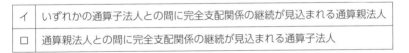

1 税金コストの有利・不利

また、開始後に損益通算をせずに2か月以内に通算グループ外に離脱する通算子法人の有する資産は時価評価の対象にならないことから、通算親法人の事業年度終了日を跨がずに2か月以内にその通算子法人の株式の売却等が完了すれば時価評価が行われないため、その点でも開始時に時価評価が課されるケースは稀であるといえる。

　なお、開始時の時価評価により、含み損が実現する場合もあるが、含み損が実現した場合であっても、その結果、繰越欠損金が生じる場合で、開始時に繰越欠損金が切り捨てられる場合、節税効果は生じない（その通算子法人が最初通算事業年度終了日までに通算グループ外に離脱する場合は繰越欠損金の切捨ては生じない）。

　時価評価資産を将来売却する場合は、単体納税制度でも売却時に実現するため、評価損益の期ズレとなる。

[グループ通算制度の含み損実現のメリットとデメリット（イメージ）]

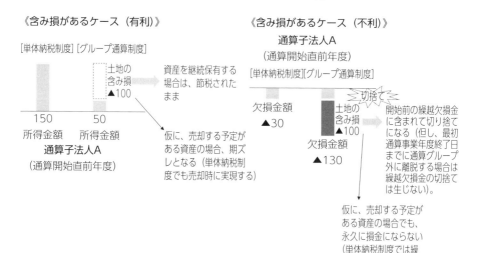

ところで、通算子法人が開始時の時価評価対象法人に該当する場合、離脱見込み法人に該当するため、次の取扱いが同時に適用されることになる。

《離脱見込み法人に対して適用される取扱い》

① 　離脱見込み法人の開始時の時価評価
② 　離脱見込み法人株式の評価損益の計上
③ 　離脱法人の離脱時の時価評価（一定の場合に限る）
④ 　離脱法人株式に係る投資簿価修正
　（注1）　上記①〜④はいずれも開始後に損益通算をせずに2か月以内に通算グループ外に離脱する通算子法人については適用されない。
　（注2）　上記③は、ⅰ．主要な事業を継続することが見込まれていない場合又はⅱ．帳簿価額が10億円を超える資産の譲渡等による損失を計上することが見込まれ、かつ、その離脱法人の株式の譲渡等による損失が計上されることが見込まれている場合に離脱時の時価評価が適用される。

　したがって、通算子法人が離脱見込み法人（開始後に損益通算をせずに2か月以内に通算グループ外に離脱する通算子法人を除く）に該当する場合、上記の取扱いを総合的に勘案して、有利・不利を判断する必要がある。

1　税金コストの有利・不利

[離脱見込み法人の開始時の時価評価（含み益がある場合）]
[単体納税制度のケース]

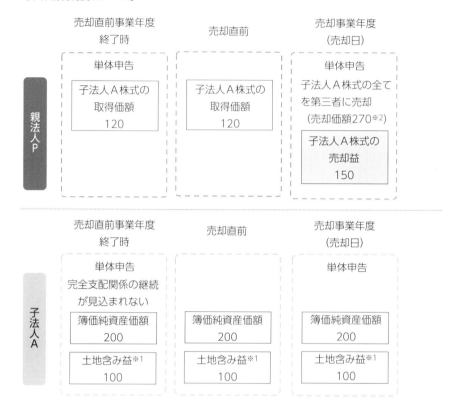

※1 土地は売却する見込みはない。
※2 時価は簿価純資産価額に土地の含み益（税効果相当額30％控除後）を加算した金額とする。

[グループ通算制度のケース]

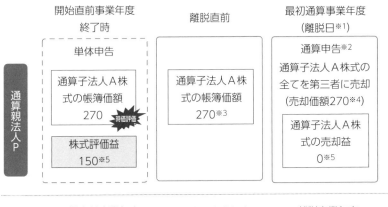

※1 離脱日(売却日)はグループ通算制度開始日以後2か月を経過した日以後とする。
※2 通算親法人Pには他の通算法人が存在するため、グループ通算制度は継続する。
※3 通算子法人Aの簿価純資産価額に帳簿価額を修正する。なお、離脱時の時価評価の適用事由には該当しないものとする。
※4 時価が簿価純資産価額と一致するものとする。
※5 投資簿価修正により株式の帳簿価額を簿価純資産価額に修正するため、開始時に株式評価益を計上しないと、離脱時に株式売却益が計上されず、結果、含み益に課税できないことになる。

[離脱見込み法人の開始時の時価評価（含み損がある場合）]

[単体納税制度のケース]

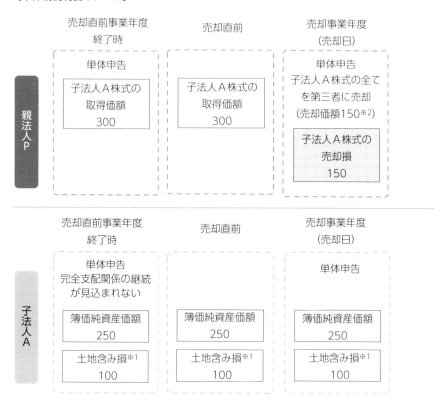

※1 土地は売却する見込みはない。
※2 時価は簿価純資産価額に土地の含み損を減算した金額とする。

[グループ通算制度のケース]

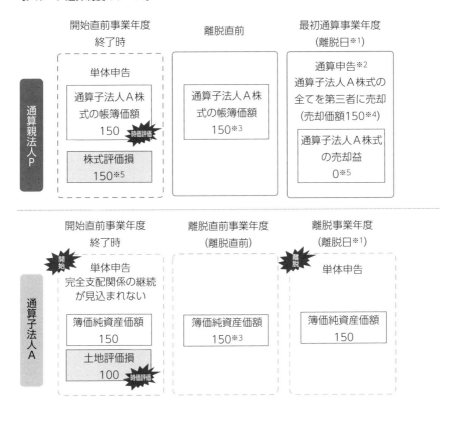

※1 離脱日（売却日）はグループ通算制度開始日以後2か月を経過した日以後とする。
※2 通算親法人Pには他の通算子法人が存在するため、グループ通算制度は継続する。
※3 通算子法人Aの簿価純資産価額に帳簿価額を修正する。なお、離脱時の時価評価の適用事由には該当しないものとする。
※4 時価が簿価純資産価額と一致するものとする。
※5 投資簿価修正により株式の帳簿価額を簿価純資産価額に修正するため、開始時に株式評価損を計上しないと、離脱時に株式売却損が計上されず、結果、含み損が実現しないことになる。

開始時の時価評価について、具体的には次の取扱いとなる（法法64の11
①②、法令131の15①③④⑤、令和２年所法等改正法附則30③、20⑫、25
④、26④、27②、28④、29⑥、31②）。

[開始時の時価評価]

　グループ通算制度を開始する場合、通算親法人又は通算子法人の通算開始直前事業年度終
了の時に有する時価評価資産の評価益の額又は評価損の額は、その通算開始直前事業年度に
おいて、益金の額又は損金の額に算入する。ここで、通算開始直前事業年度とは、最初通算
事業年度開始日の前日の属する事業年度（最後の単体納税制度の事業年度）をいう。
(1)　時価評価除外法人
　　但し、次に掲げる法人は、時価評価の対象外となる法人（時価評価除外法人）となる。

| イ | いずれかの通算子法人との間に完全支配関係の継続が見込まれる通算親法人 |
| ロ | 通算親法人との間に完全支配関係の継続が見込まれる通算子法人 |

(2)　時価評価資産
　　時価評価資産は、通算開始直前事業年度終了の時に有する資産のうち、固定資産、土地(土
地の上に存する権利を含み、固定資産に該当するものを除く)、有価証券、金銭債権、繰延
資産となる。
　　但し、これらの資産のうち、ⅰ．税務上の帳簿価額が1,000万円に満たない資産、ⅱ．評
価損益が資本金等の額の１／２又は1,000万円のいずれか少ない金額に満たない資産、ⅲ．
開始後に損益通算をせずに２か月以内に通算グループ外に離脱する通算子法人の有する資産
等、一定の資産が除かれる。
(3)　時価の定義
　　課税上弊害がない限り、次の時価で評価することができる（グ通通２-40）。
●減価償却資産：適正に償却された場合の未償却残高
●土地：近傍類地の売買実例を基礎として合理的に算定した価額又は近傍類地の公示価格等
　　から合理的に算定した価額
●有価証券：上場有価証券等は市場価格、上場有価証券等以外は６か月間以内の適正な売買
　　実例価額や１株当たりの純資産価額等を参酌して通常取引されると認められる価額など
●金銭債権：税務上の帳簿価額（個別評価金銭債権は、金銭債権の額から個別貸倒引当金繰
　　入限度額に相当する金額を控除した金額）
●繰延資産：会社法上の繰延資産は税務上の帳簿価額又は税務上の繰延資産は適正に償却さ
　　れた場合の未償却残高
　　上記からわかるとおり、実質的に税務上の帳簿価額＝時価と考えるものが多いため、課税上
弊害がない限り、時価評価損益が生じるのは土地と有価証券に限定されると考えてよいだろう。
(4)　離脱見込み法人株式の評価損益の計上
　　グループ通算制度では、開始時に時価評価の対象となる通算子法人で通算親法人との間に
完全支配関係の継続が見込まれないものの株式について、株主において時価評価により評価
損益を計上する。

具体的には、通算開始直前事業年度終了の時において、完全支配関係の継続が見込まれない通算子法人（時価評価対象法人に限る）の株式を有する他の通算法人（株式等保有法人）において、その通算子法人の株式の評価益又は評価損を株式等保有法人の通算開始直前事業年度において益金又は損金に算入する。
　但し、株式等保有法人が時価評価対象法人に該当し、当該株式について時価評価をする場合は除かれる。
　また、開始後に損益通算をせずに2か月以内に通算グループから離脱する法人については、この取扱いは適用されない。

(5) 時価評価対象法人又は時価評価除外法人の選択に係る経過措置

　親法人が3月決算で、令和4年3月31日に終了する通算開始直前事業年度については、本来、連結納税制度の条文が適用されることも考慮して、連結納税制度とグループ通算制度で時価評価除外法人又は時価評価対象法人の判定結果が逆になる場合はどちらか一方を有利選択してよいという経過措置を設けている。

デメリット2：繰越欠損金の切捨てが生じるケースがある

2	開始に伴う繰越欠損金の切捨て
	通算法人が時価評価対象法人に該当する場合又は時価評価除外法人で一定の場合に該当する場合、グループ通算制度の開始前の繰越欠損金の一部又は全部が切り捨てられる。
	対象例：5年以内に既存事業と関連しない事業を行う会社を買収した場合

[グループ通算制度の繰越欠損金の切捨て（イメージ）]

[開始に伴う繰越欠損金の切捨て]

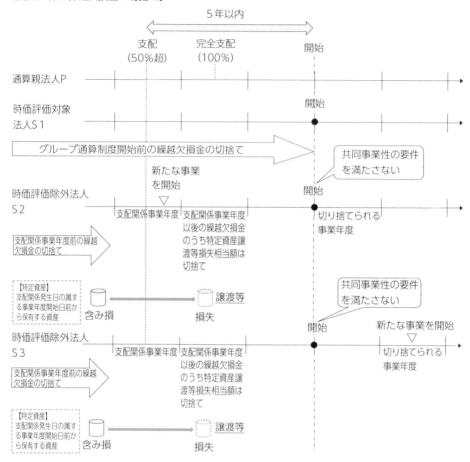

　グループ通算制度では、通算法人が次の（1）又は（2）に該当する場合、グループ通算制度の開始前の繰越欠損金の一部又は全部が切り捨てられてしまうため、単体納税制度と比べて不利となる。
（1）時価評価対象法人
（2）時価評価除外法人（次の①②の要件のいずれも満たさない場合、かつ、50％超のグループ化以後に新たな事業を開始した場合に限る）
　　① 5年前の日又は設立日からの支配関係継続要件
　　② 共同事業性の要件

開始に伴う時価評価、繰越欠損金の切捨て、含み損の損金算入制限については、いずれも開始に伴う制限であり、それらをまとめた検討手順は次のとおりとなる。

[開始に伴う時価評価、繰越欠損金の切捨て、含み損の損金算入制限の検討手順]

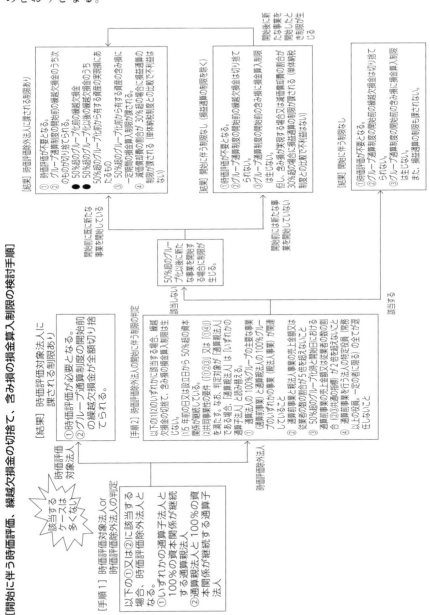

そして、グループ通算制度の開始前の繰越欠損金が切り捨てられる場合の税負担に与える影響の計算例は次のとおりとなる。

[グループ通算制度の開始前の繰越欠損金の切捨て]

X年度末 (開始直前年度)	親法人 P	子法人 A	子法人 B	合計
グループ通算制度の開始前の繰越欠損金	0	0	▲400	▲400

切捨て

[単体納税制度]

X＋1年度	親法人 P	子法人 A	子法人 B	合計
控除前所得	800	400	800	2,000
繰越欠損金の控除	0	0	▲400	▲400
控除後所得	800	400	400	1,600
法人税等 (25%)	200	100	100	400

[グループ通算制度]

X＋1年度 (開始年度)	通算親法人P	通算子法人A	通算子法人B (切捨て法人)	合計
欠損金通算前所得	800	400	800	2,000
繰越欠損金の控除	0	0	0	0
通算後所得	800	400	800	2,000
法人税等 (25%)	200	100	200	500

税負担の増加額	100

　ただし、グループ通算制度の開始時に時価評価対象法人に該当する場合は稀であり、また、時価評価除外法人に該当する場合であっても、5年前の日又は設立日からの支配関係継続要件又は共同事業性の要件のいずれかを満たせば(仮にいずれも満たさなくても、新たな事業を開始しなければ)、繰越欠損金の切捨ては生じない。そのため、実務上、グループ通算制度の採用によって、繰越欠損金の切捨てが生じるケースは多くはないだろう。

　開始に伴う繰越欠損金の切捨てについて、具体的には次の取扱いとなる(法法57⑥⑧、法令112の2③④⑤、113①②⑫、112⑤)。

118　第3部　単体法人の「グループ通算制度」採用の有利・不利とシミュレーションと実務対応

[開始に伴う繰越欠損金の切捨て]

通算法人が次の(1)又は(2)に該当する場合には、その有するグループ通算制度の開始前の繰越欠損金の一部又は全部が切り捨てられる。

(1) 時価評価対象法人に該当する場合

(2) 時価評価除外法人に該当する場合で支配関係発生日以後に新たな事業を開始するなど一定の要件に該当する場合

なお、最初通算事業年度終了日までに通算グループ外に離脱した場合は繰越欠損金は切り捨てられない。

(1) 時価評価対象法人に該当する場合

通算法人が時価評価対象法人に該当する場合、その通算法人の開始前の繰越欠損金は全額ないものとされる。

(2) 時価評価除外法人に該当する場合

通算法人で時価評価除外法人に該当する法人が次の［1］［2］の要件のいずれにも該当しない場合で、50%超のグループ化した日（支配関係発生日）以後に新たな事業を開始したときは、グループ通算制度の開始日以後に開始する各事業年度（同日の属する事業年度終了日後に新たな事業を開始した場合には、その開始した日以後に終了する各事業年度）については、次のイ及びロの繰越欠損金はないものとされる。

なお、支配関係発生日とは、通算親法人との間に最後に支配関係を有することとなった日（その通算法人が通算親法人である場合、通算子法人のうち通算親法人との間に最後に支配関係を有することとなった日が最も早いものとの間に最後に支配関係を有することとなった日）をいう。

《切捨てが生じないための要件》

［1］	5年前の日又は設立日からの支配関係継続要件
［2］	共同事業性の要件

［1］ 5年前の日又は設立日からの支配関係継続要件

5年前の日又は設立日からの支配関係継続要件とは①又は②のいずれかに該当する場合となる。

①	その通算法人と通算親法人（その通算法人が通算親法人である場合、通算子法人のいずれか）との間に通算承認日の5年前の日（以下、「5年前の日」という）から継続して支配関係がある場合
②	その通算法人又は通算親法人（その通算法人が通算親法人である場合、通算子法人の全て）が5年前の日後に設立された法人である場合（新設法人の除外規定に該当する場合を除く）であって、その通算法人と通算親法人（その通算法人が通算親法人である場合、通算子法人のうち設立日の最も早いもの）との間にその通算法人の設立日又は通算親法人の設立日（その通算法人が通算親法人である場合、通算子法人の設立日のうち最も早い日）のいずれか遅い日から継続して支配関係がある場合

1 税金コストの有利・不利　119

［2］ 共同事業性の要件

　共同事業性の要件を満たす場合は次の i 又は ii のいずれかに該当する場合となる。

i ．下記①②③の要件に該当する場合
ii ．下記①④の要件に該当する場合

　各要件の内容は次のとおりとなる。

　なお、下記①〜④で「その通算法人」とは、要件判定の対象となる時価評価除外法人を意味しており、各要件について、「その通算法人」が「通算親法人」である場合、「通算親法人」は「いずれかの通算子法人」と読み替える。

　①　事業関連性要件

> 通算前事業（その通算法人又は完全支配関係法人が行う事業のうちのいずれかの主要な事業）[※1]と親法人事業（通算親法人又は完全支配関係法人が行う事業のうちのいずれかの事業）[※2]が相互に関連するものであること

　②　事業規模比5倍以内要件

> 通算前事業と親法人事業のそれぞれの売上金額、従業者の数、これらに準ずるもののいずれかの規模の割合がおおむね5倍を超えないこと

　③　事業規模拡大2倍以内要件

> 一．通算前事業が通算法人支配関係発生時[※3]から通算承認日まで継続して行われており、
> 二．通算法人支配関係発生時と通算承認日における通算前事業の規模（上記②の要件を満たすいずれかの指標）の割合がおおむね2倍を超えないこと

　④　特定役員継続要件

> 通算承認日の前日の通算前事業を行う法人の特定役員（常務以上の役員）である者（その通算法人と通算親法人との間の支配関係発生日前（その支配関係が通算前事業を行う法人又は親法人事業を行う法人の設立により生じた場合は同日）において通算前事業を行う法人の役員であった者に限る）の全てが開始に伴って退任をするものでないこと

※1　通算前事業とは、その通算法人又は通算承認日の直前においてその通算法人との間に完全支配関係がある法人（完全支配関係が継続することが見込まれているものに限る）の通算承認日前に行う事業のうちのいずれかの主要な事業をいう。なお、「いずれかの主要な事業」とは、その完全支配関係グループにとって主要な事業であることをいう（グ通通2-14）。

※2　親法人事業とは、通算親法人又は通算承認日の直前において通算親法人との間に完全支配関係がある法人（完全支配関係が継続することが見込まれているものに限る。その通算法人を除く）の通算承認日前に行う事業のうちのいずれかの事業をいう。

※3　通算法人支配関係発生時とは、その通算法人が通算親法人との間に最後に支配関係を有することとなった時をいう。

《切り捨てられる繰越欠損金》

　通算前10年内事業年度（グループ通算制度の開始日前10年以内に開始した各事業年度）において生じた繰越欠損金のうち、以下のものが切り捨てられる。

イ	50％超のグループ化前の繰越欠損金
	→その通算法人の支配関係事業年度（支配関係発生日の属する事業年度）前の各事業年度において生じた繰越欠損金
ロ	50％超のグループ化以後の繰越欠損金のうち50％超のグループ化前の含み損の実現損相当額
	→その通算法人の支配関係事業年度以後の各事業年度において生じた繰越欠損金のうち特定資産譲渡等損失額に相当する金額（特定資産譲渡等損失相当額）から成る部分の金額

　この場合、特定資産譲渡等損失額は、デメリット3「開始に伴う含み損の損金算入制限」で解説している。

　なお、支配関係事業年度の前事業年度終了の時における時価純資産超過額又は簿価純資産超過額の範囲で、繰越欠損金の切捨て額の減額をすることができる（含み損益の特例計算）。

デメリット3：含み損が損金不算入となるケースがある

3	開始に伴う含み損の損金算入制限
	通算法人が時価評価除外法人で一定の場合に該当する場合、含み損に損金算入制限が課される。
	対象例：5年以内に既存事業と関連しない事業を行う会社を買収した場合

[グループ通算制度の特定資産譲渡等損失額の損金算入制限（イメージ）]

[特定資産譲渡等損失額の損金算入制限（開始）]

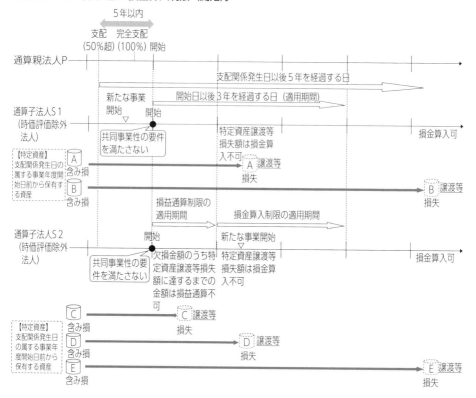

　グループ通算制度では、通算法人で時価評価除外法人に該当する法人が、次の２つの要件のいずれも満たさない場合で、50％超のグループ化日以後に新たな事業を開始したときは、その通算法人の適用期間（最長でグループ通算制度開始日以後３年経過日までの期間）において生ずる特定資産譲渡等損失額（50％超のグループ化前から有する資産の実現損）は損金不算入となるため、単体納税制度と比べて不利となる。

① 　５年前の日又は設立日からの支配関係継続要件
② 　共同事業性の要件

[特定資産譲渡等損失額の損金算入制限]

[単体納税制度]

X年度	親法人P	子法人A	子法人B	合計
その他所得	800	100	600	1,500
特定資産譲渡等損失額	0	0	▲500	▲500
損益通算	0	0	0	0
通算後所得	800	100	100	1,000
法人税等（25％）	200	25	25	250

[グループ通算制度]

X年度	通算親法人P	通算子法人A	通算子法人B	合計
その他所得	800	100	600	1,500
特定資産譲渡等損失額	0	0	0（損金不算入）	0
損益通算	0	0	0	0
通算後所得	800	100	600	1,500
法人税等（25％）	200	25	150	375

税負担の増加額	125

　また、グループ通算制度では、通算法人で時価評価除外法人に該当する法人が、上記①②の要件のいずれも満たさない場合、適用期間において、グループ通算制度開始後に生じる欠損金額のうち、次のものが損益通算の対象外となる欠損金額（その後、特定欠損金）となる。

　A）　原価及び費用の額の合計額のうちに占める減価償却費の額の割合が30％を超える場合の欠損金額

　B）　特定資産譲渡等損失額（50％超のグループ化前から有する資産の実現損）から成る欠損金額

　なお、B）については、50％超のグループ化以後に新たな事業を開始した場合又は原価及び費用の額の合計額のうちに占める減価償却費の額の割合が30％を超える場合のいずれにも該当しない場合に限る。

1　税金コストの有利・不利　123

[特定資産譲渡等損失額等の損益通算制限 (開始)]

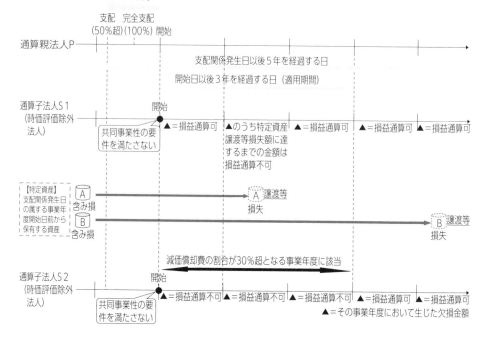

　この損益通算が制限される欠損金額が生じる場合、制限が生じた事業年度は、単体納税制度とグループ通算制度で有利・不利は生じないが、単体納税制度では繰越欠損金として大法人の場合、所得金額の50％を限度として控除されるが、グループ通算制度では特定欠損金として大通算法人の場合でも所得金額の100％を上限（通算グループ全体の所得金額の50％を限度）として控除することができるため、繰越欠損金の早期解消という面でグループ通算制度の方が有利となる。

　なお、損益通算の制限は、単体納税制度との比較において単に期ズレにすぎないが、特定資産譲渡等損失額の損金算入制限は、特定資産譲渡等損失額が永久に損金に算入されないことを意味するため、その点で税負担に与える影響が根本的に異なる。

[特定資産譲渡等損失額の損益通算制限]

[単体納税制度]

X 年度	親法人P (大法人)	子法人A (大法人)	子法人B (大法人)	合計
その他所得	400	250	100	750
特定資産譲渡等損失額	0	0	▲ 500	▲ 500
通算前所得	400	250	▲ 400	250
損益通算	0	0	0	0
通算後所得	400	250	▲ 400	250
法人税等 (25%)	100	63	0	163

[グループ通算制度]

X 年度	通算親法人P (大通算法人)	通算子法人A (大通算法人)	通算子法人B (大通算法人)	合計
その他所得	400	250	100	750
特定資産譲渡等損失額	0	0	▲ 500	▲ 500
			損益通算制限	
通算前所得	400	250	▲ 400	250
損益通算	0	0	0	0
		特定欠損金		
通算後所得	400	250	▲ 400	250
法人税等 (25%)	100	63	0	163

2年トータルで考えると…

税負担の増加額	0

[単体納税制度]

X＋1年度	親法人P (大法人)	子法人A (大法人)	子法人B (大法人)	合計
控除前所得	400	250	400	1,050
繰越欠損金の控除	0	0	▲ 200	▲ 200
		自社の所得の50%と相殺		
控除後所得	400	250	200	850
法人税等 (25%)	100	63	50	213

[グループ通算制度]

X＋1年度	通算親法人P (大通算法人)	通算子法人A (大通算法人)	通算子法人B (大通算法人)	合計
欠損金通算前所得	400	250	400	1,050
特定欠損金の控除	0	0	▲ 400	▲ 400
		自社の所得の100%と相殺		
通算後所得	400	250	0	650
法人税等 (25%)	100	63	0	163

税負担の減少額	50

　以上のとおり、グループ通算制度では、含み損の損金算入制限が生じる点は不利であるが、グループ通算制度の開始に際して、時価評価除外法人が、5年前の日又は設立日からの支配関係継続要件及び共同事業性の要件のいずれも満たさない場合（さらに、それに加えて、新たな事業を開始す

1 税金コストの有利・不利

る場合）はそれほど多くはないだろうし、制限の期間も最長3年であるた
め、実際に不利益が生じる通算グループは、それほど多くはないだろう。

　特定資産譲渡等損失額等の損金算入制限・損益通算制限について、具体
的には次の取扱いとなる（法法64の6①②③、64の14①②、64の7②三、
法令131の8①②③⑤⑥、131の19①②③⑤、123の8②、123の9①②、112
の2④）。

［特定資産譲渡等損失額等の損金算入制限・損益通算制限］

1.　特定資産譲渡等損失額の損金算入制限

　通算法人で時価評価除外法人に該当する法人が次の［1］［2］の要件のいずれにも該当
しない場合で、50%超のグループ化した日（支配関係発生日[※1]）以後に新たな事業を開始し
たときは、その通算法人の適用期間[※2]において生ずる特定資産譲渡等損失額[※3]は、その通算
法人の各事業年度の所得の金額の計算上、損金の額に算入しない。

《損金算入制限が生じないための要件》

［1］	5年前の日又は設立日からの支配関係継続要件
［2］	共同事業性の要件

　上記［1］［2］は［開始に伴う繰越欠損金の切捨て］と同様の内容となる。

※1　支配関係発生日とは、通算親法人との間に最後に支配関係を有することとなった日（その
　　　通算法人が通算親法人である場合、通算子法人のうち通算親法人との間に最後に支配関係
　　　を有することとなった日が最も早いものとの間に最後に支配関係を有することとなった日）
　　　をいう。
※2　適用期間とは、グループ通算制度開始日と新たな事業を開始した日の属する事業年度開始
　　　日のうちいずれか遅い日から開始日以後3年を経過する日と支配関係発生日以後5年を経
　　　過する日のうちいずれか早い日までの期間をいう。
※3　特定資産譲渡等損失額とは、第一号に掲げる金額から第二号に掲げる金額を控除した金額
　　　をいう。なお、適用期間内の各事業年度ごとに計算する。
　　　一．通算法人が有する資産（土地以外の棚卸資産、税務上の帳簿価額が1,000万円未満の資
　　　　　産、支配関係発生日の属する事業年度開始日における時価が帳簿価額を下回っていな
　　　　　い資産等を除く）で支配関係発生日の属する事業年度開始日前から有していたもの（特
　　　　　定資産）の譲渡、評価換え、貸倒れ、除却その他の事由による損失の額の合計額
　　　二．特定資産の譲渡、評価換えその他の事由による利益の額の合計額
　　　　したがって、含み益資産と含み損資産を同一事業年度に売却する場合は、特定資産譲渡
　　　等損失額は減少することになる。
　　　　また、支配関係事業年度の前事業年度終了の時における時価純資産超過額又は簿価純資
　　　産超過額の範囲で、特定資産譲渡等損失額の減額をすることができる（含み損益の特例計算）。

２．損益通算が制限される欠損金額

　通算法人で時価評価除外法人に該当する法人が、次の［１］［２］の要件のいずれにも該当しない場合、その通算法人の次表の事業年度におけるそれぞれの金額は損益通算の対象とはならない。

　この場合、損益通算の対象とならない欠損金額は特定欠損金となる。

《損益通算制限が生じないための要件》

［１］	５年前の日又は設立日からの支配関係継続要件
［２］	共同事業性の要件

　上記［１］［２］は［開始に伴う繰越欠損金の切捨て］と同様の内容となる。

《損益通算が制限される欠損金額》

	事業年度	損益通算の対象外となる金額
イ	下記ロ以外の事業年度（但し、上記１の特定資産譲渡等損失額の損金算入制限の適用がある事業年度を除く）	通算法人のその事業年度において生ずる通算前欠損金額のうちその事業年度の適用期間[*1]において生ずる特定資産譲渡等損失額[*2]に達するまでの金額
ロ	減価償却費の割合が30％超になる事業年度	通算法人の適用期間[*1]内の日を含むその事業年度において生ずる通算前欠損金額

※１　適用期間とは、グループ通算制度開始日から同日以後３年を経過する日と支配関係発生日以後５年を経過する日のいずれか早い日までの期間をいう。

※２　特定資産譲渡等損失額は、上記１と同様の計算となる。

デメリット４：中小法人から大通算法人に変更されるケース

４	中小法人等の判定
	通算グループ内の通算法人のうち１社でも中小法人等に該当しない場合、全ての通算法人が大通算法人等に該当し、中小法人等の特例措置が適用できない。
	対象例：単体納税制度で中小法人等に該当する法人があるケース

１　税金コストの有利・不利　　127

[グループ通算制度の中小法人の判定（イメージ）]

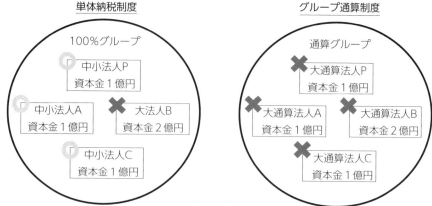

≪中小法人の特例措置≫

① 貸倒引当金の損金算入制度の適用
② 繰越欠損金の控除限度額の拡大（50%→100%）
③ 軽減税率の適用
④ 特定同族会社の留保金課税の不適用
⑤ 交際費の800万円の定額控除特例（未定）
⑥ 欠損金の繰戻還付の適用（未定）

[グループ通算制度の中小企業者の判定（イメージ）]

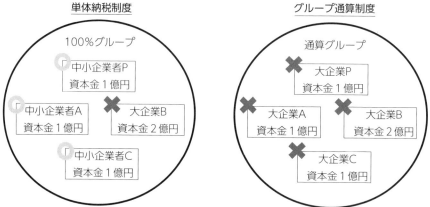

≪中小企業者の租税特別措置≫

① 中小企業技術基盤強化税制（研究開発税制）
② 所得拡大促進税制（中小企業者向け）
③ 中小企業の経営資源の集約化に資する税制
④ 設備投資促進税制（中小企業経営強化税制、中小企業投資促進税制）
⑤ 大企業に対する租税特別措置の適用除外措置の不適用

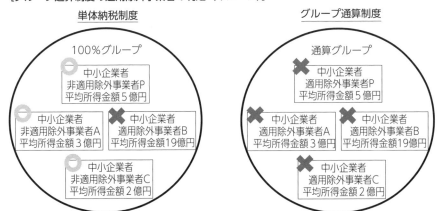

　グループ通算制度では、通算法人のいずれかが単体納税制度の中小法人に該当しない場合、全ての通算法人が「大通算法人」に該当し、全ての通算法人が単体納税制度の中小法人に該当する場合、全ての通算法人が「中小通算法人」に該当することになる。

　また、グループ通算制度では、通算法人のいずれかが単体納税制度の中小企業者に該当しない場合、全ての通算法人が中小企業者に該当せず、全ての通算法人が単体納税制度の中小企業者に該当する場合、全ての通算法人が中小企業者に該当することになる。

　さらに、グループ通算制度では、通算法人のいずれかが単体納税制度の適用除外事業者に該当する場合（平均所得金額（前3事業年度の所得金額の平均）が年15億円を超える場合）、全ての通算法人が適用除外事業者に

該当し、全ての通算法人が単体納税制度の適用除外事業者に該当しない場合、全ての通算法人が適用除外事業者に該当しないことになる※。

そのため、単体納税制度において、中小法人、中小企業者、非適用除外事業者に該当していた法人が、グループ通算制度を採用すると、大通算法人、大企業、適用除外事業者に該当することになって、中小法人の特例措置又は中小企業者の租税特別措置がグループ通算制度適用後は利用できなくなる可能性がある※。

※ グループ通算制度を適用している場合でも、適用除外事業者の平均所得金額の計算について特段の調整は行わないため、損益通算後の所得金額で計算されることになる。そのため、単体納税制度を適用していた場合とグループ通算制度を適用していた場合で平均所得金額の計算結果が異なるため、適用除外事業者の判定において、必ずしもグループ通算制度の採用は不利とはならない。

グループ通算制度の適用によって、中小法人の特例措置が適用できなくなる場合の不利益は、それぞれ次のとおりである（法法52①一・②、57⑪、66⑥、67①、措法42の3の2①）。

中小法人の特例措置	適用できなくなる場合の 不利益の内容
① 貸倒引当金の損金 算入制度の適用	貸倒引当金が加算され、税負担が増加する。
② 繰越欠損金の控除 限度額の拡大 （50%→100%）	通算グループ内の繰越欠損金は、通算グループ全体の所得金額の50%を限度にしてしか控除できなくなる。但し、グループ通算制度でも特定欠損金は自社の所得金額の100%を限度に控除できるため、通算グループ全体の所得金額の50%が十分に生じている場合、大きな不利益は生じない。
③ 軽減税率の適用	軽減税率が適用できない。
④ 特定同族会社の留 保金課税の不適用	他の要件に該当し、特定同族会社の留保金課税が適用される場合、税負担が増加する。

⑤ 交際費の800万円の定額控除特例※	定額控除限度額800万円が適用できない。
⑥ 欠損金の繰戻還付の適用※	欠損金の繰戻還付が適用できなくなる。但し、経常的に適用される制度ではないこと、欠損金の繰越制度もあることから、シミュレーションに織り込むべき不利益は生じない。

※ グループ通算制度の適用が開始する令和4年4月1日以後に開始する事業年度よりも前に、適用期限が到来するため、現時点でグループ通算制度における取扱いは決まっていない。

　また、グループ通算制度の適用によって、例えば、次に掲げる中小企業者の租税特別措置が適用できなくなる場合についても同様に不利益が生じる。

① 中小企業技術基盤強化税制（研究開発税制）（措法42の4④）

② 所得拡大促進税制（中小企業者向け）（措法42の12の5②）

③ 中小企業の経営資源の集約化に資する税制（措法55の2①）

④ 設備投資促進税制（中小企業経営強化税制、中小企業投資促進税制）（措法42の6①②、42の12の4①②）

⑤ 大企業に対する租税特別措置の適用除外措置の不適用（措法42の13⑤⑦）

　また、上記④など、中小企業者向けの設備投資促進税制について、資本金の額又は出資金の額が3,000万円を超える法人（特定中小企業者等以外の法人）は税額控除を適用できないが（特別償却のみ適用可能）、通算法人については、通算グループ内の通算法人のうち1社でも資本金の額又は出資金の額が3,000万円を超える法人に該当する場合、全ての通算法人が特定中小企業者等に該当しないことになる（措令27の6⑦、27の12の4④）。

　グループ通算制度における中小法人等の判定は次の取扱いとなる（法法66⑥、措法42の4④⑲七・八・八の二、措令27の4㉕㉖㉗）。

1 税金コストの有利・不利　　131

[中小法人等の判定]

1．中小法人の判定

　グループ通算制度では、各事業年度終了の時において、通算法人のいずれかが次の法人に該当する通算法人を「大通算法人」という。

　一方、各事業年度終了の時において、全ての通算法人が、「資本金の額又は出資金の額が1億円以下で、下記二号から五号に該当しない法人」に該当する通算法人を「中小通算法人」という。

一．資本金の額又は出資金の額が1億円を超える法人
二．相互会社
三．大法人（資本金の額又は出資金の額が5億円以上の法人、相互会社、受託会社）の100％子法人
四．100％グループ内の複数の大法人に発行済株式又は出資の全部を直接又は間接に保有されている法人
五．受託会社

2．中小企業者

　グループ通算制度では、全ての通算法人が、次の一号又は二号の法人に該当する場合、全ての通算法人が中小企業者に該当する。

一．資本金の額又は出資金の額が1億円以下の法人
　但し、次に掲げる法人を除く。
　イ）同一の大規模法人に1／2以上の株式又は出資を所有されている法人
　ロ）複数の大規模法人に2／3以上の株式又は出資を所有されている法人
　　　大規模法人とは以下の法人をいう。
　A）資本金の額又は出資金の額が1億円を超える法人
　B）資本又は出資を有しない法人のうち常時使用する従業員の数が1,000人を超える法人
　C）大法人（資本金の額又は出資金の額が5億円以上の法人、一定の相互会社、受託会社）の100％子法人
　D）100％グループ内の複数の大法人に発行済株式又は出資の全部を保有されている法人
二．資本又は出資を有しない法人のうち、常時使用する従業員の数が1,000人以下の法人

3．適用除外事業者の判定

　グループ通算制度では、通算グループ内のいずれかの通算法人の平均所得金額（前3事業年度の所得金額の平均）が年15億円を超える場合には、通算グループ内の全ての通算法人が適用除外事業者に該当することになる。

　また、適用除外事業者に該当する法人が通算グループに加入した場合のその加入した法人及び他の通算法人に係る適用除外事業者の判定については、中小企業技術基盤強化税制や中小企業投資促進税制など租税特別措置ごとに特別な取扱いとなっている。

デメリット5：中小法人等の節税枠が1回しか利用できない

5	軽減税率の適用対象枠の縮小
	中小通算法人の軽減税率（15％又は19％）の適用対象枠800万円について、通算グループ内で1回しか利用できない。今後、交際費の定額控除枠800万円についても同様の措置が講じられることが予想される。
	対象例：単体納税制度で中小法人に該当する法人があるグループ

［グループ通算制度の軽減税率の適用対象枠の縮小（イメージ）］

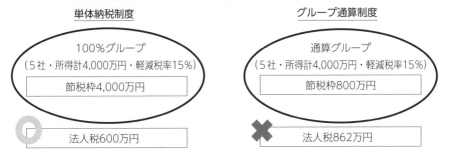

　単体納税制度において、中小法人の節税枠が設けられている制度は、次の2つの制度であり、それぞれについて、グループ通算制度ではその節税枠を通算グループで1回しか利用できないため、グループ通算制度の適用により税負担が増加することになる。

① 法人税の軽減税率

　単体納税制度では、軽減税率（15％又は19％）の適用対象となる所得限度額800万円を各中小法人で利用することが可能となる（つまり、複数回利用可能となる）。

　一方、グループ通算制度では、中小通算法人に該当する場合、軽減税率の適用対象となる所得限度額800万円を通算グループ全体で利用することになる（つまり、1回だけ利用可能となる）。

そのため、中小通算法人に該当し、軽減税率が適用できる場合であっても、グループ通算制度の適用によって税負担が増加する。

なお、グループ通算制度における法人税率の取扱いは、**第1部**「4．所得金額及び法人税額の計算の仕組み」で解説している。

②　交際費等の損金不算入制度

交際費等の損金不算入制度については、その適用期限が令和4年3月31日までの間に開始する事業年度であり、グループ通算制度の適用が開始する令和4年4月1日以後に開始する事業年度よりも前に適用期限が到来することになる。そのため、現時点では、グループ通算制度における取扱いは決まっていない。

この点、その適用期限の延長が決まった段階で、グループ通算制度における取扱いが明確になるものと考えられるが、他の中小法人の特例措置と同様に、中小通算法人、大通算法人、資本金100億円超の法人のいずれに該当するかに応じて、単体納税制度と同様の取扱いになるものと予想される。

ただし、専門家会合において、「分社化等によって控除枠が恣意的に拡大してしまうおそれ」があり、「事務負担の軽減の要請をもってしても、なお引き続き調整計算を行う必要があるのではないか」といった考えが示されているため、定額控除限度額は通算グループ全体で800万円となる（つまり、1回だけ利用可能となる）ことが予想されている。

この場合、法人税の軽減税率の所得限度額800万円と同様に、定額控除限度額800万円を各通算法人の交際費等の額の発生割合で配分するなどの計算方法が考えられる。

そのため、中小通算法人に該当し、定額控除限度額が適用できる場合であっても、グループ通算制度の適用によって税負担が増加する。

4 その他の有利・不利が生じる取扱い

❶ 受取配当金の益金不算入制度

関連法人株式等に係る配当等の益金不算入額は、関連法人株式等に係る配当等の額からその配当等の額に係る利子の額に相当する金額（負債利子控除額）を控除した金額となる（法法23①）。

この負債利子控除額は、原則、関連法人株式等に係る配当等の額の4%となるが、<u>支払利子等の額の合計額の10%が関連法人株式等に係る配当等の額の合計額の4%以下となる場合、支払利子等の額の10%を負債利子控除額とすることができる</u>（確定申告書等に別表の添付が必要となる。法法23①、法令19①②③⑨）。

具体的には、関連法人株式等に係る配当等の益金不算入額は以下の計算方法となる。

[関連法人株式等に係る配当等の益金不算入額]

関連法人株式等に係る配当等の額の益金不算入額	=	関連法人株式等に係る配当等の額	-	関連法人株式等に係る配当等の額の4%（支払利子等の額の10%を上限とする）

1 税金コストの有利・不利　135

ここで、上記の計算式について、関連法人株式等に係る配当等の額の益金不算入額は、配当ごとに計算されるため、負債利子控除額を支払利子等の額の10%とする特例を適用する場合、その支払利子等の額の合計額の10%に相当する金額にその配当等の額が関連法人株式等に係る配当等の額の合計額のうちに占める割合を乗じて計算した金額を、その配当に係る支払利子等の額の10%とする（法令19②）。

　そして、グループ通算制度では、各通算法人の支払利子等の額の合計額は、各通算法人ごとに、以下のように、通算グループ全体の関連法人株式等に係る配当等の額の合計額及び支払利子等の額の合計額を使って計算することになる（法令19④。各通算法人の支払利子等の額の合計額を「支払利子配賦額」という）。

[支払利子配賦額]

支払利子配賦額	＝	通算グループ全体の支払利子等の額の合計額	×	その通算法人の関連法人配当等の額の合計額 / 通算グループ全体の関連法人配当等の額の合計額

　この場合、通算法人間の支払利子等の額は、支払利子配賦額の計算の対象となる支払利子等の額には含まれない。

　以上より、例えば、関連法人からの配当がない通算法人において、支払利子等の額が生じている場合は、単体納税制度と比較して、グループ通算制度の適用によって益金不算入額が少なくなるケースが生じる。

[受取配当金の益金不算入のデメリット]

[単体納税制度]

	親法人P	子法人A	子法人B	合計
① 関連法人配当等の額	400	3,600	0	4,000
② ①×4%	16	144	0	160
③ 支払利子等の額	100	100	1,000	1,200
—	—	—	—	—
—	—	—	—	—
⑥ ③×10%	10	10		20
⑦ ②と⑥のうち小さい方の金額	10	10		20
⑧ 益金不算入額（①-⑦）	390	3,590		3,980

[グループ通算制度]

	通算親法人P	通算子法人A	通算子法人B	合計
① 関連法人配当等の額	400	3,600	0	4,000
② ①×4%	16	144	0	160
③ 支払利子等の額※1	100	100	1,000	1,200
④ 支払利子配賦額※2	120	1,080		1,200
⑤ 支払利子等の配分差額（④-③）	20	980		1,000
⑥ （③+⑤）×10%	12	108		120
⑦ ②と⑥のうち小さい方の金額	12	108		120
⑧ 益金不算入額（①-⑦）	388	3,492		3,880

益金不算入額の減少額	100
税負担の増加額（30%）	30

※1 支払利子等の額について、通算法人間の支払利子等はない。
※2 P：120＝1,200×400／4,000、A：1,080＝1,200×3,600／4,000

❷ 外国子会社配当金の益金不算入制度

　外国子会社配当金の95％益金不算入の取扱いについて、外国子会社の判定（25％以上の持株割合と6か月以上の保有期間の判定）については、単体納税制度の場合、その法人単独で判定を行うことになるが、グループ通算制度の場合、通算グループ全体で判定を行うことになる（法法23の2①、法令22の4①）。

　したがって、各法人単独では25％未満の持株割合となる場合でも、通算グループ全体の持株割合が25％以上である場合は、グループ通算制度の適用により、その外国法人からの配当金は95％が益金不算入となるため、そ

1 税金コストの有利・不利

の点で、グループ通算制度の方が有利となる。

　なお、通算グループ全体で保有するその外国法人の株式の保有割合が25％未満の場合であっても、その外国法人が租税条約締約国の居住者である法人であり、通算法人単独での保有割合が租税条約の二重課税排除条項で軽減された割合以上である場合、その外国法人は外国子会社に該当し、その通算法人は、95％益金不算入の取扱いを適用することができる。

　つまり、通算グループ全体で保有するその外国法人の株式の保有割合が25％未満の場合については、租税条約の二重課税排除条項で軽減された割合による判定は、単体納税制度もグループ通算制度もその法人単独で判定することになるため、この点で有利・不利は生じない。

❸ 留保金課税

　グループ通算制度における特定同族会社の留保金課税は、通算グループ全体を一つの法人とみなして計算する仕組みとしており、留保金額の基礎となる所得金額を損益通算後の所得金額とすることができるため、通常、単体納税制度と比較して、通算グループ全体の課税留保金額及び留保税額が減少することになる。

　ただし、欠損法人では、損益通算により益金算入される金額が留保金額に加算されること（ただし、通算前欠損金額が生じた通算法人で他の加算額がない場合、最終的に留保金額が生じない）と通算グループ外の者に対する配当等の額をその原資を負担した法人に分配して留保金額から控除する調整計算を行うため、必ずしも単体納税制度と比較して、通算グループ全体の留保税額が減少するとは限らない。

　また、単体納税制度では中小法人に該当していたため特定同族会社に該当していない場合でも、グループ通算制度では大通算法人に該当することにより特定同族会社に該当し、留保金課税が課される場合も単体納税制度と比較して税負担が増えるケースとなる（第3部第1章第1節3「4．中

小法人等の判定」参照)。

グループ通算制度における特定同族会社の留保金課税は、次の取扱いとなる。

（1）特定同族会社

特定同族会社とは、次のイ）からハ）に該当する会社をいう（法法67①）。

イ）　被支配会社であること

被支配会社とは、株主等の１人（特殊の関係のある個人及び法人を含む）が発行済株式等（自己株式等を除く）の50％超の株式を有する会社をいう（法法67①②）。

ロ）　「被支配会社でない法人」以外の株主等で判定した場合に被支配会社となるものであること

つまり、上場会社の子会社など、どこにも支配されていない法人株主が50％超の株式を所有する子会社は特定同族会社から除かれることになる。

また、「被支配会社でない法人」には、次のような「被支配会社でない法人」の直接又は間接の被支配会社も含まれる（法基通16-1-1）。

- 被支配会社でない法人の子会社
- 被支配会社でない法人の孫会社
- 被支配会社でない法人の孫々会社

ハ）　大通算法人に該当する法人であること

（2）課税留保金額及び課税留保税額の計算方法

グループ通算制度についても、課税留保金額及び課税留保税額の計算について単体納税制度と基本的な仕組みは変わらない。

ただし、通算法人については次の調整が行われる（法法67③④⑤、法令139の8①②③⑤⑥⑦、139の9、140）。

1 税金コストの有利・不利　139

(1) 留保金額の基礎となる所得金額は、損益通算後の所得金額とする[※1]。
(2) 留保控除額に係る所得基準額の基礎となる所得金額は、損益通算前の所得の金額とする[※1]。
(3) 留保金額の計算上、通算グループ内の法人間の受取配当及び支払配当はなかったものとした上[※2]、通算グループ外の者に対する配当の額として留保金額から控除される金額は、①に掲げる金額を②に掲げる金額の比で配分した金額と③に掲げる金額との合計額とする[※3]。

① 各通算法人の通算グループ外の者に対する配当の額のうち通算グループ内の他の通算法人から受けた配当の額に達するまでの金額の合計額
② 通算グループ内の他の通算法人に対する配当の額から通算グループ内の他の通算法人から受けた配当の額を控除した金額
③ 通算グループ外の者に対する配当の額が通算グループ内の他の通算法人から受けた配当の額を超える部分の金額

[※1] 令和2年度税制改正の解説974頁では、その趣旨について『留保金額の計算上の所得等の金額は、損益通算後の金額とされています（法法67③一）。したがって、損益通算により損金の額に算入される金額は留保金額を構成せず、損益通算により益金の額に算入される金額は留保金額を構成することとなります。これは、通算前欠損金額が生じた通算法人は本制度による加算額がないことが多いと考えられ、これを前提に通算グループ全体を一つの法人とみたときに、損益通算前の所得の金額を基礎として留保金額を算出すると、マイナス（通算前欠損金額）が切り捨てられ、損益通算がされていないのと同様の結果になることが多いと考えられることから、これを避けるために、留保金額の計算上の所得等の金額は、損益通算後の金額とされたものです。一方、所得等基準額の基礎となる所得等の金額は、法人の規模に応じた控除枠であり、損益通算によって規模が変わることはないと考えらえることから、所得等基準額の基礎となる所得等の金額は損益通算前の金額とされたものです。』と記載されている。

[※2] 具体的には、通算親法人と同時に事業年度が終了する通算法人が、他の通算法人から受けた配当等の額でその基準日等及び事業年度終了の日のいずれにおいても通算完全支配関係がある他の通算法人から受けたものの額は、益金の額に算入されるものも算入されないものも留保金額を構成させない。

[※3] これは、通算グループ外の者に対する配当等の額をその原資を負担した法人に分配して留保金額から控除する趣旨の調整計算である（令和2年度税制改正の解説973頁）。

　上記のグループ通算制度における課税留保金額及び留保税額の計算方法については、以下のとおりとなる。

［グループ通算制度の特定同族会社の留保金課税の計算］

［留保金額］

＋	留保所得金額 （別表4の最終の所得金額のうち留保の額）※1
＋	前期末配当等の額 （通算法人間配当等の額を除く）※2
－	当期末配当等の額 （通算法人間配当等の額を除く）※3
	法人税額及び地方法人税額、 住民税額の合計額
＋	通算法人の留保金加算額
－	通算法人の留保金控除額
＝	留保金額

［通算法人の留保金加算額］

＋	通算対象所得金額の益金算入額
＋	通算外配当等流出額
＋	通算内配当等の額
＝	通算法人の留保金加算額

［通算法人の留保金控除額］

＋	通算対象欠損金額の損金算入額
＋	通算法人間配当等の当期受取額
＋	通算外配当等流出配賦額
＝	通算法人の留保金控除額

※1.別表4の留保の所得金額（区分52②）であるため、繰越欠損金の控除額、受取配当金の益金不算入額、外国子会社配当益金不算入額は留保所得金額に含まれる（つまり、その分、減算されない金額となる）。なお、別表4の当期利益又は当期欠損の額の留保（区分1②）は「総額①」から「社外流出③」を控除した金額となる。この場合、「当期利益又は当期欠損の額（区分1）」の「社外流出③」の「配当」は当期にその支払に係る効力が生ずる配当の金額を記載する。

※2.前期の「当期末配当等の額（通算法人間配当等の額を除く）」の金額となる。

※3.配当決議日が基準日の属する事業年度終了日の翌日からその基準日の属する事業年度に係る決算の確定日までの期間内にある配当（特定同族会社が通算法人である場合には、他の通算法人に対する配当を除く）について、当該基準日の属する事業年度の留保金額から控除する。

［課税留保金額］

＋	留保金額
－	留保控除額
＝	課税留保金額

［留保税額］

＋	課税留保金額のうち 3,000万円以下の金額×10％
＋	課税留保金額のうち 3,000万円超1億円以下の金額×15％
＋	課税留保金額のうち 1億円超の金額×20％
＝	留保税額

［積立金基準額］

＋	期末資本金の額の25％
－	期首利益積立金額－前期末配当等の額 （通算法人間配当等の額を除く）
＝	積立金基準額

［定額基準額］

＝	2,000万円

いずれか多い金額

［所得基準額］

＋	所得金額 （別表4の最終の所得金額の総額）
＋	受取配当等の益金不算入額 （通算法人間配当等の額に係る金額を除く）
＋	繰越欠損金の控除額
＋	通算対象欠損金額の損金算入額 （通算法人の所得基準額加算額）
－	通算対象所得金額の益金算入額 （通算法人の所得基準額控除額）
＝	所得等の金額
＝	所得基準額 （所得等の金額×40％）

1 税金コストの有利・不利

［通算外配当等流出配賦額の計算］

通算外配当等流出額（A）：その通算法人の通算グループ外の者に対する支払配当等の額
通算内配当等の額（B）：その通算法人の他の通算法人に対する支払配当等の額
通算内配当等の額の当期受取額（C）：その通算法人が交付を受けた他の通算法人からの通算内配当等の額
通算内配当等受取超過額（D）：C－B（マイナスの場合、0）
調整通算外配当等流出額（E）：AとDのうち少ない金額
他の通算法人の調整通算外配当等流出額の合計額（F）：他の通算法人のEの金額の合計額
純通算内配当等の額（G）：B－C（マイナスの場合、0）
他の通算法人の純通算内配当等の額の合計額（H）：他の通算法人のGの金額の合計額
純通算内配当等の割合（I）：G／（G＋H）
通算外配当等流出超過額（J）：A－D（マイナスの場合、0）
通算外配当等流出配賦額（K）：（E＋F）×I＋J

5 加入・離脱に伴う有利・不利

❶ 加入に伴う有利・不利

　シミュレーション時に新たな法人が通算グループに加入することが見込まれる場合、それを織り込んで、グループ通算制度を採用した場合の影響を検討する必要がある。

　また、具体的に加入の計画がない場合であっても、頻繁に買収をする企業グループでは、将来、加入に伴う不利益が生じる可能性があることも想定して、グループ通算制度の採用を決定する必要がある。

　将来、新たな法人が通算グループに加入することを想定した場合に、グループ通算制度の有利・不利に与える影響は次のとおりとなる。

[加入に伴う有利・不利]

項目	グループ通算制度の 有利・不利に与える影響	
1．損益通算又は欠損 　金の通算	有利	●加入法人が欠損法人に該当する場合、その欠損金額を通 算グループ全体で損益通算又は欠損金の通算により解消 させることができる。 ●その加入法人が所得法人に該当する場合で、通算グループ 全体で欠損金額又は非特定欠損金が生じている場合、そ の欠損金額又は非特定欠損金を通算グループ全体で損益 通算又は欠損金の通算により解消させることができる。
2．グループ通算制度 　適用前の繰越欠損 　金の控除限度割合 　の拡大	有利	加入法人（単体納税制度の大法人に該当する場合）のグルー プ通算制度適用前の繰越欠損金（持込み対象）の控除限度 額が自社の所得金額の50％から100％に拡大する。
3．加入に伴う時価評 　価、繰越欠損金の 　切捨て、含み損の 　損金算入制限	不利	●時価評価対象法人では、時価評価が必要となり、加入前 の繰越欠損金が切り捨てられる。 ●時価評価除外法人でも一定の要件を満たさない場合、加 入前の繰越欠損金の切捨てと加入前の含み損等の損金算 入・損益通算の制限が課される。
4．研究開発税制・外 　国税額控除	有利又 は不利	加入法人を含めた通算グループ全体で税額控除限度額が計 算されるため、加入によって税額控除額が増加又は減少する。
5．特定同族会社の留 　保金課税	有利又 は不利	加入によって、加入法人又は他の通算法人の留保金額（損 益通算後の所得金額や通算法人間の配当金の調整額等）及 び留保税額が増加又は減少する。
6．中小法人・中小企 　業者・適用除外事 　業者の判定	不利	●中小通算法人又は中小企業者（適用除外事業者を除く） に該当する通算グループに中小法人又は中小企業者（適 用除外事業者を除く）に該当しない法人が加入する場合、 各通算法人で中小法人の特例措置又は中小企業者の租税 特別措置が適用できなくなる。 ●中小通算法人又は中小企業者（適用除外事業者を除く） に該当しない通算グループに、中小法人又は中小企業者 （適用除外事業者を除く）に該当する法人が加入する場 合、加入法人で中小法人の特例措置又は中小企業者の租 税特別措置が適用できなくなる。

1　税金コストの有利・不利　143

6．中小法人・中小企業者・適用除外事業者の判定		●なお、中小企業技術基盤強化税制（それに係る大企業に対する租税特別措置の適用除外措置の全体判定を含む）の適用に当たっては、適用除外事業者に該当する通算法人が通算グループに加入した法人※であり、その適用除外事業者に該当する通算法人の事業年度（通算親法人の事業年度終了日に終了するものに限る）が通算グループへ加入をした事業年度である場合には、その通算法人を適用除外事業者に該当しないものとして適用の判定を行う（措法42の4④⑲八の二、42の13⑦、措令27の4㉛）。また、中小企業投資促進税制、所得拡大促進税制、大企業に対する租税特別措置の適用除外措置の個社判定等の適用に当たっては、適用除外事業者に該当する通算法人が通算グループに加入した法人※であり、その適用除外事業者に該当する通算法人の事業年度（通算親法人の事業年度終了日に終了するものに限る）が通算グループへ加入をした事業年度である場合には、その通算法人は適用除外事業者に該当するが、他の通算法人については、その通算法人を適用除外事業者に該当しないものとして適用の判定を行う（措法42の6①、42の12の4①、42の12の5②、42の4⑲八の二、42の13⑤）。 ※通算親法人の事業年度開始時に通算グループ内にいる法人と同視できるもの及び再加入法人や通算親法人の事業年度開始時に加入できる状態にあった法人等、一定の法人は除かれる。

　上記のうち、グループ通算制度を採用した場合の有利・不利に与える影響が大きいものは、「加入に伴う時価評価、繰越欠損金の切捨て、含み損の損金算入制限」となる。

　将来、新たな法人が通算グループに加入することが見込まれる場合、その加入法人について、次のような検討手順で、時価評価、繰越欠損金の切捨て、含み損の損金算入制限が課されるかを確認する必要が生じる。

[加入に伴う時価評価、繰越欠損金の切捨て、含み損の損金算入制限の検討手順]

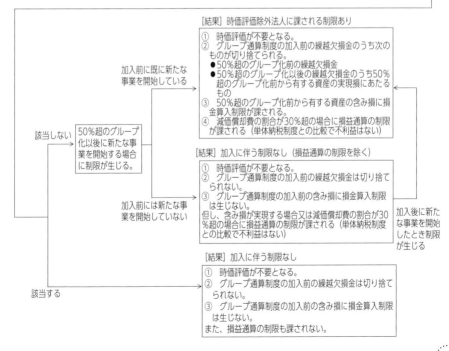

1 税金コストの有利・不利

将来の加入法人について、この手順によって、時価評価対象法人又は時価評価除外法人（5年前の日又は設立日からの支配関係継続要件及び共同事業性の要件のいずれも満たさないものに限る）に該当する場合、加入法人について、加入に伴う時価評価、繰越欠損金の切捨て、含み損等の損金算入制限・損益通算制限が課されることになる。

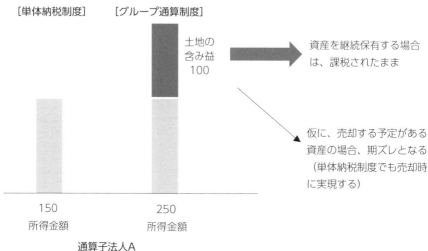

[加入に伴う繰越欠損金の切捨て]

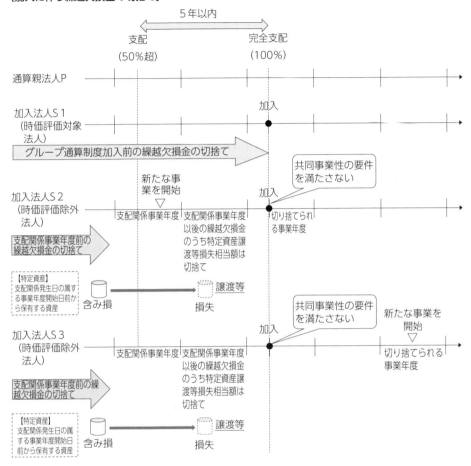

[加入に伴う特定資産譲渡等損失額の損金算入制限]

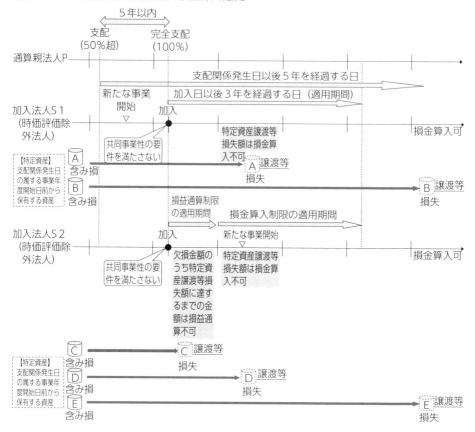

[加入に伴う特定資産譲渡等損失額等の損益通算制限]

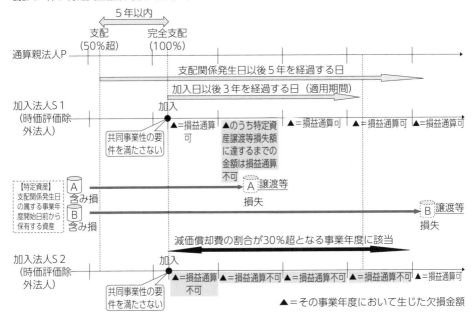

それぞれについて、具体的な取扱いは以下のとおりとなる（法法57⑥⑧、64の6①②③、64の7②三、64の12①②、64の14①②、法令112の2③④⑤、112⑤、113①②⑫、131の8①②③⑤⑥、131の16①③④⑤⑥、131の19①②③⑤、123の8②、123の9①②、令和2年所法等改正法附則30⑤、20⑫、25④、26④、27②、28④、29⑥、31②）。

[加入時の時価評価]

> グループ通算制度に加入する場合、加入法人の通算加入直前事業年度終了の時に有する時価評価資産の評価益の額又は評価損の額は、その通算加入直前事業年度において、益金の額又は損金の額に算入する。ここで、通算加入直前事業年度とは、通算承認の効力が生ずる日の前日の属する事業年度をいう（最後の単体納税制度の事業年度）をいう。
>
> (1) **時価評価除外法人**
>   次に掲げる法人は、時価評価の対象外となる法人（時価評価除外法人）となる。

① 通算法人が通算親法人による完全支配関係がある法人を設立した場合におけるその法人
② 通算法人を株式交換等完全親法人とする適格株式交換等に係る株式交換等完全子法人
③ 通算親法人が法人との間にその通算親法人による完全支配関係を有することとなった場合（その有することとなった時の直前においてその通算親法人とその法人との間にその通算親法人による支配関係がある場合に限る）で、かつ、次のイ及びロの要件の全てに該当する場合におけるその法人（グループ通算制度の承認の効力が生じた後にその法人とその通算親法人との間にその通算親法人による完全支配関係が継続することが見込まれている場合に限るものとし、適格株式交換等の要件のうち、対価要件以外の適格要件に該当しない株式交換等により完全支配関係を有することとなった株式交換等完全子法人を除く）

  イ）その法人の完全支配関係を有することとなる時の直前の従業者のうち、その総数のおおむね80％以上に相当する数の者がその法人の業務（その法人との間に完全支配関係がある法人の業務を含む）に引き続き従事することが見込まれていること。

  ロ）その法人の完全支配関係を有することとなる前に行う主要な事業がその法人（その法人との間に完全支配関係がある法人を含む）において引き続き行われることが見込まれていること。

④ 通算親法人が法人との間にその通算親法人による完全支配関係を有することとなった場合で、かつ、その通算親法人又は他の通算法人とその法人とが共同で事業を行う場合として次のイからニまでの要件の全てに該当する場合（その有することとなった時の直前においてその通算親法人とその法人との間にその通算親法人による支配関係がある場合を除く）におけるその法人（グループ通算制度の承認の効力が生じた後にその法人とその通算親法人との間にその通算親法人による完全支配関係が継続することが見込まれている場合に限るものとし、適格株式交換等の要件のうち、対価要件以外の適格要件に該当しない株式交換等により完全支配関係を有することとなった株式交換等完全子法人を除く）

  イ）その法人又はその法人との間に完全支配関係がある他の法人（その完全支配関係が継続することが見込まれる法人に限る）のその通算親法人による完全支配関係を有することとなる日（完全支配関係発生日）前に行う事業のうちのいずれかの主要な事業（子法人事業）とその通算親法人又はその通算親法人との間に通算完全支配関係がある他の通算法人（その通算完全支配関係が継続することが見込まれる法人に限る）の完全支配関係発生日前に行う事業のうちいずれかの事業（親法人事業）とが相互に関連するものであること。

  ロ）子法人事業と親法人事業（その子法人事業と関連する事業に限る）のそれぞれの売上金額、その子法人事業と親法人事業のそれぞれの従業者の数若しくはこれらに準ずるものの規模の割合がおおむね5倍を超えないこと又は完全支配関係発生日の前日の子法人事業を行う法人の特定役員（常務以上の役員）の全てがその通算親法人による完全支配関係を有することとなったことに伴って退任するものでないこと。

ハ）その法人が通算親法人との間にその通算親法人による完全支配関係を有すること
　　となる時の直前のその法人の従業者のうち、その総数のおおむね80％以上に相当す
　　る数の者がその法人の業務（その法人との間に完全支配関係がある法人の業務を含
　　む）に引き続き従事することが見込まれていること。

ニ）その法人の完全支配関係発生日前に行う主要な事業（その主要な事業が上記イの
　　子法人事業でない場合には、その子法人事業を含む）がその法人（その法人との間
　　に完全支配関係がある他の法人でその完全支配関係が継続することが見込まれるも
　　のを含む）において引き続き行われることが見込まれていること。

(2)　時価評価資産

　時価評価資産は、通算加入直前事業年度終了の時に有する資産のうち、固定資産、土地（土地の上に存する権利を含み、固定資産に該当するものを除く）、有価証券、金銭債権、繰延資産となる。

　但し、これらの資産のうち、ⅰ．税務上の帳簿価額が1,000万円に満たない資産、ⅱ．評価損益が資本金等の額の1／2又は1,000万円のいずれか少ない金額に満たない資産、ⅲ．加入後に損益通算をせずに2か月以内に通算グループ外に離脱する通算子法人の有する資産等、一定の資産が除かれる。

(3)　時価の定義

　課税上弊害がない限り、次の時価で評価することができる（グ通通2-40、2-47）。

- 減価償却資産：適正に償却された場合の未償却残高
- 土地：近傍類地の売買実例を基礎として合理的に算定した価額又は近傍類地の公示価格
　　等から合理的に算定した価額
- 有価証券：上場有価証券等は市場価格、上場有価証券等以外は6か月間以内の適正な売
　　買実例価額や1株当たりの純資産価額等を参酌して通常取引されると認められる価額
　　など
- 金銭債権：税務上の帳簿価額（個別評価金銭債権は、金銭債権の額から個別貸倒引当金
　　繰入限度額に相当する金額を控除した金額）
- 繰延資産：会社法上の繰延資産は税務上の帳簿価額又は税務上の繰延資産は適正に償却
　　された場合の未償却残高

　上記からわかるとおり、実質的に税務上の帳簿価額＝時価と考えるものが多いため、課税上弊害がない限り、時価評価損益が生じるのは土地と有価証券に限定されると考えてよいだろう。

(4)　離脱見込み法人株式の評価損益の計上

　グループ通算制度では、加入時に時価評価の対象となる通算子法人で通算親法人との間に完全支配関係の継続が見込まれないものの株式について、その株式を有する他の通算法人（株式

1　税金コストの有利・不利　　151

等保有法人）において加入日の前日の属する事業年度に時価評価により評価損益を計上する。

但し、株式等保有法人が時価評価対象法人に該当し、その株式について時価評価をする場合は除かれる。

また、加入後に損益通算をせずに2か月以内に通算グループから離脱する法人については、この取扱いは適用されない。

⑸ 時価評価対象法人又は時価評価除外法人の選択に係る経過措置

親法人が3月決算で、令和4年3月31日に終了する通算加入直前事業年度については、本来、連結納税制度の条文が適用されることも考慮して、連結納税制度とグループ通算制度で時価評価除外法人又は時価評価対象法人の判定結果が逆になる場合はどちらか一方を有利選択してよいという経過措置を設けている。

［加入に伴う繰越欠損金の切捨て］

通算子法人が次の⑴又は⑵に該当する場合には、その有するグループ通算制度の加入前の繰越欠損金の一部又は全部が切り捨てられる。
- 時価評価対象法人に該当する場合
- 時価評価除外法人に該当する場合で支配関係発生日以後に新たな事業を開始するなど一定の要件に該当する場合

⑴ 時価評価対象法人に該当する場合

通算子法人が時価評価対象法人に該当する場合、その通算子法人の加入前の繰越欠損金は全額ないものとされる。

⑵ 時価評価除外法人に該当する場合

通算子法人で時価評価除外法人に該当する法人が次の［1］［2］の要件のいずれにも該当しない場合で、50％超のグループ化した日（支配関係発生日）以後に新たな事業を開始したときは、グループ通算制度の加入日以後に開始する各事業年度（同日の属する事業年度終了日後に新たな事業を開始した場合には、その開始した日以後に終了する各事業年度）については、次のイ及びロの繰越欠損金はないものとされる。

なお、支配関係発生日とは、通算親法人との間に最後に支配関係を有することとなった日をいう。

《切捨てが生じないための要件》

［1］	5年前の日又は設立日からの支配関係継続要件
［2］	共同事業性の要件

［1］ 5年前の日又は設立日からの支配関係継続要件

　5年前の日又は設立日からの支配関係継続要件とは①又は②のいずれかに該当する場合となる。

①	その通算子法人と通算親法人との間に通算承認日の5年前の日（以下、「5年前の日」という）から継続して支配関係がある場合
②	その通算子法人又は通算親法人が5年前の日後に設立された法人である場合（新設法人の除外規定に該当する場合を除く）であって、その通算子法人と通算親法人との間にその通算子法人の設立日又は通算親法人の設立日のいずれか遅い日から継続して支配関係がある場合

［2］ 共同事業性の要件

　共同事業性の要件を満たす場合は次のⅰ、ⅱ、ⅲのいずれかに該当する場合となる。

ⅰ．下記①②③の要件に該当する場合
ⅱ．下記①④の要件に該当する場合
ⅲ．下記⑤の要件に該当する場合

　各要件の内容は次のとおりとなる。

① 事業関連性要件

通算前事業（その通算子法人又は完全支配関係法人が行う事業のうちのいずれかの主要な事業）[※1]と親法人事業（通算親法人又は完全支配関係法人が行う事業のうちのいずれかの事業）[※2]が相互に関連するものであること

② 事業規模比5倍以内要件

通算前事業と親法人事業のそれぞれの売上金額、従業者の数、これらに準ずるもののいずれかの規模の割合がおおむね5倍を超えないこと

③ 事業規模拡大2倍以内要件

一．通算前事業が通算法人支配関係発生時[※3]から通算承認日まで継続して行われており、 二．通算法人支配関係発生時と通算承認日における通算前事業の規模（上記②の要件を満たすいずれかの指標）の割合がおおむね2倍を超えないこと

④ 特定役員継続要件

通算承認日の前日の通算前事業を行う法人の特定役員（常務以上の役員）である者（その通算子法人と通算親法人との間の支配関係発生日前（その支配関係が通算前事業を行う法人又は親法人事業を行う法人の設立により生じた場合は同日）において通算前事業を行う法人の役員であった者に限る）の全てが加入に伴って退任をするものでないこと

⑤ 次に掲げる法人のいずれかに該当すること

一．完全支配関係を有することとなった時の直前に通算親法人との間に通算親法人による支配関係がない法人で、共同事業要件による時価評価除外法人に該当する法人 二．共同で事業を行うための適格株式交換等の要件（対価要件を除く）に該当する株式交換等により加入した株式交換等完全子法人

1 税金コストの有利・不利　　153

※1　通算前事業とは、その通算子法人又は通算承認日の直前においてその通算子法人との間に完全支配関係がある法人（完全支配関係が継続することが見込まれているものに限る）の通算承認日前に行う事業のうちのいずれかの主要な事業をいう。なお、「いずれかの主要な事業」とは、その完全支配関係グループにとって主要な事業であることをいう（グ通通2-14）。

※2　親法人事業とは、通算親法人又は通算承認日の直前において通算親法人との間に完全支配関係がある法人（完全支配関係が継続することが見込まれているものに限る。その通算子法人を除く）の通算承認日前に行う事業のうちのいずれかの事業をいう。

※3　通算法人支配関係発生時とは、その通算子法人が通算親法人との間に最後に支配関係を有することとなった時をいう。

《切り捨てられる繰越欠損金》

　通算前10年内事業年度（グループ通算制度の加入日前10年以内に開始した各事業年度に該当する事業年度）において生じた繰越欠損金のうち、以下のものが切り捨てられる。

イ	その通算子法人の支配関係事業年度（支配関係発生日の属する事業年度）前の各事業年度において生じた繰越欠損金（50％超のグループ化前の繰越欠損金）
ロ	その通算子法人の支配関係事業年度以後の各事業年度において生じた繰越欠損金のうち特定資産譲渡等損失額に相当する金額から成る部分の金額（50％超のグループ化以後の繰越欠損金のうち50％超のグループ化前の含み損の実現損相当額）

　この場合、特定資産譲渡等損失額は、［特定資産譲渡等損失額等の損金算入制限・損益通算制限］と同様に計算される。

　なお、支配関係事業年度の前事業年度終了の時における時価純資産超過額又は簿価純資産超過額の範囲で、繰越欠損金の切捨て額の減額をすることができる（含み損益の特例計算）。

［特定資産譲渡等損失額等の損金算入制限・損益通算制限］

1．特定資産譲渡等損失額の損金算入制限

　通算子法人で時価評価除外法人に該当する法人が次の［1］［2］の要件のいずれにも該当しない場合で、50％超のグループ化した日（支配関係発生日※1）以後に新たな事業を開始したときは、その通算子法人の適用期間※2において生ずる特定資産譲渡等損失額※3は、その通算子法人の各事業年度の所得の金額の計算上、損金の額に算入しない。

《損金算入制限が生じないための要件》

［1］	5年前の日又は設立日からの支配関係継続要件
［2］	共同事業性の要件

　上記［1］［2］は［加入に伴う繰越欠損金の切捨て］と同様の要件となる。

※1　支配関係発生日とは、通算親法人との間に最後に支配関係を有することとなった日をいう。

※2　適用期間とは、グループ通算制度加入日と新たな事業を開始した日の属する事業年度開始日のうちいずれか遅い日から加入日以後3年を経過する日と支配関係発生日以後5年を経過する日のうちいずれか早い日までの期間をいう。

※3　特定資産譲渡等損失額とは、第一号に掲げる金額から第二号に掲げる金額を控除した金額

をいう。なお、適用期間内の各事業年度ごとに計算する。

一．通算子法人が有する資産（土地以外の棚卸資産、税務上の帳簿価額が1,000万円未満の資産、支配関係発生日の属する事業年度開始日における時価が帳簿価額を下回っていない資産等を除く）で支配関係発生日の属する事業年度開始日前から有していたもの（特定資産）の譲渡、評価換え、貸倒れ、除却その他の事由による損失の額の合計額

二．特定資産の譲渡、評価換えその他の事由による利益の額の合計額

したがって、含み益資産と含み損資産を同一事業年度に売却する場合は、特定資産譲渡等損失額は減少することになる。

また、支配関係事業年度の前事業年度終了の時における時価純資産超過額又は簿価純資産超過額の範囲で、特定資産譲渡等損失額の減額をすることができる（含み損益の特例計算）。

2．損益通算が制限される欠損金額

通算子法人で時価評価除外法人に該当する法人が、次の［1］［2］の要件のいずれにも該当しない場合、その通算子法人の次表の事業年度におけるそれぞれの金額は損益通算の対象とはならない。

この場合、損益通算の対象とならない欠損金額は特定欠損金となる。

《損益通算制限が生じないための要件》

［1］	5年前の日又は設立日からの支配関係継続要件
［2］	共同事業性の要件

上記［1］［2］は［加入に伴う繰越欠損金の切捨て］と同様の要件となる。

《損益通算が制限される欠損金額》

	事業年度	損益通算の対象外となる金額
イ	下記ロ以外の事業年度（但し、上記1の特定資産譲渡等損失額の損金算入制限の適用がある事業年度を除く）	通算子法人のその事業年度において生ずる通算前欠損金額のうち、その事業年度の適用期間※1において生ずる特定資産譲渡等損失額※2に達するまでの金額
ロ	減価償却費の割合が30％超になる事業年度	通算子法人の適用期間※1内の日を含む、その事業年度において生ずる通算前欠損金額

※1 適用期間とは、グループ通算制度加入日から同日以後3年を経過する日と支配関係発生日以後5年を経過する日のいずれか早い日までの期間をいう。

※2 特定資産譲渡等損失額は、上記1と同様の計算となる。

❷ 離脱に伴う有利・不利

シミュレーション時に通算子法人が通算グループから離脱することが見込まれる場合、それを織り込んで、グループ通算制度を採用した場合の影

響を検討する必要がある。

　また、具体的に離脱の計画がない場合であっても、頻繁にグループ法人の売却をする企業グループでは、将来、離脱に伴う不利益が生じる可能性があることも想定して、グループ通算制度の採用を決定する必要がある。

　将来、通算子法人が通算グループから離脱することを想定した場合に、グループ通算制度の有利・不利に与える影響は次のとおりとなる。

[離脱に伴う有利・不利]

項目		グループ通算制度の 有利・不利に与える影響
1．損益通算又は欠損金の通算	不利	●離脱法人が欠損法人に該当する場合又は非特定欠損金を有する場合、その欠損金額又は非特定欠損金を通算グループ全体で損益通算又は欠損金の通算により解消させることができなくなる。 ●その離脱法人が所得法人に該当する場合で、通算グループ全体で欠損金額又は非特定欠損金が生じている場合、その欠損金額又は非特定欠損金を通算グループ全体で損益通算又は欠損金の通算により解消させることができなくなる。
2．グループ通算制度適用前の繰越欠損金の控除限度割合の拡大	不利	離脱法人（単体納税制度の大法人に該当する場合）が特定欠損金（グループ通算制度適用前の繰越欠損金）を有する場合、その控除限度額が自社の所得金額の100％から50％に縮小する。
3．離脱時の時価評価	有利又は不利	評価要件に該当し、離脱時の時価評価をする場合、離脱法人の時価評価後の簿価純資産価額により投資簿価修正が行われるため、単体納税制度と比較して株式譲渡損益が増加又は減少する。
4．投資簿価修正	有利又は不利	離脱法人の株式の離脱直前の帳簿価額を離脱直前の簿価純資産価額に修正することにより、単体納税制度と比較して株式譲渡損益が増加又は減少する。
5．研究開発税制・外国税額控除	有利又は不利	離脱法人を除いた通算グループ全体で税額控除限度額が計算されるため、税額控除額が増加又は減少する。

6. 特定同族会社の留保金課税	有利又は不利	離脱によって、離脱法人又は他の通算法人の留保金額（損益通算後の所得金額や通算法人間の配当金の調整額等）及び留保税額が増加又は減少する。
7. 中小法人・中小企業者・適用除外事業者の判定	有利	中小通算法人又は中小企業者（適用除外事業者を除く）に該当しない通算グループから離脱することによって、離脱法人が単体納税制度の中小法人又は中小企業者（適用除外事業者を除く）に変更になる場合、あるいは、他の通算法人が中小通算法人又は中小企業者（適用除外事業者を除く）に変更になる場合、離脱法人又は他の通算法人において中小法人の特例措置又は中小企業者の租税特別措置が適用できるようになる。

　上記のうち、グループ通算制度を採用した場合の有利・不利に与える影響が大きいものは、「離脱時の時価評価」と「投資簿価修正」となる。

　それぞれについて、将来、通算子法人が通算グループから離脱することを前提とした場合に、グループ通算制度の有利・不利に与える影響は次のとおりとなる。

　ただし、通算子法人が、グループ通算制度の開始・加入後、損益通算をせずに2か月以内に通算グループ外に離脱する場合、その離脱する通算子法人について、離脱時の時価評価及び投資簿価修正は適用されない。

（1）離脱時の時価評価の有利・不利

　離脱法人は、次に掲げる場合に離脱直前事業年度終了時に時価評価資産について時価評価をする必要がある。

一．離脱前に行う主要な事業がその離脱法人において、引き続き行われることが見込まれていない場合

二．離脱時後に帳簿価額が10億円を超える資産の譲渡等による損失を計上することが見込まれ、かつ、その離脱法人の株式を有する通算法人において、離脱時後にその株式の譲渡等による損失の計上が見込まれていること（離脱に際し株式の譲渡損が生じる場合も含まれる）

　上記一では、離脱時後に主要な事業を継続する見込みがないことが要件

1　税金コストの有利・不利　157

となっており、上記二では、離脱時後に帳簿価額10億円の資産を譲渡することが要件となっている。

そのため、実務上、離脱時に時価評価を行わないケースの方が圧倒的に多いと思われる。

ただし、離脱時に時価評価を行う場合、グループ通算制度を適用していることによって、単体納税制度と比較して次のような不利益が生じることになる。

なお、離脱法人において離脱時の時価評価を適用する必要がある場合、投資簿価修正は、時価評価後の離脱法人の資産及び負債の帳簿価額を基礎に計算することになる（グ通通2-17）。

そのため、離脱時の時価評価の適用による有利・不利については、その後の投資簿価修正を含めて判断をする必要がある。

[離脱時の時価評価によるデメリット]

[単体納税制度]

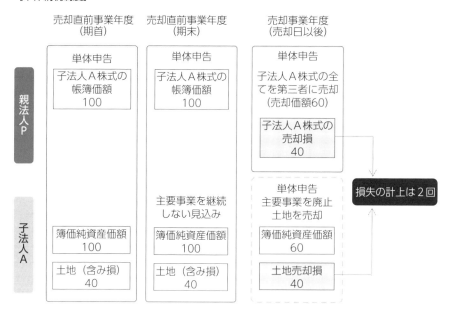

[グループ通算制度]

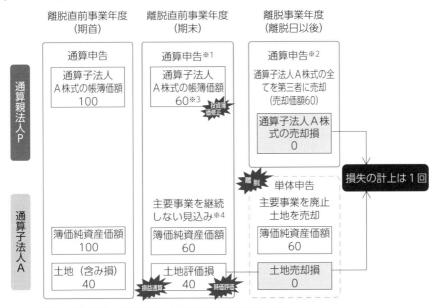

※1 離脱日（売却日）は通算親法人の事業年度開始日とする。
※2 通算親法人Ｐには他の通算子法人が存在するため、グループ通算制度は継続する。
※3 通算子法人Ａの時価評価後の簿価純資産価額に帳簿価額を修正する。
※4 主要事業を継続する見込みがあっても、通算子法人Ａで帳簿価額が10億円を超える土地の売却損を計上することが見込まれ、かつ、通算親法人Ｐで通算子法人Ａ株式の売却損が計上されることが見込まれている場合、時価評価を行う。

（2）投資簿価修正

　グループ外への株式の譲渡により、通算グループから通算子法人が離脱する場合、その離脱法人の株式を所有する通算法人では、離脱法人の株式の帳簿価額を離脱法人の離脱直前の簿価純資産価額に修正し、その修正後の帳簿価額により株式の譲渡損益が計算されることになる（グループ外の法人の第三者割当増資により通算子法人が離脱する場合も、同様に投資簿価修正が行われる）。

　そのため、修正前の離脱法人の株式の帳簿価額が簿価純資産価額より大

きい場合（過去に買収プレミアムを付けて購入した場合など）は単体納税制度と比較して株式譲渡益が多くなり（株式譲渡損が少なくなり）、修正前の離脱法人の株式の帳簿価額が簿価純資産価額より小さい場合（過去にディスカウントされた価格で購入した場合など）は単体納税制度と比較して株式譲渡益が少なくなり（株式譲渡損が多くなり）、グループ通算制度の採用によって有利・不利が生じることになる。

具体的には次のようなケースとなる。

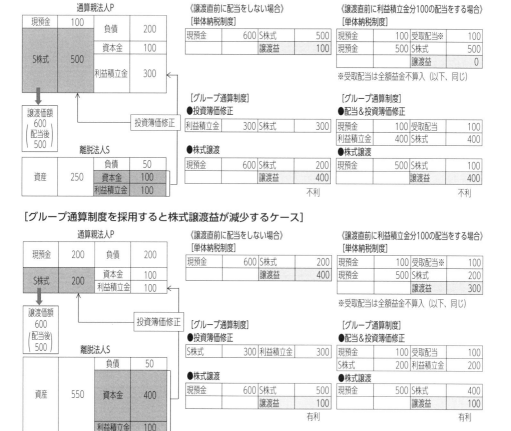

また、次のように、債務超過の通算子法人の株式を０円で売却した場合は、売却収入が１円も入ってこないにもかかわらず、税負担だけが生じてしまう。

[離脱時に担税力のない課税が生じるケース]

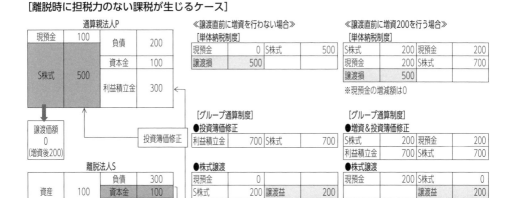

なお、以下の明細を作成することで、シミュレーション時点の投資簿価修正の影響額を把握することができる。

［シミュレーション時点の投資簿価修正の影響額の計算例］
1．税務上の帳簿価額（投資簿価修正前）

	通算子法人 A	通算子法人 B	通算子法人 C	通算子法人 D
会計上の帳簿価額	800,000,000	1	120,000,000	50,000,000
加算・減算留保額(別表5(1))	0	99,999,999	0	0
税務上の帳簿価額	800,000,000	100,000,000	120,000,000	50,000,000

2．税務上の簿価純資産価額

	通算子法人 A	通算子法人 B	通算子法人 C	通算子法人 D
利益積立金額（別表5(1)）	200,000,000	▲ 190,000,000	▲ 55,000,000	20,000,000
資本金等の額（別表5(1)）	300,000,000	200,000,000	20,000,000	200,000,000
簿価純資産価額	500,000,000	10,000,000	▲ 35,000,000	220,000,000

※ グループ通算制度を適用する場合で離脱時の時価評価が適用される場合、利益積立金額
は時価評価適用後の金額となる。

3．株式譲渡損益の差異

	通算子法人 A	通算子法人 B	通算子法人 C	通算子法人 D
想定売却価額	利益積立金配当後の簿価純資産価額 300,000,000	簿価純資産価額 10,000,000	増資で債務超過解消後の簿価純資産価額 0	利益積立金配当後の簿価純資産価額 200,000,000
A：単体納税制度下の株式譲渡損益 （＋：益、▲：損）	▲ 500,000,000	▲ 90,000,000	▲ 155,000,000	150,000,000
B：グループ通算制度下の株式譲渡損益 （＋：益、▲：損）	0	0	0	0
株式譲渡損益の差異 (＋：通算制度不利、▲：通算制度有利)	500,000,000	90,000,000	155,000,000	▲ 150,000,000
税額の差異（30%） (＋：通算制度不利、▲：通算制度有利)	150,000,000	27,000,000	46,500,000	▲ 45,000,000

※ 通算子法人の株式の全てをグループ外に譲渡した場合の単体納税制度下とグループ通算制度下
の株式譲渡損益の差異となる。

それぞれについて、具体的な取扱いは以下のとおりとなる（法法64の13、法令9六、119の3⑤、119の4①、法令131の17）。

[離脱時の時価評価]

　離脱法人が次に掲げる要件のいずれかに該当する場合には、その離脱法人の離脱直前事業年度終了の時に有する時価評価資産の評価益の額又は評価損の額は、その離脱直前事業年度において益金の額又は損金の額に算入する。ここで、離脱直前事業年度とは、離脱日の前日の属する事業年度をいう。

　但し、開始・加入後2か月以内、かつ、通算親法人の事業年度終了日までに通算グループ外に離脱する法人には離脱時の時価評価は適用されない。

	評価要件	時価評価資産
(1)	離脱法人の離脱直前事業年度終了の時前に行う主要な事業が離脱法人[※1]において引き続き行われることが見込まれていないこと[※2] 　※1　その内国法人との間に完全支配関係がある法人並びに適格合併等によりその主要な事業が合併法人等に移転することが見込まれている場合におけるその合併法人等及びその合併法人等との間に完全支配関係がある法人を含む。 　※2　離脱法人の離脱直前事業年度終了の時に有する資産の評価益の額の合計額が評価損の額の合計額以上である場合を除く。	固定資産、棚卸資産たる土地（土地の上に存する権利を含む）、有価証券、金銭債権及び繰延資産（これらの資産のうち、帳簿価額が1,000万円に満たない場合の資産、評価差額が資本金等の額の1／2又は1,000万円のいずれか少ない金額に満たない資産等を除く）
(2)	離脱法人の株式を有する他の通算法人において離脱直前事業年度終了の時後にその株式の譲渡等による損失の額として損金の額に算入される金額が生ずることが見込まれていること（上記(1)に該当する場合を除く）	離脱法人が離脱直前事業年度終了の時に有する上記(1)に定める資産（離脱直前事業年度終了の時における帳簿価額が10億円を超えるものに限る）のうちその後に譲渡、評価換え、貸倒れ、除却その他これらに類する事由などが生ずることが見込まれているもの[※3] 　※3　その事由が生ずることにより損金の額に算入される金額がない場合又はその事由が生ずることにより損金の額に算入される金額がその事由が生ずることにより益金の額に算入される金額以下である場合を除く。

　なお、通算親法人が他の内国法人の100％子会社となった場合や通算子法人の離脱により通算法人が通算親法人のみとなった場合など、グループ通算制度を取りやめることになった場合についても、その取りやめることになった通算法人（通算親法人を含む）において、上記の評価要件に該当する場合、通算終了直前事業年度（通算承認の効力を失う日の前日の属する事業年度）に離脱時の時価評価が適用される。

[投資簿価修正]

　通算子法人が通算グループから離脱する場合、その離脱法人の株式を有する通算法人において、その離脱法人の株式の離脱直前の帳簿価額をその離脱法人の離脱直前の簿価純資産価額に修正するとともに、その修正額に対応して利益積立金額を増減させることになる。これを投資簿価修正という。

　但し、開始・加入後2か月以内、かつ、通算親法人の事業年度終了日までに通算グループ外に離脱する法人の株式には投資簿価修正は適用されない。

　簿価純資産価額とは、以下の算式で計算した金額となる。

簿価純資産価額	＝ （資産の帳簿価額の合計額 － 負債の帳簿価額の合計額） × 各通算法人の持株割合

　この場合、資産又は負債とは、離脱日の前日の属する事業年度終了の時において有する資産又は負債（新株予約権に係る義務を含む）となる。また、各通算法人の持株割合とは、離脱法人の離脱直前の発行済株式（自己株式を除く）に占めるその通算法人が有する離脱法人の株式の数の割合をいう。

　なお、通算親法人が他の内国法人の100％子会社となった場合など、グループ通算制度を取りやめることになった場合についても、その取りやめることになった通算子法人の株式について投資簿価修正が適用される。

繰延税金資産の回収可能性の有利・不利

1 個別財務諸表における繰延税金資産の回収可能性の有利・不利

❶ 企業分類の有利・不利

　以下、通算グループ内で通算税効果額の授受を行うことを前提とした取扱いについて解説している。

　グループ通算制度を採用する場合、将来減算一時差異に係る分類は、単体納税制度の分類と通算グループ全体の分類のいずれか上位を適用することから、基本的にグループ通算制度の採用によって、個別財務諸表において繰延税金資産の回収可能性が悪化することはない。

　具体的には、グループ通算制度を採用する場合、次のように、将来減算一時差異に係る分類がアップする通算会社では、将来減算一時差異の回収可能額が増加することになる。

A 将来減算一時差異に係る分類（個別財務諸表）

個別財務諸表では、維持か、アップ。

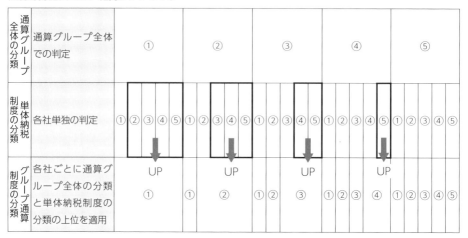

　グループ通算制度の採用によって企業分類がアップすることで回収可能となる将来減算一時差異の種類は次のとおりとなる。

[個別財務諸表] 企業分類がアップすることで回収可能となる将来減算一時差異の種類

◎：分類アップにより回収可能となる将来減算一時差異
下段：回収可能又は回収不能となる将来減算一時差異の金額（例示）

単体納税制度の分類	グループ通算制度の分類（個別財務諸表）	変化	1年	2年	3年	4年	5年	5年超	長期の差異	スケジューリング不能差異	繰延税金資産の積み増し額 ※1.2
②	①	アップ	—	—	—	—	—	—	—	◎	250
										1,000	
③	①	アップ	—	—	—	—	—	◎	—	◎	500
								1,000		1,000	
③	②	アップ	—	—	—	—	—	◎	—	—	250
								1,000			
④	①	アップ	—	◎	◎	◎	◎	◎	◎	◎	1,750
				1,000	1,000	1,000	1,000	1,000	1,000	1,000	
④	②	アップ	—	◎	◎	◎	◎	◎	◎	—	1,500
				1,000	1,000	1,000	1,000	1,000	1,000		
④	③	アップ	—	◎	◎	◎	◎		◎	—	1,250
				1,000	1,000	1,000	1,000		1,000		
⑤	①	アップ	◎	◎	◎	◎	◎	◎	◎	◎	2,000
			1,000	1,000	1,000	1,000	1,000	1,000	1,000	1,000	
⑤	②	アップ	◎	◎	◎	◎	◎	◎	◎	—	1,750
			1,000	1,000	1,000	1,000	1,000	1,000	1,000		
⑤	③	アップ	◎	◎	◎	◎	◎	◎	—	◎	1,500
			1,000	1,000	1,000	1,000	1,000	1,000		1,000	
⑤	④	アップ	◎	—	—	—	—	—	—	—	250
			1,000								

※1．積み増しになるのは、法人税及び地方法人税の繰延税金資産のみとなる。法定実効税率を25％で計算している。

※2．実際には、繰延税金資産の回収可能性は、企業分類とスケジューリングの両方によって判断される。

　なお、実際には、繰延税金資産の回収可能性は、企業分類とスケジューリングの両方によって判断されるため上記の企業分類の変更のみによって繰延税金資産が積み増しになるわけではないことにも注意が必要である。

ただし、グループ通算制度を採用することによって、各通算会社において、個別財務諸表における繰延税金資産の計上額がどれくらい積み増しになるのかを簡便に把握したい場合、上記のパターンに当てはめて判断すればよいだろう。

　一方、グループ通算制度を採用する場合、開始前の繰越欠損金（特定欠損金）に係る分類は、単体納税制度の分類と通算グループ全体の分類のいずれか下位を適用することから、グループ通算制度の採用によって、個別財務諸表において繰延税金資産の回収可能性が悪化することがある。

　具体的には、グループ通算制度を採用する場合、次のように、グループ通算制度の開始前の繰越欠損金（特定欠損金）に係る分類がダウンする通算会社も生じる。

B　特定欠損金に係る分類（個別財務諸表）

開始前の繰越欠損金に係る分類は、通常変わらないが…

全体の分類　グループ通算	通算グループ全体での判定	①		②		③		④		⑤	
分類　単体納税制度の	各社単独の判定（重要な繰越欠損金がある場合は、通常、分類④又は⑤）	④	⑤	④	⑤	④	⑤	④	⑤	④	⑤
の分類　グループ通算制度	各社ごとに通算グループ全体の分類と単体納税制度の分類の下位を適用	④	⑤	④	⑤	④	⑤	④	⑤	⑤	⑤

DOWN

　この場合、単体納税制度で計上していた翌年度の繰越欠損金の解消額に対応する繰延税金資産がグループ通算制度を採用することによって取崩しとなる。

　ただし、通常、繰越欠損金を有する会社は、単体納税制度においても分類④又は⑤に区分されていることが多いため、グループ通算制度の採用によって分類が悪化するケースは多くない。

❷ スケジューリングによる有利・不利

　グループ通算制度では、将来減算一時差異の解消見込額について、まず、自社の通算前所得と相殺し、次に損益通算による益金算入額と相殺することで回収可能額を計算する。

　そのため、欠損法人の場合、単体納税制度では回収可能性はないが、グループ通算制度を採用する場合、他の通算会社の所得と相殺することで回収可能性が生じることになる。

　以上より、スケジューリングによる回収可能額の計算において、グループ通算制度の方が単体納税制度より回収可能額が増加することになる。

　例えば、次のような計算例となる。

[個別財務諸表] 将来減算一時差異のスケジューリングによる回収可能額の計算
　　　　　　　（グループ通算制度が有利なケース）

[将来減算一時差異の解消額]

一時差異の内訳	X2年			
	通算 親会社P	通算 子会社S1	通算 子会社S2	合計
賞与引当金・未払事業税等	700	150	0	850

[スケジューリングによる回収可能額の計算]

X1年 法人税及び地方法人税	X2年			
	通算親会社 P	通算子会社 S1	通算子会社 S2	合計
① 一時差異等加減算前通算前所得	200	150	1,000	1,350
② 将来減算一時差異の解消見込額	700	150	0	850
③ 将来減算一時差異の解消見込額 減算後の通算前所得（①−②）	▲500	0	1,000	500
④ 損益通算	500	0	▲500	0
⑤ 課税所得（③+④）	0	0	500	500
⑥ 各社の通算前所得に基づく回収 可能額	200	150	0	350
⑦ 損益通算による益金算入額	500	0	0	500
⑧ 上記のうち、マイナスの一時差異 等加減算前通算前所得への充当額	0	0	0	0
⑨ 損益通算に基づく回収可能額 （⑦−⑧）	500	0	0	500
⑩ 回収可能見込額（個別財務諸表） （⑥+⑨）	700	150	0	850

⑥→ 単体納税制度による回収可能額と一致（地方税における回収可能額）

⑨→ 損益通算による回収可能額の増加（Pは500up）

⑩→ グループ通算制度による回収可能額（法人税及び地方法人税のみ）

　なお、実際には、繰延税金資産の回収可能性は、企業分類とスケジューリングの両方によって判断されるため、上記のスケジューリングの計算方法の変更のみによって繰延税金資産が積み増しになるわけではないことにも注意が必要である。

　また、グループ通算制度の開始前の繰越欠損金（特定欠損金）の回収可能額については、それを有する法人が単体納税制度の大法人に該当する場合、自社の所得金額の50％を限度に控除することができるが、グループ通算制度を適用している場合、通算グループ全体の所得金額の50％を上限に自社の所得金額の100％を限度に控除することが可能となるため、回収可能額（解消額）が増加することになる。

例えば、次のような計算例となる。

[個別財務諸表]特定欠損金のスケジューリングによる回収可能額の計算
（グループ通算制度が有利なケース）

[開始前の繰越欠損金（特定欠損金）]

発生年度	X 2年			
	通算親会社 P	通算子会社 S 1	通算子会社 S 2	合計
X 1年	0	600	0	600

[スケジューリングによる回収可能額の計算]

1．単体納税制度

X 1年 法人税及び地方法人税	X 2年			
	親会社P	子会社S 1	子会社S 2	合計
	大法人	大法人	大法人	
① 控除前所得	500	600	400	1,500
② 繰越欠損金の控除額	0	300	0	300
③ 所得金額	500	300	400	1,200

2．グループ通算制度

X 1年 法人税及び地方法人税	X 2年			
	通算親会社 P	通算子会社 S 1	通算子会社 S 2	合計
	大通算法人	大通算法人	大通算法人	
① 通算前所得	500	600	400	1,500
② 損益通算	0	0	0	0
③ 通算後所得	500	600	400	1,500
④ 特定欠損金の控除額	0	600	0	600
⑤ 所得金額	500	0	400	900

> グループ通算制度を適用している場合、通算グループ全体の所得金額の
> 50％を上限に自社の所得金額の100％を限度に控除することが可能となる。

一方、特定欠損金は、自社の所得金額の100％を限度、かつ、通算グループ全体の所得金額の50％（各通算法人が中小通算法人等に該当する場合、100％。以下、同じ）を限度に相殺されるため、損益通算によって通算グループ全体の所得金額の50％が自社の所得金額の50％（その通算法人が中小法人等に該当する場合、100％）を下回る場合、単体納税制度と比べて、開始前の繰越欠損金（特定欠損金）の回収可能額（解消額）が減ることがある。

　例えば、次のような計算例となる。

［個別財務諸表］特定欠損金のスケジューリングによる回収可能額の計算
（グループ通算制度が不利なケース）

［開始前の繰越欠損金（特定欠損金）］

発生年度	X2年			
	通算親会社 P	通算子会社 S1	通算子会社 S2	合計
X1年	300	0	0	300

［スケジューリングによる回収可能額の計算］

１．単体納税制度

X1年 法人税及び地方法人税	X2年			
	親会社P	子会社S1	子会社S2	合計
	大法人	大法人	大法人	
① 控除前所得	600	▲ 200	▲ 150	250
② 繰越欠損金の控除額	300	0	0	300
③ 所得金額	300	▲ 200	▲ 150	▲ 50

2．グループ通算制度

X1年 法人税及び地方法人税	X2年			
	通算親会社 P	通算子会社 S1	通算子会社 S2	合計
	大通算法人	大通算法人	大通算法人	
① 通算前所得	600	▲ 200	▲ 150	250
② 損益通算	▲ 350	200	150	0
③ 通算後所得	250	0	0	250
④ 特定欠損金の控除額	125	0	0	125
⑤ 所得金額	125	0	0	125

> グループ通算制度を適用している場合、自社の所得金額の100％を限度、かつ、通算グループ全体の所得金額の50％（250×50％）を限度に控除するため、このケースの場合、単体納税制度と比べて解消額（回収可能額）が減少することになる。

　この場合、スケジュール期間内で解消されない繰越欠損金に対応する繰延税金資産がグループ通算制度を採用することによって取崩しとなる。

　ただし、繰越欠損金に係る繰延税金資産の回収可能性は、将来減算一時差異とともに、企業分類とスケジューリングの両方によって判断されるため、通常、将来減算一時差異については積み増しになること及び繰越欠損金を有する会社は単体納税制度において分類④又は⑤に区分されていることが多いことから考えても、最終的に繰延税金資産が多額に取崩しになるケースは多くはないだろう。

　なお、上記以外にも、単体納税制度とグループ通算制度では、受取配当金の益金不算入や投資簿価修正等の取扱いが異なるため、それによって一時差異等加減算前課税所得が異なる場合は、スケジューリングによる繰延税金資産の回収可能額についても差異が生じることになる。ただし、受取配当金の益金不算入等については差異が軽微となる場合がほとんどだろう。

2 繰延税金資産の回収可能性の有利・不利

2 連結財務諸表における繰延税金資産の回収可能性の有利・不利

❶ 企業分類の有利・不利

　グループ通算制度を採用する場合の連結財務諸表における将来減算一時差異に係る繰延税金資産の回収可能性については、通算グループ全体の分類を適用することになることから、グループ通算制度の採用によって、繰延税金資産の回収可能額が改善する場合もあれば、悪化する場合もある。

　具体的には、グループ通算制度を採用する場合、次のように、将来減算一時差異に係る分類がアップする通算会社では、将来減算一時差異の回収可能額が増加することになるが、その分類がダウンする通算会社では、将来減算一時差異の回収可能額が減少することになる。

A　将来減算一時差異に係る分類（連結財務諸表）
連結財務諸表ではアップする場合もダウンする場合もある。

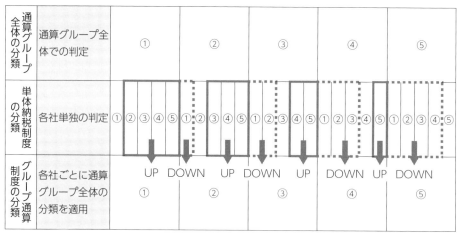

　グループ通算制度の採用によって企業分類がアップ又はダウンすることで回収可能又は回収不能となる将来減算一時差異の種類は次のとおりとなる。

［連結財務諸表］企業分類が変更になることで回収可能又は回収不能となる将来減算一時差異の種類

◎：分類アップにより回収可能となる将来減算一時差異　×：分類ダウンにより回収不能となる将来減算一時差異
下段：回収可能又は回収不能となる将来減算一時差異の金額（例示）

単体納税制度の分類	グループ通算制度の分類（連結財務諸表）	変化	スケジューリング可能差異						長期の差異	スケジューリング不能差異	繰延税金資産の積み増し又は取崩し額 ※1,2
			1年	2年	3年	4年	5年	5年超			
②	①	アップ	—	—	—	—	—	—	—	◎ 1,000	250
③	①	アップ	—	—	—	—	—	◎ 1,000	—	◎ 1,000	500
④	①	アップ	—	◎ 1,000	◎ 1,000	◎ 1,000	◎ 1,000	◎ 1,000	◎ 1,000	◎ 1,000	1,750
⑤	①	アップ	◎ 1,000	◎ 1,000	◎ 1,000	◎ 1,000	◎ 1,000	◎ 1,000	◎ 1,000	◎ 1,000	2,000
①	②	ダウン	—	—	—	—	—	—	—	× ▲ 1,000	▲ 250
③	②	アップ	—	—	—	—	—	◎ 1,000	—	—	250
④	②	アップ	—	◎ 1,000	◎ 1,000	◎ 1,000	◎ 1,000	◎ 1,000	◎ 1,000	—	1,500
⑤	②	アップ	◎ 1,000	◎ 1,000	◎ 1,000	◎ 1,000	◎ 1,000	◎ 1,000	◎ 1,000	—	1,750
①	③	ダウン	—	—	—	—	—	× ▲ 1,000	—	× ▲ 1,000	▲ 500
②	③	ダウン	—	—	—	—	—	× ▲ 1,000	—	—	▲ 250
④	③	アップ	—	◎ 1,000	◎ 1,000	◎ 1,000	◎ 1,000	—	◎ 1,000	—	1,250
⑤	③	アップ	◎ 1,000	◎ 1,000	◎ 1,000	◎ 1,000	◎ 1,000	—	◎ 1,000	—	1,500
①	④	ダウン	—	× ▲ 1,000	× ▲ 1,000	× ▲ 1,000	× ▲ 1,000	× ▲ 1,000	× ▲ 1,000	× ▲ 1,000	▲ 1,750
②	④	ダウン	—	× ▲ 1,000	× ▲ 1,000	× ▲ 1,000	× ▲ 1,000	× ▲ 1,000	× ▲ 1,000	—	▲ 1,500
③	④	ダウン	—	× ▲ 1,000	× ▲ 1,000	× ▲ 1,000	× ▲ 1,000	—	× ▲ 1,000	—	▲ 1,250
⑤	④	アップ	◎ 1,000	—	—	—	—	—	—	—	250
①	⑤	ダウン	× ▲ 1,000	× ▲ 1,000	× ▲ 1,000	× ▲ 1,000	× ▲ 1,000	× ▲ 1,000	× ▲ 1,000	× ▲ 1,000	▲ 2,000
②	⑤	ダウン	× ▲ 1,000	× ▲ 1,000	× ▲ 1,000	× ▲ 1,000	× ▲ 1,000	× ▲ 1,000	× ▲ 1,000	—	▲ 1,750
③	⑤	ダウン	× ▲ 1,000	× ▲ 1,000	× ▲ 1,000	× ▲ 1,000	× ▲ 1,000	—	× ▲ 1,000	—	▲ 1,500
④	⑤	ダウン	× ▲ 1,000	—	—	—	—	—	—	—	▲ 250

※1．積み増し又は取崩しになるのは、法人税及び地方法人税の繰延税金資産のみとなる。法定実効税率を25％で計算している。

※2．実際には、繰延税金資産の回収可能性は、企業分類とスケジューリングの両方によって判断される。

2　繰延税金資産の回収可能性の有利・不利

なお、実際には、繰延税金資産の回収可能性は、企業分類とスケジューリングの両方によって判断されるため、上記の企業分類の変更のみによって繰延税金資産が積み増し又は取崩しになるわけではないことにも注意が必要である。

ただし、グループ通算制度を採用することによって、各通算会社において、連結財務諸表における繰延税金資産の計上額がどれくらい積み増し又は取崩しになるのかを簡便に把握したい場合、上記のパターンに当てはめて判断すればよいだろう。

また、グループ通算制度を適用する場合の連結財務諸表におけるグループ通算制度の開始前の繰越欠損金（特定欠損金）に係る繰延税金資産の回収可能性については、グループ通算制度を適用する場合の個別財務諸表における回収可能額と同額となる。

❷ スケジューリングによる有利・不利

グループ通算制度では、連結財務諸表において、通算グループ全体の合計でスケジューリングによる回収可能額を計算することになる。

つまり、通算グループ全体の将来減算一時差異の合計の解消見込額について、通算グループ全体の課税所得の合計と相殺することで回収可能額を計算する。

そのため、個別財務諸表と同様に、欠損法人の将来減算一時差異の解消額について、単体納税制度では回収可能性がないが、グループ通算制度を適用する場合、通算グループ全体の課税所得と相殺することで回収可能性が生じる場合がある。

一方、通算グループ全体で欠損金額が生じてしまう場合、単体納税制度では自社の所得で回収可能となっている場合でも、グループ通算制度を採用することで、連結財務諸表において通算グループ全体では回収不能とな

る場合が生じる。

この場合、連結財務諸表では、スケジューリングによる回収可能額について、グループ通算制度の方が単体納税制度より回収可能額が減少することになる。

例えば、次のような計算例となる。

[連結財務諸表] 将来減算一時差異のスケジューリングによる回収可能額の計算
　　　　　　　　（グループ通算制度が不利なケース）

[将来減算一時差異の解消額]

一時差異の内訳	X2年			
	通算親会社 P	通算子会社 S1	通算子会社 S2	合計
賞与引当金・未払事業税等	700	150	100	950

[スケジューリングによる回収可能額の計算]

1．単体納税制度

X1年 法人税及び地方法人税	X2年			
	親会社P	子会社 S1	子会社 S2	合計
① 一時差異等加減算前課税所得	700	250	▲ 400	550
② 将来減算一時差異の解消見込額	700	150	100	950
③ 将来減算一時差異の解消見込額減算後の課税所得（①−②）	0	100	▲ 500	▲ 400
④ 回収可能見込額	700	150	0	850

2　繰延税金資産の回収可能性の有利・不利　177

2．グループ通算制度（個別財務諸表）

X1年 法人税及び地方法人税	X2年			
	通算親会社 P	通算子会社 S1	通算子会社 S2	合計
① 一時差異等加減算前通算前所得	700	250	▲ 400	550
② 将来減算一時差異の解消見込額	700	150	100	950
③ 将来減算一時差異の解消見込額 　減算後の通算前所得（①－②）	0	100	▲ 500	▲ 400
④ 損益通算	0	▲ 100	100	0
⑤ 課税所得（③＋④）	0	0	▲ 400	▲ 400
⑥ 各社の通算前所得に基づく回収 　可能額	700	150	0	850
⑦ 損益通算による益金算入額	0	0	100	100
⑧ 上記のうち、マイナスの一時差異 　等加減算前通算前所得への充当額	0	0	100	100
⑨ 損益通算に基づく回収可能額 　（⑦－⑧）	0	0	0	0
⑩ 回収可能見込額（個別財務諸表） 　（⑥＋⑨）	700	150	0	850

単体納税制度による回収可能額と一致（地方税における回収可能額）

損益通算による回収可能額の増加（本ケースは0）

グループ通算制度による回収可能額（法人税及び地方法人税のみ）。本ケースでは損益通算による積み増しがないため、単体納税制度と一致。

3．グループ通算制度（連結財務諸表）

X1年 法人税及び地方法人税	X2年			
	通算 親会社P	通算 子会社S1	通算 子会社S2	通算グ ループ 全体の 合計
① 通算グループ全体の一時差異等 　加減算前課税所得	－	－	－	550
② 通算グループ全体の将来減算一 　時差異の解消見込額	－	－	－	950
③ 通算グループ全体の将来減算一 　時差異の解消見込額減算後の課 　税所得（①－②）	－	－	－	▲ 400
④ 回収可能見込額（連結財務諸表）	－	－	－	550
⑤ 連結財務諸表における取崩額 　（将来減算一時差異）	－	－	－	300
⑥ 連結財務諸表における取崩額 　（繰延税金資産）（⑤×25％）	－	－	－	75

連結財務諸表における回収可能額。通算グループ全体の合計で計算する。単体納税制度と比較して将来減算一時差異の回収可能額が300（繰延税金資産75）減少する。

個別財務諸表において計上した繰延税金資産の合計との差額は、連結修正で取り崩す。

　なお、実際には、繰延税金資産の回収可能性は、企業分類とスケジューリングの両方によって判断されるため、上記のスケジューリングの計算方法の変更のみによって繰延税金資産が取崩しになるわけではないことにも注意が必要である。

　また、グループ通算制度を適用する場合の連結財務諸表におけるグループ通算制度の開始前の繰越欠損金（特定欠損金）に係る繰延税金資産の回収可能性については、グループ通算制度を適用する場合の個別財務諸表における回収可能額と同額となる。

2 繰延税金資産の回収可能性の有利・不利

第2章 「グループ通算制度」採用のシミュレーション

①『税金コスト』のシミュレーション

1 シミュレーションの基本情報（一覧表）

　シミュレーションを行うためには、その前提となる情報を収集することから開始することになる。

　具体的には、次に掲げる手順で、単体納税制度を継続する場合とグループ通算制度を採用する場合の両方のケースについて、次に掲げる情報を把握する必要がある。

《シミュレーションの基本情報》

手順1	前提条件の設定
手順1-1	計算期間の設定
手順1-2	個別所得金額の設定
手順1-3	繰越欠損金の期首残高と繰越期間の設定
手順1-4	繰越欠損金の控除限度割合の設定
手順1-5	税率の設定

手順2	各通算法人に係る情報の確定
手順2-1	通算法人の決定
手順2-2	時価評価対象法人又は時価評価除外法人の判定
手順2-3	時価評価除外法人の開始に伴う制限に係る判定
手順2-4	時価評価損益の計算
手順2-5	繰越欠損金の切捨て額の計算
手順2-6	特定資産譲渡等損失額の計算
手順2-7	特定資産譲渡等損失額の損金不算入額と損益通算の対象外となる欠損金額の計算
手順2-8	中小法人等の判定
手順2-9	外国税額控除額又は試験研究費の税額控除額の計算
手順2-10	特定同族会社の判定

手順1　前提条件の設定

手順1-1　計算期間の設定

　シミュレーションの対象となる計算期間を設定する。

　通常、申請年度にシミュレーションを実施するため、申請年度を初年度として、グループ通算制度の適用初年度を2年目として、複数年の期間を設定する。

手順1-2　個別所得金額の設定

　計算期間における個別所得金額を設定する。

　この場合、単体納税制度を継続する場合とグループ通算制度を採用する場合の両方のケースについて設定するが、以下の項目について、それぞれの取扱いが異なることから、個別所得金額が相違するケースが生じる。

- ●関連法人株式に係る受取配当金の益金不算入額
- ●外国子会社配当金の益金不算入額
- ●交際費の損金不算入額

1　『税金コスト』のシミュレーション　181

ただし、通算グループ内の支払利子等の額に重要性がない場合、単体納税制度において外国子会社配当金について95％益金不算入の取扱いが適用されている場合、単体納税制度でも各法人が大法人に該当するため交際費（接待飲食費の50％を除く）は全額損金不算入となっている場合は、その影響を無視して、単体納税制度を継続する場合とグループ通算制度を採用する場合について同額の個別所得金額を設定してもよい。

（手順1-3）　繰越欠損金の期首残高と繰越期間の設定

　申請年度（計算期間の初年度）の繰越欠損金の期首残高と繰越期間を設定する。

（手順1-4）　繰越欠損金の控除限度割合の設定

　計算期間における繰越欠損金の控除限度割合を法人税と事業税の区分ごと、単体納税制度とグループ通算制度の区分ごとに設定する。

（手順1-5）　税率の設定

　各通算法人の税率を設定する。

手順2　各通算法人に係る情報の確定

（手順2-1）　通算法人の決定

　グループ通算制度を採用した場合の通算法人の範囲を確認する。

（手順2-2）　時価評価対象法人又は時価評価除外法人の判定

　各通算法人について、時価評価対象法人又は時価評価除外法人のいずれに該当するかを確認する。

　一般的には、グループ通算制度の開始時は、時価評価除外法人に該当することが多い。

手順2-3 時価評価除外法人の開始に伴う制限に係る判定

時価評価除外法人に該当する通算法人について、次に掲げる要件を満たすかどうかを確認する。

- 5年前の日又は設立日からの支配関係継続要件
- 共同事業性の要件

手順2-4 時価評価損益の計算

時価評価対象法人に該当する通算法人について、時価評価資産と時価評価損益を計算する。

手順2-5 繰越欠損金の切捨て額の計算

時価評価除外法人に該当する通算法人で、5年前の日又は設立日からの支配関係継続要件及び共同事業性の要件のいずれも満たさない場合、かつ、新たな事業を開始する場合に該当し、グループ通算制度の開始前の繰越欠損金が切り捨てられる場合、繰越欠損金の切捨て額（切り捨てられる事業年度を含む）を計算する。

1 『税金コスト』のシミュレーション　183

例えば、以下のような明細書を作成すればよい。

[繰越欠損金の切捨て額の計算]

通算法人名			
支配関係発生日		支配関係事業年度	
新たな事業を開始した日		切捨て事業年度	

申請年度の前事業年度末の繰越欠損金の額		支配関係事業年度前の繰越欠損金の切捨て額			支配関係事業年度以後の繰越欠損金の切捨て額				切り捨てられる繰越欠損金の額（合計）
発生事業年度	金額	支配関係事業年度前の繰越欠損金の額	(A)のうち申請年度から切捨て直前事業年度までに使用された金額[※1]	切り捨てられる繰越欠損金の額	支配関係事業年度以後の特定資産譲渡等損失相当額	(A)のうち申請年度から切捨て直前事業年度までに使用された金額[※2]	切り捨てられる繰越欠損金の額		
直近申告書から転記	直近申告書から転記 (A)	左記からそのまま転記 (B)[※3]	(C)	(D) = (B) − (C)	別途計算 (E)[※3]	(F)	(G) = (E) − (F) マイナスの場合、0		(H) = (D) + (G)

※1　(C) の金額は切捨て直前事業年度末までのシミュレーションをしてから判明する。
※2　(A) のうち申請年度から切捨て直前事業年度末までに使用された分は、切捨ての対象となる繰越欠損金 (E) から優先的に使用されたものとして切捨て額 (G) を計算する。但し、この (F) の金額は切捨て直前事業年度末までのシミュレーションをしてから判明する。
※3　含み損益の特例計算を適用する場合は適用後の切捨て対象金額を記載する。

手順2−6　特定資産譲渡等損失額の計算

　時価評価除外法人に該当する通算法人で、5年前の日又は設立日からの支配関係継続要件及び共同事業性の要件のいずれも満たさない場合、特定資産譲渡等損失額を計算する。

　例えば、以下のような明細書を作成すればよい。

[特定資産譲渡等損失額の計算]

通算法人名			
支配関係発生日		新たな事業を開始した日	
損金算入制限の適用期間		損益通算制限の適用期間	

実現事業年度※	損金算入制限と損益通算制限の区分	特定資産の種類	税務上の帳簿価額 (A)	時価 (B)	特定資産譲渡等損失額 (C) = (A) − (B)※

※　適用期間内の事業年度ごとに計算する。適用期間に特定資産の譲渡等の利益の額が生じる場合は、その利益の額をその事業年度の特定資産譲渡等損失額から控除する。

（手順2-7）　特定資産譲渡等損失額の損金不算入額と損益通算の対象外となる欠損金額の計算

　適用期間内の各事業年度ごとに、特定資産譲渡等損失額の損金不算入額と損益通算の対象外となる欠損金額を計算する。

例えば、以下のような明細書を作成すればよい。

1『税金コスト』のシミュレーション　185

[特定資産譲渡等損失額の損金不算入額の計算]

事業年度／通算法人名					

[損益通算の対象外となる欠損金額の計算]

事業年度／通算法人名					

（手順2-8） 中小法人等の判定

　単体納税制度において各法人が中小法人等又は大法人等のいずれに該当するか、グループ通算制度において各通算法人が中小通算法人等又は大通算法人等のいずれに該当するかを判定する。

（手順2-9） 外国税額控除額又は試験研究費の税額控除額の計算

　外国税額控除又は研究開発税制が適用される場合は、単体納税制度又はグループ通算制度における外国税額控除額又は試験研究費の税額控除額を別途試算する。

186　第3部　単体法人の「グループ通算制度」採用の有利・不利とシミュレーションと実務対応

この場合、計算方法については、**第3部第1章第1節「2. グループ通算制度の採用がメリットになるケース」**のメリット4及び5で計算例を示している。

　また、他の租税特別措置についても、有利・不利が生じる場合、シミュレーションに織り込むことを検討する必要がある。

[手順2-10]　特定同族会社の判定

　単体納税制度又はグループ通算制度において特定同族会社に該当するかを確認する。

　特定同族会社に該当する場合、留保税額を別途試算する。

　この場合、計算方法については、**第3部第1章第1節「4. その他の有利・不利が生じる取扱い」**の❸で解説している。

　以上について、例えば、**手順1**及び**手順2**の情報を一覧表でまとめると次のとおりとなる。

[シミュレーションのための基本情報（一覧表）]

1　通算開始直前事業年度（申請年度）

	年	月	日
開始年月日	2021	4	1
終了年月日	2022	3	31

2　会社情報

判定／会社名	通算親法人 トラスト1	通算子法人 トラスト2	通算子法人 トラスト3
時価評価対象法人 ／時価評価除外法人	時価評価除外法人	時価評価除外法人	時価評価除外法人
5年前の日又は設立日からの 支配関係継続要件	◎	◎	×
共同事業性の要件	―	―	◎
開始に伴う制限の有無 （いずれかを満たす場合、制限なし）	制限なし	制限なし	制限なし

●単体納税制度を継続する場合

資本金	500,000,000	200,000,000	50,000,000
中小法人又は大法人	大法人	大法人	大法人
中小企業者（適用除外事業者を除く）	非中小企業者	非中小企業者	非中小企業者
留保金課税	不適用	不適用	不適用

●グループ通算制度を採用する場合

中小通算法人又は大通算法人	大通算法人	大通算法人	大通算法人
中小企業者（適用除外事業者を除く）	非中小企業者	非中小企業者	非中小企業者
留保金課税	不適用	不適用	不適用

3　法定税率

トラスト1

事業年度／税目	法人税	地方法人税	住民税	事業税
2022. 3 期	23.2000%	10.3000%	10.4000%	3.7800%
2023. 3 期	23.2000%	10.3000%	10.4000%	3.7800%
2024. 3 期	23.2000%	10.3000%	10.4000%	3.7800%

トラスト2

事業年度／税目	法人税	地方法人税	住民税	事業税
2022. 3 期	23.2000%	10.3000%	10.4000%	3.7800%
2023. 3 期	23.2000%	10.3000%	10.4000%	3.7800%
2024. 3 期	23.2000%	10.3000%	10.4000%	3.7800%

トラスト3

事業年度／税目	法人税	地方法人税	住民税	事業税
2022. 3 期	23.2000%	10.3000%	10.4000%	10.0700%
2023. 3 期	23.2000%	10.3000%	10.4000%	10.0700%
2024. 3 期	23.2000%	10.3000%	10.4000%	10.0700%

4 個別所得金額（単体納税制度を継続する場合）

① 税引前当期純利益

事業年度／会社名	トラスト1	トラスト2	トラスト3
2022.3期	600,000	▲300,000	▲200,000
2023.3期	800,000	▲500,000	200,000
2024.3期	800,000	300,000	300,000

② 受取配当金の益金不算入額（マイナス表示）

事業年度／会社名	トラスト1	トラスト2	トラスト3
2022.3期	▲100,000	0	0
2023.3期	▲100,000	0	0
2024.3期	▲100,000	0	0

③ 交際費の損金不算入額

事業年度／会社名	トラスト1	トラスト2	トラスト3
2022.3期	0	0	0
2023.3期	0	0	0
2024.3期	0	0	0

欠損金控除前所得金額（①～③）

事業年度／会社名	トラスト1	トラスト2	トラスト3
2022.3期	500,000	▲300,000	▲200,000
2023.3期	700,000	▲500,000	200,000
2024.3期	700,000	300,000	300,000

5 通算前所得金額（グループ通算制度を採用する場合）

① 税引前当期純利益

事業年度／会社名	トラスト1	トラスト2	トラスト3
2022.3期	600,000	▲300,000	▲200,000
2023.3期	800,000	▲500,000	200,000
2024.3期	800,000	300,000	300,000

② 受取配当金の益金不算入額（マイナス表示）

事業年度／会社名	トラスト1	トラスト2	トラスト3
2022.3期	▲100,000	0	0
2023.3期	▲100,000	0	0
2024.3期	▲100,000	0	0

③ 交際費の損金不算入額

事業年度／会社名	トラスト1	トラスト2	トラスト3
2022.3期	0	0	0
2023.3期	0	0	0
2024.3期	0	0	0

④ 時価評価損益（評価益：プラス表示、評価損：マイナス表示）

事業年度／会社名	トラスト1	トラスト2	トラスト3
2022.3期	0	0	0
2023.3期	―	―	―
2024.3期	―	―	―

⑤ 特定資産譲渡等損失額の損金不算入額

事業年度／会社名	トラスト1	トラスト2	トラスト3
2022.3期	―	―	―
2023.3期	0	0	0
2024.3期	0	0	0

通算前所得金額（①～⑤）

事業年度／会社名	トラスト1	トラスト2	トラスト3
2022.3期	500,000	▲300,000	▲200,000
2023.3期	700,000	▲500,000	200,000
2024.3期	700,000	300,000	300,000

上記のうち損益通算対象外欠損金額（マイナス表示）

事業年度／会社名	トラスト1	トラスト2	トラスト3
2022. 3期	―	―	―
2023. 3期	0	0	0
2024. 3期	0	0	0

6．繰越欠損金の控除限度割合（％）

事業年度	単体納税制度			グループ通算制度（法人税）			グループ通算制度（事業税）		
	トラスト1	トラスト2	トラスト3	トラスト1	トラスト2	トラスト3	トラスト1	トラスト2	トラスト3
2022. 3期	50%	50%	50%	―	―	―	―	―	―
2023. 3期	50%	50%	50%	50%	50%	50%	50%	50%	50%
2024. 3期	50%	50%	50%	50%	50%	50%	50%	50%	50%

7．繰越欠損金の期首残高と繰越期間

通算親法人	通算子法人	通算子法人	発生事業年度							繰越期間	繰越最終事業年度							
トラスト1	トラスト2	トラスト3								年								
時価評価除外法人	時価評価除外法人	時価評価除外法人	年	月	日	～	年	月	日	年	年	月	日	～	年	月	日
0	0	350,000	2020	4	1	～	2021	3	31	10	2030	4	1	～	2031	3	31
0	0	350,000															

　以上の手順によって把握した基本情報に基づいてシミュレーションを行うことになる。

　なお、シミュレーションの計算結果は、使用する事業計画によって左右されるため、過度に強気又は弱気な事業計画を使用するよりは、将来の不確定要素を考慮して、複数のシナリオ（例えば、強気・中立・弱気の事業計画等）を作成して、シナリオごとにシミュレーションを行うことをお勧めする。

2 | シミュレーション（有利・不利の判定）

【本節のシミュレーションの目的】

- トラスト1を親法人とした企業グループでは、コロナ不況の影響を受け、今期（申請年度）と来期のグループ全体の損益が急激に悪化している。
- そのような状況下、トラスト2で発生が見込まれる欠損金額を損益通算すること及びトラスト3で保有している繰越欠損金を早期に解消することでグループ全体の税負担の減少が見込まれることから、グループ通算制度の採用を検討することになり、シミュレーションを実施することとなった。
- 以下、トラスト1を親法人とした企業グループにおける2022年3月期（申請年度）から2024年3月期までのグループ通算制度を採用する場合と単体納税制度を継続する場合の税額計算の比較（以下、「本ケース」という）について、『通算制度採用のシミュレーションシート』（以下、「本シート」という）を使って解説する。
- 本ケースでは、上記1で示した「シミュレーションの基本情報（一覧表）」を計算の基礎となる前提条件とする。
- なお、以下では、本シートの一部を抜粋して記載しているため、すべてを確認したい場合は、本ケースで使用した『通算制度採用のシミュレーションシート』（Excel）をWebサイトからダウンロードしてほしい（「本書のご利用にあたって」参照）。
- また、本シートでは、計算過程において端数調整は行わず、表示される金額について小数点以下第1位を四捨五入して表示している。

　税金コストのシミュレーションの結果は次のとおりとなる。

　結果として、損益通算と開始前の繰越欠損金の解消額の増加によりグループ通算制度を採用した方が税金コストは減少する。

1 『税金コスト』のシミュレーション　191

単体納税制度を継続するケース

事業年度	2022. 3 期
税制	単体納税
法人税、住民税及び事業税（合計）	158,912

法人税及び地方法人税の計算	トラスト1	トラスト2	トラスト3	合計
●所得金額の計算				
所得金額（欠損金控除前）	500,000	▲ 300,000	▲ 200,000	0
繰越欠損金（控除：+）	0	0	0	0
所得金額	500,000	▲ 300,000	▲ 200,000	0
●法人税額の計算				
法人税額	116,000	0	0	116,000
●地方法人税額の計算				
地方法人税額	11,948	0	0	11,948

住民税の計算	トラスト1	トラスト2	トラスト3	合計
●法人税割の計算				
法人税割	116,000	0	0	116,000
●住民税額の計算				
住民税額	12,064	0	0	12,064

事業税の計算	トラスト1	トラスト2	トラスト3	合計
●所得金額の計算				
所得金額（欠損金控除前）	500,000	▲ 300,000	▲ 200,000	0
繰越欠損金	0	0	0	0
所得金額	500,000	▲ 300,000	▲ 200,000	0
●事業税額の計算				
事業税額	18,900	0	0	18,900

※1 時価評価損益が生じないため、申請年度は有利・不利は生じない。
※2 トラスト3は、繰越欠損金が切り捨てられない通算法人に該当するため、通算制度の開始前の繰越欠損金は翌年度に特定欠損金として持ち込まれる（トラスト2も同様）。

第3部 単体法人の「グループ通算制度」採用の有利・不利とシミュレーションと実務対応

グループ通算制度を採用するケース

事業年度（通算開始直前事業年度）		2022. 3 期	差額	通算制度 有利・不利
税制		単体納税	0	※1—
法人税、住民税及び事業税（合計）		158,912		

法人税及び地方法人税の計算	トラスト1	トラスト2	トラスト3	合計
●所得金額の計算				
所得金額（欠損金控除前）	500,000	▲ 300,000	▲ 200,000	0
繰越欠損金（控除：＋）	0	0	0	0
所得金額	500,000	▲ 300,000	※2▲ 200,000	0
●法人税額の計算				
法人税額	116,000	0	0	116,000
●地方法人税額の計算				
地方法人税額	11,948	0	0	11,948

住民税の計算	トラスト1	トラスト2	トラスト3	合計
●法人税割の計算				
法人税割	116,000	0	0	116,000
●住民税額の計算				
住民税額	12,064	0	0	12,064

事業税の計算	トラスト1	トラスト2	トラスト3	合計
●所得金額の計算				
所得金額（欠損金控除前）	500,000	▲ 300,000	▲ 200,000	0
繰越欠損金	0	0	0	0
所得金額	500,000	▲ 300,000	▲ 200,000	0
●事業税額の計算				
事業税額	18,900	0	0	18,900

1 『税金コスト』のシミュレーション

単体納税制度を継続するケース

事業年度	2023. 3期
税制	単体納税
法人税、住民税及び事業税（合計）	260,549

法人税及び地方法人税の計算	トラスト1	トラスト2	トラスト3	合計
●所得金額の計算				
所得金額（欠損金控除前）	700,000	▲ 500,000	200,000	400,000
	—	—	—	—
	—	—	—	—
	—	—	—	—
	—	—	—	—
繰越欠損金（控除：＋）	0	0	※4100,000	100,000
所得金額	700,000	▲ 500,000	100,000	300,000
●法人税額の計算				
法人税額	162,400	0	23,200	185,600
●地方法人税額の計算				
地方法人税額	16,727	0	2,390	19,117

住民税の計算	トラスト1	トラスト2	トラスト3	合計
●法人税割の計算				
法人税額	162,400	0	23,200	185,600
	—	—	—	—
	—	—	—	—
法人税額（控除前）	162,400	0	23,200	185,600
	—	—	—	—
法人税割	162,400	0	23,200	185,600
●住民税額の計算				
住民税額	16,890	0	2,413	19,302

事業税の計算	トラスト1	トラスト2	トラスト3	合計
●所得金額の計算				
所得金額（欠損金控除前）	700,000	▲ 500,000	200,000	400,000
繰越欠損金	0	0	100,000	100,000
所得金額	700,000	▲ 500,000	100,000	300,000
●事業税額の計算				
事業税額	26,460	0	10,070	36,530

※ 1　差額分析
　　①損益通算
　　　▲127,948　※500,000×（1＋10.3%）×23.2%
　　②トラスト3の繰越欠損金の使用額の減少
　　　3,111　※（100,000－88,889）×（1＋10.3%＋10.4%）×23.2%
※ 2　トラスト2の欠損金額500,000を所得法人で損益通算している。
※ 3　トラスト3では、通算制度の開始前の繰越欠損金（特定欠損金）の期首残高（2021. 3期分350,000・2022. 3期分200,000）について、今期の損益通算後の所得金額の100%（88,889）を限度に控除している。
※ 4　トラスト3では、繰越欠損金の期首残高（2021. 3期発生分350,000、2022. 3期発生分200,000）について、所得金額の50%（100,000）を限度に控除している。
※ 5　トラスト3では、法人税の繰越欠損金の使用額が単体納税より少ないため、通算制度の住民税が単体納税より多くなる

グループ通算制度を採用するケース

事業年度（通算開始事業年度）		2023. 3期	差額	通算制度有利・不利
税制		通算制度		
法人税、住民税及び事業税（合計）		135,713	※1▲ 124,837	有利

法人税及び地方法人税の計算		トラスト1	トラスト2	トラスト3	通算グループ計
●所得金額の計算					
通算前所得金額		700,000	0	200,000	900,000
通算前欠損金額		0	▲ 500,000	0	▲ 500,000
損益通算	通算対象欠損金額	▲ 388,889	0	▲ 111,111	※2▲ 500,000
	通算対象所得金額	0	500,000	0	500,000
欠損控除前所得金額		311,111	0	88,889	400,000
繰越欠損金（控除：＋）		0	0	※3 88,889	88,889
所得金額		311,111	0	0	311,111
●法人税割の計算					
法人税額		72,178	0	0	72,178
●地方法人税額の計算					
地方法人税額		7,434	0	0	7,434

住民税の計算	トラスト1	トラスト2	トラスト3	通算グループ計
●法人税割の計算				
法人税額	72,178	0	0	72,178
加算対象通算対象欠損調整額（加算：＋）	90,222	0	25,778	116,000
加算対象被配賦欠損調整額（加算：＋）	0	0	0	0
法人税額（控除前）	162,400	0	25,778	188,178
控除対象通算対象所得調整額等（控除：＋）	0	0	0	0
法人税割	162,400	0	25,778	188,178
●住民税額の計算				
住民税額	16,890	0	※5 2,681	19,570

事業税の計算	トラスト1	トラスト2	トラスト3	通算グループ計
●所得金額の計算				
所得金額（欠損金控除前）	700,000	▲ 500,000	200,000	400,000
繰越欠損金	0	0	100,000	100,000
所得金額	700,000	▲ 500,000	100,000	300,000
●事業税額の計算				
事業税額	26,460	0	10,070	36,530

単体納税制度を継続するケース

事業年度	2024. 3 期
税制	単体納税
法人税、住民税及び事業税（合計）	327,259

法人税及び地方法人税の計算	トラスト1	トラスト2	トラスト3	合計
●所得金額の計算				
所得金額（欠損金控除前）	700,000	300,000	300,000	1,300,000
—	—	—	—	—
—	—	—	—	—
—	—	—	—	—
—	—	—	—	—
繰越欠損金（控除：＋）	0	150,000	150,000	※3300,000
所得金額	700,000	150,000	150,000	1,000,000
●法人税額の計算				
法人税額	162,400	34,800	34,800	232,000
●地方法人税額の計算				
地方法人税額	16,727	3,584	3,584	23,896

住民税の計算	トラスト1	トラスト2	トラスト3	合計
●法人税割の計算				
法人税額	162,400	34,800	34,800	232,000
—	—	—	—	—
—	—	—	—	—
法人税額（控除前）	162,400	34,800	34,800	232,000
—	—	—	—	—
法人税割	162,400	34,800	34,800	232,000
●住民税額の計算				
住民税額	16,890	3,619	3,619	24,128

事業税の計算	トラスト1	トラスト2	トラスト3	合計
●所得金額の計算				
所得金額（欠損金控除前）	700,000	300,000	300,000	1,300,000
繰越欠損金	0	150,000	150,000	300,000
所得金額	700,000	150,000	150,000	1,000,000
●事業税額の計算				
事業税額	26,460	5,670	15,105	47,235

※1　差額分析
　　①トラスト2の繰越欠損金の使用額の増加
　　　▲42,003　※（300,000－150,000）×（1＋10.3％＋10.4％）×23.2％
　　②トラスト3の繰越欠損金の使用額の増加
　　　▲42,003　※（300,000－150,000）×（1＋10.3％＋10.4％）×23.2％
※2　トラスト2では、通算制度の開始前の繰越欠損金（特定欠損金）の期首残高（2022. 3 期分300,000）について、損益通算後の所得金額の100％（300,000）を限度に控除している。
　　　トラスト3では、通算制度の開始前の繰越欠損金（特定欠損金）の期首残高（2021. 3 期分261,111、2022. 3 期分200,000）について、損益通算後の所得金額の100％（300,000）を限度に控除している。
※3　トラスト2では繰越欠損金の期首残高（2022. 3 期発生分300,000、2023. 3 期発生分500,000）について、所得金額の50％（150,000）を限度に控除している。
　　　トラスト3では繰越欠損金の期首残高（2021. 3 期発生分250,000、2022. 3 期発生分200,000）について、所得金額の50％（150,000）を限度に控除している。

グループ通算制度を採用するケース

事業年度		2024. 3期	差額	通算制度 有利・不利
税制		通算制度		
法人税、住民税及び事業税（合計）		243,252	*1 ▲ 84,007	有利

法人税及び地方法人税の計算		トラスト1	トラスト2	トラスト3	通算グループ計
●所得金額の計算					
通算前所得金額		700,000	300,000	300,000	1,300,000
通算前欠損金額		0	0	0	0
損益通算	通算対象欠損金額	0	0	0	0
	通算対象所得金額	0	0	0	0
欠損控除前所得金額		700,000	300,000	300,000	1,300,000
繰越欠損金（控除：＋）		0	300,000	300,000	*2 600,000
所得金額		700,000	0	0	700,000
●法人税額の計算					
法人税額		162,400	0	0	162,400
●地方法人税額の計算					
地方法人税額		16,727	0	0	16,727

住民税の計算	トラスト1	トラスト2	トラスト3	通算グループ計
●法人税割の計算				
法人税額	162,400	0	0	162,400
加算対象通算対象欠損調整額(加算：＋)	0	0	0	0
加算対象被配賦欠損調整額（加算：＋)	0	0	0	0
法人税額（控除前）	162,400	0	0	162,400
控除対象通算対象所得調整額等(控除：＋)	0	0	0	0
法人税割	162,400	0	0	162,400
●住民税額の計算				
住民税額	16,890	0	0	16,890

事業税の計算	トラスト1	トラスト2	トラスト3	通算グループ計
●所得金額の計算				
所得金額（欠損金控除前）	700,000	300,000	300,000	1,300,000
繰越欠損金	0	150,000	150,000	300,000
所得金額	700,000	150,000	150,000	1,000,000
●事業税額の計算				
事業税額	26,460	5,670	15,105	47,235

『繰延税金資産の回収可能額』のシミュレーション

1 シミュレーションの基本情報（一覧表）

　シミュレーションを行うためには、その前提となる情報を収集することから開始することになる。

　具体的には、次に掲げる手順で、単体納税制度を継続する場合とグループ通算制度を採用する場合の両方のケースについて、次に掲げる情報を把握する必要がある。

《シミュレーションの基本情報》

手順1	企業分類の決定
手順2	回収期間の設定
手順3	一時差異等加減算前通算前所得の計算
手順4	将来減算一時差異等の集計とスケジューリング
手順5	法定実効税率の設定

手順1　企業分類の決定

　各通算会社の分類と通算グループ全体の分類を決定する。

　単体納税制度を継続する場合は、各通算会社の分類を適用し、グループ通算制度を採用する場合は、各通算会社ごとに、各通算会社の分類と通算グループ全体の分類を考慮して、将来減算一時差異（個別財務諸表）、将来減算一時差異（連結財務諸表）、非特定欠損金、特定欠損金の企業分類をそれぞれ決定する。

例えば、以下のように判定する。

[企業分類の判定]

	事業年度	基礎所得	通算親会社 トラスト1	通算子会社 トラスト2	通算子会社 トラスト3	通算グループ 全体
通算前所得（実績・見込）	2019.3期	単体納税制度：欠損金控除前所得金額	400,000	300,000	0	700,000
	2020.3期	単体納税制度：欠損金控除前所得金額	400,000	300,000	0	700,000
	2021.3期	単体納税制度：欠損金控除前所得金額	150,000	150,000	▲ 350,000	▲ 50,000
	2022.3期	単体納税制度：欠損金控除前所得金額	500,000	▲ 300,000	▲ 200,000	0
将来減算一時差異（合計）		期末残高	800,000	800,000	800,000	2,400,000
通算会社と通算グループ全体のそれぞれの分類		通算会社の分類は単体納税制度の分類を採用。通算グループ全体の分類は通算グループ合計で単体法人と同様に判定	②	③	⑤	③
最終判定	将来減算一時差異に係る法人税及び地方法人税の分類（個別財務諸表）	通算会社と通算グループ全体の分類のうち、上位を採用	②	③	③	
	将来減算一時差異に係る法人税及び地方法人税の分類（連結財務諸表）	通算グループ全体の分類を採用	③	③	③	③
	非特定欠損金に係る分類	通算グループ全体の分類を採用	③	③	③	―
	特定欠損金に係る分類	通算会社と通算グループ全体の分類のうち、下位を採用	③	③	⑤	―
	単体納税制度の分類	通算会社の分類を採用	②	③	⑤	―

2 『繰延税金資産の回収可能額』のシミュレーション　199

グループ通算制度を適用している場合の各通算会社の分類は、損益通算や欠損金の通算を考慮せず、自社の通算前所得に基づいて判定するため、当期及び過去3期の所得の実績について、単体納税制度を適用している年度がある場合、単体納税制度の欠損金控除前所得に基づいて判定すればよい。

　なお、本ケースについて、トラスト2は、「過去（3年）又は当期において、重要な税務上の欠損金が生じている」ため、本来であれば、分類④に該当する（分類④の翌期において一時差異等加減算前課税所得が生じることが見込まれる場合に該当しないが、過去（3年）及び当期のすべての事業年度において、重要な税務上の欠損金が生じていないため、分類⑤ではない）。

　ただし、ケースの前提として、前期は分類②に該当しており、当期の欠損金額はコロナ不況による一時的な損失であり、現在、ワクチンの普及により経済環境が順調に回復している状況にあることとしている。

　そして、重要な税務上の欠損金が生じた原因、中長期計画、過去における中長期計画の達成状況、過去及び当期の課税所得又は税務上の欠損金の推移等を勘案して、将来においておおむね3年から5年程度は一時差異等加減算前課税所得が生じることについて、合理的な根拠をもって説明することができると仮定し、このケースではトラスト2は分類③と判定している。

手順2　回収期間の設定

　スケジューリングの計算期間となる回収期間を設定する。

　グループ通算制度の場合、基本的には、通算グループ全体で回収期間を統一する。

手順3　一時差異等加減算前通算前所得の計算

　事業計画から税引前当期純利益を把握するとともに、所得金額の基礎になる永久差異、将来減算一時差異、将来加算一時差異の増減額を把握する。

　この場合、受取配当金の益金不算入額や交際費の損金不算入額は、単体

納税制度を継続する場合とグループ通算制度を採用する場合で金額が異なる場合があるため、その影響が大きい場合、制度ごとの金額を把握する。

また、グループ通算制度を採用する場合について、損益通算の対象外となる欠損金額が生じる場合は、その金額についても把握する必要がある。

以上から、各通算会社の「一時差異等加減算前通算前所得」を計算する。

例えば、以下のように計算する。

[一時差異等加減算前課税所得（単体納税制度を継続する場合)]

事業年度／会社名	トラスト1	トラスト2	トラスト3
2023.3期	850,000	▲ 350,000	350,000
2024.3期	850,000	450,000	450,000

[一時差異等加減算前通算前所得（グループ通算制度を採用する場合)]

事業年度／会社名	トラスト1	トラスト2	トラスト3
2023.3期	850,000	▲ 350,000	350,000
2024.3期	850,000	450,000	450,000

上記のうち損益通算対象外欠損金額（マイナス表示）

事業年度／会社名	トラスト1	トラスト2	トラスト3
2023.3期	0	0	0
2024.3期	0	0	0

手順4 将来減算一時差異等の集計とスケジューリング

申請年度末に見込まれる将来減算一時差異等を、スケジューリング可能差異、長期の将来減算一時差異、スケジューリング不能差異に区分して、回収期間における解消額を集計する。

例えば、以下のように集計する。

なお、グループ通算制度を採用する場合について、損益通算の対象外となる欠損金額が生じる場合は、損益通算の対象外となる欠損金額に含まれる将来減算一時差異の解消額についても把握する必要がある。

[将来減算一時差異]

トラスト1

種類	残高	解消スケジュール				
		2023.3期	2024.3期	回収期間超	長期	スケ不能
スケ可能	400,000	150,000	150,000	100,000		
長期	200,000				200,000	
スケ不能	200,000					200,000
合計	800,000	150,000	150,000	100,000	200,000	200,000

トラスト2

種類	残高	解消スケジュール				
		2023.3期	2024.3期	回収期間超	長期	スケ不能
スケ可能	400,000	150,000	150,000	100,000		
長期	200,000				200,000	
スケ不能	200,000					200,000
合計	800,000	150,000	150,000	100,000	200,000	200,000

トラスト3

種類	残高	解消スケジュール				
		2023.3期	2024.3期	回収期間超	長期	スケ不能
スケ可能	400,000	150,000	150,000	100,000		
長期	200,000				200,000	
スケ不能	200,000					200,000
合計	800,000	150,000	150,000	100,000	200,000	200,000

[繰越欠損金]

通算親会社	通算子会社	通算子会社	発生事業年度							繰越期間	繰越最終事業年度						
トラスト1	トラスト2	トラスト3	年	月	日	～	年	月	日	年	年	月	日	～	年	月	日
0	0	350,000	2020	4	1	～	2021	3	31	10	2030	4	1	～	2031	3	31
0	300,000	200,000	2021	4	1	～	2022	3	31	10	2031	4	1	～	2032	3	31
0	300,000	550,000															

手順5 法定実効税率の設定

繰延税金資産の回収可能額を計算するため、法定実効税率を設定する。

[法人税及び地方法人税に係る法定実効税率（％）]

事業年度／会社名	トラスト1	トラスト2	トラスト3
2023.3期	24.66%	24.66%	23.25%
2024.3期	24.66%	24.66%	23.25%
回収期間超	24.66%	24.66%	23.25%
長期の将来減算一時差異	24.66%	24.66%	23.25%
スケジューリング不能差異	24.66%	24.66%	23.25%

　以上の手順によって把握した基本情報に基づいてシミュレーションを行うことになる。

　なお、シミュレーションの目的は、グループ通算制度を採用した場合と単体納税制度を継続した場合の繰延税金資産の計上額の比較をすることにあり、グループ通算制度は地方税には適用されないことから、法人税及び地方法人税に係る繰延税金資産の回収可能額のみ比較すれば意思決定には十分であろう。

　ただし、グループ通算制度と単体納税制度では、受取配当金の益金不算入、外国子会社配当金の益金不算入、投資簿価修正、住民税の欠損金等の取扱いが異なるため、それによって住民税又は事業税の課税標準が異なることになり、グループ通算制度と単体納税制度の繰延税金資産の回収可能額に大きな差異が生じる場合は、繰延税金資産の回収可能額への影響を別途計算して有利・不利の判定に織り込む必要がある。

　最後に、シミュレーションの計算結果は、使用する事業計画によって左右されるため、過度に強気又は弱気な事業計画を使用するよりは、将来の不確定要素を考慮して、複数のシナリオ（例えば、強気・中立・弱気の事業計画等）を作成して、シナリオごとにシミュレーションを行うことをお勧めする。

2 『繰延税金資産の回収可能額』のシミュレーション　203

2 シミュレーション（有利・不利の判定）

【本節のシミュレーションの目的】

- 第1節で税金コストのシミュレーションを行ったトラスト1を親法人とした企業グループについて、グループ通算制度を採用した場合の繰延税金資産の回収可能額のシミュレーションを行うことにする。
- 以下、トラスト1の通算グループにおける2022年3月期（申請年度末）におけるグループ通算制度を採用する場合と単体納税制度を継続する場合の繰延税金資産の回収可能額の比較（以下、「本ケース」という）について、『通算制度採用のシミュレーションシート』（以下、「本シート」という）を使って解説する。
- 本ケースでは、上記1で示した「シミュレーションの基本情報」を前提条件とする。また、通算グループ内で通算税効果額の授受を行うことを前提としている。
- 実務対応報告第42号は、2022年3月期（申請年度末）に早期適用することとする。
- なお、以下では、本シートの一部を抜粋して記載しているため、すべてを確認したい場合は、本ケースで使用した『通算制度採用のシミュレーションシート』（Excel）をWebサイトからダウンロードしてほしい（「本書のご利用にあたって」参照）。
- また、本シートでは、計算過程において端数調整は行わず、表示される金額について小数点以下第1位を四捨五入して表示している。

　繰延税金資産の回収可能額のシミュレーションの結果は、次のとおりとなる。

　結果として、企業分類が改善すること及び損益通算と開始前の繰越欠損金の解消額が増加することにより回収可能額が増加することから、グループ通算制度を採用した方が個別財務諸表及び連結財務諸表の繰延税金資産の計上額は増加する。

Ⅰ　シミュレーション結果（繰延税金資産の計上額の比較）

単体納税制度を継続するケース

法人税及び地方法人税に係る繰延税金資産	親会社	子会社	子会社	グループ全体
	トラスト1	トラスト2	トラスト3	（合計）
繰延税金資産（固定）	147,960	123,300	0	271,260

グループ通算制度を採用するケース

[個別財務諸表]

法人税及び地方法人税に係る繰延税金資産	通算親会社	通算子会社	通算子会社	通算グループ全体（合計）
	トラスト1	トラスト2	トラスト3	
繰延税金資産（固定）	147,960	197,280	116,250	461,490
差額 （グループ通算制度を採用した場合の積み増し：プラス）	0	73,980	116,250	※1190,230

[連結財務諸表]

法人税及び地方法人税に係る繰延税金資産	通算親会社	通算子会社	通算子会社	通算グループ全体（合計）
	トラスト1	トラスト2	トラスト3	
繰延税金資産（固定）	123,300	197,280	116,250	436,830
差額 （グループ通算制度を採用した場合の積み増し：プラス）	※2▲ 24,660	73,980	116,250	165,570

※1　差異分析
　　（トラスト2）
　　スケジューリングの改善による積み増し額　73,980
　　① 2023.3期　将来減算一時差異36,990（150,000×24.66％）
　　② 2024.3期　繰越欠損金36,990（150,000×24.66％）
　　（トラスト3）
　　企業分類の改善よる積み増し額　116,250
　　① 2023.3期　34,875（150,000×23.25％）
　　② 2024.3期　34,875（150,000×23.25％）
　　③ 長期の将来減算一時差異　46,500（200,000×23.25％）
※2　トラスト1は、個別財務諸表では分類②（単体納税の場合も②）であるが、連結財務諸表の場合、通算グループ全体の分類③となるため、回収期間超の部分が回収不能となる。

2　『繰延税金資産の回収可能額』のシミュレーション　205

Ⅱ　単体納税制度の繰延税金資産の計上額

1　スケジューリングによる回収可能額

法人税及び地方法人税に係るスケジューリング （単体納税制度）	2023. 3期			
	親会社	子会社	子会社	グループ全体 （合計）
	トラスト1	トラスト2	トラスト3	
	②	③	⑤	―
[将来減算一時差異の回収可能見込額（当期回収分）]				
一時差異等加減算前課税所得	850,000	▲ 350,000	350,000	850,000
将来減算一時差異の解消見込額	150,000	150,000	150,000	450,000
将来減算一時差異の解消見込額減算後の課税所得	700,000	▲ 500,000	200,000	400,000
回収可能見込額	150,000	0	150,000	*³300,000
[将来減算一時差異の回収可能見込額（翌期以後回収分）]				
当期の繰越欠損金発生額	0	500,000	0	500,000
マイナスの一時差異等加減算前課税所得	0	350,000	0	350,000
当期の繰越欠損金発生額に含まれる当期の将来減算一時差異の解消額	0	*¹150,000	0	150,000
当期の繰越欠損金発生額の翌期以後の解消額	0	0	0	0
2024. 3期	0	0	0	0
当期の繰越欠損金発生額の翌期以後の解消額に含まれる当期の将来減算一時差異の解消額	0	0	0	0
2024. 3期	0	0	0	0
回収可能見込額	0	0	0	0
2024. 3期	0	0	0	0
[繰越欠損金の回収可能見込額]				
繰越欠損金の回収可能見込額	0	0	100,000	100,000
2021. 3期	0	0	*²100,000	100,000
2022. 3期	0	0	0	0

※1　将来減算一時差異の解消額のうち、繰越欠損金に転化された金額。本ケースでは、翌期以後の回収期間で2023. 3期の繰越欠損金が解消されないため、回収可能額は0となる。
※2　税金コストのシミュレーションで計算した繰越欠損金の解消額が回収可能額となる。
※3　自社の所得で回収可能となる金額。

法人税及び地方法人税に係るスケジューリング （単体納税制度）	2024. 3期			
	親会社	子会社	子会社	グループ全体 （合計）
	トラスト1	トラスト2	トラスト3	
	②	③	⑤	—
[将来減算一時差異の回収可能見込額（当期回収分）]				
一時差異等加減算前課税所得	850,000	450,000	450,000	1,750,000
将来減算一時差異の解消見込額	150,000	150,000	150,000	450,000
将来減算一時差異の解消見込額減算後の課税所得	700,000	300,000	300,000	1,300,000
回収可能見込額	150,000	150,000	150,000	450,000
[将来減算一時差異の回収可能見込額（翌期以後回収分）]				
当期の繰越欠損金発生額	0	0	0	0
マイナスの一時差異等加減算前課税所得	0	0	0	0
当期の繰越欠損金発生額に含まれる当期の将来減算一時差異の解消額	0	0	0	0
当期の繰越欠損金発生額の翌期以後の解消額	0	0	0	0
2024. 3期	—	—	—	—
当期の繰越欠損金発生額の翌期以後の解消額に含まれる当期の将来減算一時差異の解消額	0	0	0	0
2024. 3期	—	—	—	—
回収可能見込額	0	0	0	0
2024. 3期	—	—	—	—
[繰越欠損金の回収可能見込額]				
繰越欠損金の回収可能見込額	0	150,000	150,000	300,000
2021. 3期	0	0	150,000	150,000
2022. 3期	0	150,000	0	150,000

2 『繰延税金資産の回収可能額』のシミュレーション

2 企業分類による将来減算一時差異及び繰越欠損金の回収可能性の判断

法人税及び地方法人税に係る将来減算一時差異等の回収可能額（単体納税制度）	内訳	2023. 3期			
		親会社	子会社	子会社	グループ全体（合計）
		トラスト1	トラスト2	トラスト3	
		②	③	⑤	―
将来減算一時差異の回収可能見込額	解消額	150,000	150,000	150,000	450,000
	スケジューリング	150,000	0	150,000	300,000
	[*1]回収可能額	150,000	0	0	150,000
繰越欠損金の回収可能見込額	スケジューリング	0	0	100,000	100,000
	回収可能額	0	0	[*2]0	0

法人税及び地方法人税に係る将来減算一時差異等の回収可能額（単体納税制度）	内訳	2024. 3期			
		親会社	子会社	子会社	グループ全体（合計）
		トラスト1	トラスト2	トラスト3	
		②	③	⑤	―
将来減算一時差異の回収可能見込額	解消額	150,000	150,000	150,000	450,000
	スケジューリング	150,000	150,000	150,000	450,000
	[*1]回収可能額	150,000	150,000	0	300,000
繰越欠損金の回収可能見込額	スケジューリング	0	150,000	150,000	300,000
	回収可能額	0	150,000	0	150,000

法人税及び地方法人税に係る将来減算一時差異等の回収可能額（単体納税制度）	内訳	回収期間超			
		親会社	子会社	子会社	グループ全体（合計）
		トラスト1	トラスト2	トラスト3	
		②	③	⑤	―
将来減算一時差異の回収可能見込額	解消額	100,000	100,000	100,000	300,000
	スケジューリング	100,000	100,000	100,000	300,000
	[*1]回収可能額	100,000	0	0	[*3]100,000
繰越欠損金の回収可能見込額	スケジューリング	―	―	―	―
	回収可能額	―	―	―	―

法人税及び地方法人税に係る将来減算一時差異等の回収可能額（単体納税制度）	内訳	長期の将来減算一時差異			
		親会社	子会社	子会社	グループ全体（合計）
		トラスト1	トラスト2	トラスト3	
		②	③	⑤	―
将来減算一時差異の回収可能見込額	解消額	200,000	200,000	200,000	600,000
	スケジューリング	200,000	200,000	200,000	600,000
	[*1]回収可能額	200,000	200,000	0	[*4]400,000
繰越欠損金の回収可能見込額	スケジューリング	―	―	―	―
	回収可能額	―	―	―	―

法人税及び地方法人税に係る将来減算一時差異等の回収可能額（単体納税制度）	内訳	スケジューリング不能差異			
		親会社	子会社	子会社	グループ全体（合計）
		トラスト1	トラスト2	トラスト3	
		②	③	⑤	―
将来減算一時差異の回収可能見込額	解消額	200,000	200,000	200,000	600,000
	スケジューリング	200,000	200,000	200,000	600,000
	[*1]回収可能額	0	0	0	[*5]0
繰越欠損金の回収可能見込額	スケジューリング	―	―	―	―
	回収可能額	―	―	―	―

※1　スケジューリングによる回収可能額を企業分類で最終判定。
※2　トラスト3は分類⑤であるため、繰越欠損金の解消額は回収不能となる。
※3　分類①②で回収可能。
※4　分類①②③で回収可能。
※5　分類①で回収可能。

3　単体納税制度の繰延税金資産の計算

法人税及び地方法人税に係る繰延税金資産（単体納税制度）	内訳	2023. 3期			
		親会社	子会社	子会社	グループ全体（合計）
		トラスト1	トラスト2	トラスト3	
		24. 66%	24. 66%	23. 25%	―
将来減算一時差異に係る繰延税金資産	繰延税金資産（回収可能性検討後）	36,990	0	0	36,990
繰越欠損金に係る繰延税金資産	繰延税金資産（回収可能性検討後）	0	0	0	0
将来減算一時差異等に係る繰延税金資産（合計）	繰延税金資産（回収可能性検討後）	36,990	0	0	36,990

法人税及び地方法人税に係る繰延税金資産（単体納税制度）	内訳	2024. 3期			
		親会社	子会社	子会社	グループ全体（合計）
		トラスト1	トラスト2	トラスト3	
		24. 66%	24. 66%	23. 25%	―
将来減算一時差異に係る繰延税金資産	繰延税金資産（回収可能性検討後）	36,990	36,990	0	73,980
繰越欠損金に係る繰延税金資産	繰延税金資産（回収可能性検討後）	0	36,990	0	36,990
将来減算一時差異等に係る繰延税金資産（合計）	繰延税金資産（回収可能性検討後）	36,990	73,980	0	110,970

法人税及び地方法人税に係る繰延税金資産（単体納税制度）	内訳	回収期間超			
		親会社	子会社	子会社	グループ全体（合計）
		トラスト1	トラスト2	トラスト3	
		24. 66%	24. 66%	23. 25%	―
将来減算一時差異に係る繰延税金資産	繰延税金資産（回収可能性検討後）	24,660	0	0	24,660
繰越欠損金に係る繰延税金資産	繰延税金資産（回収可能性検討後）	―	―	―	―
将来減算一時差異等に係る繰延税金資産（合計）	繰延税金資産（回収可能性検討後）	24,660	0	0	24,660

法人税及び地方法人税に係る繰延税金資産（単体納税制度）	内訳	長期の将来減算一時差異			
		親会社	子会社	子会社	グループ全体（合計）
		トラスト1	トラスト2	トラスト3	
		24.66%	24.66%	23.25%	—
将来減算一時差異に係る繰延税金資産	繰延税金資産（回収可能性検討後）	49,320	49,320	0	98,640
繰越欠損金に係る繰延税金資産	繰延税金資産（回収可能性検討後）	—	—	—	—
将来減算一時差異等に係る繰延税金資産（合計）	繰延税金資産（回収可能性検討後）	49,320	49,320	0	98,640

法人税及び地方法人税に係る繰延税金資産（単体納税制度）	内訳	スケジューリング不能差異			
		親会社	子会社	子会社	グループ全体（合計）
		トラスト1	トラスト2	トラスト3	
		24.66%	24.66%	23.25%	—
将来減算一時差異に係る繰延税金資産	繰延税金資産（回収可能性検討後）	0	0	0	0
繰越欠損金に係る繰延税金資産	繰延税金資産（回収可能性検討後）	—	—	—	—
将来減算一時差異等に係る繰延税金資産（合計）	繰延税金資産（回収可能性検討後）	0	0	0	0

2 『繰延税金資産の回収可能額』のシミュレーション

Ⅲ　グループ通算制度の繰延税金資産の計上額（個別財務諸表）

1　スケジューリングによる回収可能額（個別財務諸表）

法人税及び地方法人税に係るスケジューリング （グループ通算制度／個別財務諸表）	2023. 3期			
	通算親会社 トラスト1	通算子会社 トラスト2	通算子会社 トラスト3	通算グループ 全体（合計）

[将来減算一時差異の回収可能見込額（当期回収分）]

一時差異等加減算前通算前所得	850,000	▲ 350,000	350,000	850,000
将来減算一時差異の解消見込額	150,000	150,000	150,000	450,000
将来減算一時差異の解消見込額減算後の通算前所得	700,000	▲ 500,000	200,000	400,000
損益通算	▲ 388,889	500,000	▲ 111,111	0
課税所得	311,111	0	88,889	400,000
各社の通算前所得に基づく回収可能額	150,000	0	150,000	300,000
損益通算による益金算入額	0	500,000	0	500,000
上記うち、マイナスの一時差異等加減算前通算前所得への充当額	0	350,000	0	350,000
損益通算に基づく回収可能額	0	[*1]150,000	0	150,000
回収可能見込額	150,000	150,000	150,000	450,000

[繰越欠損金の回収可能見込額]

非特定欠損金の回収可能見込額	0	0	0	0
2021. 3期	0	0	0	0
2022. 3期	0	0	0	0
特定欠損金の回収可能見込額	0	0	88,889	[*2]88,889
2021. 3期	0	0	88,889	88,889
2022. 3期	0	0	0	0

法人税及び地方法人税に係るスケジューリング（グループ通算制度／個別財務諸表）	2024. 3期			
	通算親会社	通算子会社	通算子会社	通算グループ全体（合計）
	トラスト 1	トラスト 2	トラスト 3	

[将来減算一時差異の回収可能見込額（当期回収分）]

	トラスト 1	トラスト 2	トラスト 3	通算グループ全体（合計）
一時差異等加減算前通算前所得	850,000	450,000	450,000	1,750,000
将来減算一時差異の解消見込額	150,000	150,000	150,000	450,000
将来減算一時差異の解消見込額減算後の通算前所得	700,000	300,000	300,000	1,300,000
損益通算	0	0	0	0
課税所得	700,000	300,000	300,000	1,300,000
各社の通算前所得に基づく回収可能額	150,000	150,000	150,000	450,000
損益通算による益金算入額	0	0	0	0
上記うち、マイナスの一時差異等加減算前通算前所得への充当額	0	0	0	0
損益通算に基づく回収可能額	0	0	0	0
回収可能見込額	150,000	150,000	150,000	450,000

[繰越欠損金の回収可能見込額]

	トラスト 1	トラスト 2	トラスト 3	通算グループ全体（合計）
非特定欠損金の回収可能見込額	0	0	0	0
2021. 3期	0	0	0	0
2022. 3期	0	0	0	0
特定欠損金の回収可能見込額	0	300,000	300,000	[※3]600,000
2021. 3期	0	0	261,111	261,111
2022. 3期	0	300,000	38,889	338,889

※ 1　損益通算により回収可能となる。
※ 2　税金コストのシミュレーションで計算した繰越欠損金の解消額が回収可能額となる。単体納税より回収可能額が11,111減少している。
※ 3　税金コストのシミュレーションで計算した繰越欠損金の解消額が回収可能額となる。
　　　単体納税より回収可能額が300,000増加している。

2 企業分類による将来減算一時差異及び繰越欠損金の回収可能性の判断（個別財務諸表）

法人税及び地方法人税に係る将来減算一時差異等の回収可能額（グループ通算制度／個別財務諸表）	内訳	2023. 3期			
		通算親会社	通算子会社	通算子会社	通算グループ全体（合計）
		トラスト1	トラスト2	トラスト3	
将来減算一時差異の回収可能見込額	解消額	150,000	150,000	150,000	450,000
	スケジューリング	150,000	150,000	150,000	450,000
	分類	②	③	③	—
	回収可能額	150,000	*¹150,000	*²150,000	450,000
非特定欠損金の回収可能見込額	スケジューリング	0	0	0	0
	分類	③	③	③	—
	回収可能額	0	0	0	0
特定欠損金の回収可能見込額	スケジューリング	0	0	88,889	88,889
	分類	③	③	⑤	—
	回収可能額	0	0	*³0	0

法人税及び地方法人税に係る将来減算一時差異等の回収可能額（グループ通算制度／個別財務諸表）	内訳	2024. 3期			
		通算親会社	通算子会社	通算子会社	通算グループ全体（合計）
		トラスト1	トラスト2	トラスト3	
将来減算一時差異の回収可能見込額	解消額	150,000	150,000	150,000	450,000
	スケジューリング	150,000	150,000	150,000	450,000
	分類	②	③	③	—
	回収可能額	150,000	150,000	*⁵150,000	450,000
非特定欠損金の回収可能見込額	スケジューリング	0	0	0	0
	分類	③	③	③	—
	回収可能額	0	0	0	0
特定欠損金の回収可能見込額	スケジューリング	0	300,000	300,000	600,000
	分類	③	③	⑤	—
	回収可能額	0	*⁴300,000	0	300,000

法人税及び地方法人税に係る将来減算一時差異等の回収可能額（グループ通算制度／個別財務諸表）	内訳	回収期間超			
		通算親会社	通算子会社	通算子会社	通算グループ全体（合計）
		トラスト1	トラスト2	トラスト3	
将来減算一時差異の回収可能見込額	解消額	100,000	100,000	100,000	300,000
	スケジューリング	100,000	100,000	100,000	300,000
	分類	②	③	③	―
	回収可能額	100,000	0	0	100,000
非特定欠損金の回収可能見込額	スケジューリング	―	―	―	―
	分類	―	―	―	―
	回収可能額	―	―	―	―
特定欠損金の回収可能見込額	スケジューリング	―	―	―	―
	分類	―	―	―	―
	回収可能額	―	―	―	―

法人税及び地方法人税に係る将来減算一時差異等の回収可能額（グループ通算制度／個別財務諸表）	内訳	長期の将来減算一時差異			
		通算親会社	通算子会社	通算子会社	通算グループ全体（合計）
		トラスト1	トラスト2	トラスト3	
将来減算一時差異の回収可能見込額	解消額	200,000	200,000	200,000	600,000
	スケジューリング	200,000	200,000	200,000	600,000
	分類	②	③	③	―
	回収可能額	200,000	200,000	[※6]200,000	600,000
非特定欠損金の回収可能見込額	スケジューリング	―	―	―	―
	分類	―	―	―	―
	回収可能額	―	―	―	―
特定欠損金の回収可能見込額	スケジューリング	―	―	―	―
	分類	―	―	―	―
	回収可能額	―	―	―	―

2 『繰延税金資産の回収可能額』のシミュレーション

法人税及び地方法人税に係る将来減算一時差異等の回収可能額（グループ通算制度／個別財務諸表）	内訳	スケジューリング不能差異			
		通算親会社 トラスト1	通算子会社 トラスト2	通算子会社 トラスト3	通算グループ全体（合計）
将来減算一時差異の回収可能見込額	解消額	200,000	200,000	200,000	600,000
	スケジューリング	200,000	200,000	200,000	600,000
	分類	②	③	③	—
	回収可能額	0	0	0	0
非特定欠損金の回収可能見込額	スケジューリング	—	—	—	—
	分類	—	—	—	—
	回収可能額	—	—	—	—
特定欠損金の回収可能見込額	スケジューリング	—	—	—	—
	分類	—	—	—	—
	回収可能額	—	—	—	—

※1　単体納税の場合、自社の所得のみで回収可能性を判断するため回収不能となるが、通算制度の場合、他の通算会社の所得金額を含めて回収可能性を判断するため回収可能となる。

※2　単体納税の場合、分類⑤であるため回収不能となるが、通算制度の場合、分類③となるため、回収可能となる。

※3　単体納税よりも通算制度の方が繰越欠損金の解消額が減少するが、単体納税も通算制度も分類⑤となるため、回収可能額に差異は生じない。

※4　単体納税より通算制度の方が繰越欠損金の解消額が増加するため、回収可能額も増加する。

※5　単体納税の場合、分類⑤であるため回収不能となるが、通算制度の場合、分類③となるため、回収可能となる。

※6　単体納税の場合、分類⑤であるため回収不能となるが、通算制度の場合、分類③となるため、回収可能となる。

3　グループ通算制度の繰延税金資産の計算（個別財務諸表）

法人税及び地方法人税に係る繰延税金資産（グループ通算制度/個別財務諸表）	内訳	2023.3期			
		通算親会社	通算子会社	通算子会社	通算グループ全体（合計）
		トラスト1	トラスト2	トラスト3	
		24.66%	24.66%	23.25%	
将来減算一時差異に係る繰延税金資産	繰延税金資産（回収可能性検討後）	36,990	36,990	34,875	108,855
繰越欠損金に係る繰延税金資産	繰延税金資産（回収可能性検討後）	0	0	0	0
将来減算一時差異等に係る繰延税金資産（合計）	繰延税金資産（回収可能性検討後）	36,990	36,990	34,875	108,855

法人税及び地方法人税に係る繰延税金資産（グループ通算制度/個別財務諸表）	内訳	2024.3期			
		通算親会社	通算子会社	通算子会社	通算グループ全体（合計）
		トラスト1	トラスト2	トラスト3	
		24.66%	24.66%	23.25%	
将来減算一時差異に係る繰延税金資産	繰延税金資産（回収可能性検討後）	36,990	36,990	34,875	108,855
繰越欠損金に係る繰延税金資産	繰延税金資産（回収可能性検討後）	0	73,980	0	73,980
将来減算一時差異等に係る繰延税金資産（合計）	繰延税金資産（回収可能性検討後）	36,990	110,970	34,875	182,835

法人税及び地方法人税に係る繰延税金資産（グループ通算制度/個別財務諸表）	内訳	回収期間超			
		通算親会社	通算子会社	通算子会社	通算グループ全体（合計）
		トラスト1	トラスト2	トラスト3	
		24.66%	24.66%	23.25%	
将来減算一時差異に係る繰延税金資産	繰延税金資産（回収可能性検討後）	24,660	0	0	24,660
繰越欠損金に係る繰延税金資産	繰延税金資産（回収可能性検討後）	―	―	―	―
将来減算一時差異等に係る繰延税金資産（合計）	繰延税金資産（回収可能性検討後）	24,660	0	0	24,660

2　『繰延税金資産の回収可能額』のシミュレーション

法人税及び地方法人税に係る繰延税金資産（グループ通算制度/個別財務諸表）	内訳	長期の将来減算一時差異			
		通算親会社	通算子会社	通算子会社	通算グループ全体（合計）
		トラスト1	トラスト2	トラスト3	
		24.66%	24.66%	23.25%	
将来減算一時差異に係る繰延税金資産	繰延税金資産（回収可能性検討後）	49,320	49,320	46,500	145,140
繰越欠損金に係る繰延税金資産	繰延税金資産（回収可能性検討後）	—	—	—	—
将来減算一時差異等に係る繰延税金資産（合計）	繰延税金資産（回収可能性検討後）	49,320	49,320	46,500	145,140

法人税及び地方法人税に係る繰延税金資産（グループ通算制度/個別財務諸表）	内訳	スケジューリング不能差異			
		通算親会社	通算子会社	通算子会社	通算グループ全体（合計）
		トラスト1	トラスト2	トラスト3	
		24.66%	24.66%	23.25%	
将来減算一時差異に係る繰延税金資産	繰延税金資産（回収可能性検討後）	0	0	0	0
繰越欠損金に係る繰延税金資産	繰延税金資産（回収可能性検討後）	—	—	—	—
将来減算一時差異等に係る繰延税金資産（合計）	繰延税金資産（回収可能性検討後）	0	0	0	0

Ⅳ　グループ通算制度の繰延税金資産の計上額（連結財務諸表）

1　スケジューリングによる回収可能額（連結財務諸表）

法人税及び地方法人税の将来減算一時差異に係るスケジューリング（グループ通算制度／連結財務諸表）	2023. 3期	2024. 3期	回収期間超	長期の将来減算一時差異	スケジューリング不能差異
	通算グループ全体（合計）	通算グループ全体（合計）	通算グループ全体（合計）	通算グループ全体（合計）	通算グループ全体（合計）
［将来減算一時差異の回収可能見込額（当期回収分）］					
通算グループ全体の一時差異等加減算前課税所得	850,000	1,750,000	—	—	—
通算グループ全体の将来減算一時差異の解消見込額	450,000	450,000	300,000	600,000	600,000
通算グループ全体の将来減算一時差異の解消見込額減算後の課税所得	400,000	1,300,000	—	—	—
通算グループ全体の回収可能見込額	450,000	450,000	—	—	—

2　企業分類による将来減算一時差異の回収可能性の判断（連結財務諸表）

法人税及び地方法人税に係る将来減算一時差異の回収可能額（グループ通算制度／連結財務諸表）	内訳	2023. 3期	2024. 3期	回収期間超	長期の将来減算一時差異	スケジューリング不能差異
		通算グループ全体（合計）	通算グループ全体（合計）	通算グループ全体（合計）	通算グループ全体（合計）	通算グループ全体（合計）
将来減算一時差異の回収可能見込額	解消額	450,000	450,000	300,000	600,000	600,000
	スケジューリング	450,000	450,000	300,000	600,000	600,000
	分類	③	③	③	③	③
	回収可能額	450,000	450,000	0	600,000	0

2　『繰延税金資産の回収可能額』のシミュレーション　219

3 グループ通算制度の連結財務諸表における繰延税金資産の取崩し額

通算グループ全体の回収可能額を各通算会社の個別財務諸表の回収可能額の比で配分している（実務対応報告第42号では各通算会社への配分方法について特に定められていない）。

連結財務諸表における繰延税金資産の取崩し額	内訳	2023. 3期			
		通算親会社 トラスト1	通算子会社 トラスト2	通算子会社 トラスト3	通算グループ 全体（合計）
将来減算一時差異の回収可能見込額	連結財務諸表	150,000	150,000	150,000	450,000
	個別財務諸表	150,000	150,000	150,000	450,000
	将来減算一時差異の回収可能額の差異	0	0	0	0
	法人税及び地方法人税に係る法定実効税率	24.66%	24.66%	23.25%	—
	繰延税金資産の差額	0	0	0	0

連結財務諸表における繰延税金資産の取崩し額	内訳	2024. 3期			
		通算親会社 トラスト1	通算子会社 トラスト2	通算子会社 トラスト3	通算グループ 全体（合計）
将来減算一時差異の回収可能見込額	連結財務諸表	150,000	150,000	150,000	450,000
	個別財務諸表	150,000	150,000	150,000	450,000
	将来減算一時差異の回収可能額の差異	0	0	0	0
	法人税及び地方法人税に係る法定実効税率	24.66%	24.66%	23.25%	—
	繰延税金資産の差額	0	0	0	0

連結財務諸表における繰延税金資産の取崩し額	内訳	回収期間超			
		通算親会社 トラスト1	通算子会社 トラスト2	通算子会社 トラスト3	通算グループ 全体（合計）
将来減算一時差異の回収可能見込額	連結財務諸表	0	0	0	0
	個別財務諸表	100,000	0	0	100,000
	将来減算一時差異の回収可能額の差異	▲ 100,000	0	0	▲ 100,000
	法人税及び地方法人税に係る法定実効税率	24.66%	24.66%	23.25%	—
	繰延税金資産の差額	※1 ▲ 24,660	0	0	▲ 24,660

連結財務諸表における繰延税金資産の取崩し額	内訳	長期の将来減算一時差異			
		通算親会社	通算子会社	通算子会社	通算グループ全体（合計）
		トラスト1	トラスト2	トラスト3	
将来減算一時差異の回収可能見込額	連結財務諸表	200,000	200,000	200,000	600,000
	個別財務諸表	200,000	200,000	200,000	600,000
	将来減算一時差異の回収可能額の差異	0	0	0	0
	法人税及び地方法人税に係る法定実効税率	24.66%	24.66%	23.25%	―
	繰延税金資産の差額	0	0	0	0

連結財務諸表における繰延税金資産の取崩し額	内訳	スケジューリング不能差異			
		通算親会社	通算子会社	通算子会社	通算グループ全体（合計）
		トラスト1	トラスト2	トラスト3	
将来減算一時差異の回収可能見込額	連結財務諸表	0	0	0	0
	個別財務諸表	0	0	0	0
	将来減算一時差異の回収可能額の差異	0	0	0	0
	法人税及び地方法人税に係る法定実効税率	24.66%	24.66%	23.25%	―
	繰延税金資産の差額	0	0	0	0

※1　トラスト1は、個別財務諸表では分類②（単体納税の場合も②）であるが、連結財務諸表の場合、通算グループ全体の分類③となるため、回収期間超の部分が回収不能となる。

第3章
グループ通算制度の採否決定の考え方

1 | 定性的な側面から見たグループ通算制度の有利・不利

　グループ通算制度のシミュレーションの結果を踏まえてグループ通算制度の採否を決定する際に、実務上、定量的情報以外に考慮すべき点は以下のものが挙げられる。

❶ 損益通算効果の継続性

　グループ通算制度は、いったん採用すると継続的に適用しなくてはいけない。

　そのため、普段は全社黒字の通算グループにおいて、たまたま、来期、あるグループ法人で欠損金額が生じる見込みである場合に、単体納税制度を継続していても数年内に解消される欠損金額であるにもかかわらず、来期の税負担の最小化のみを目的にグループ通算制度を採用すると、それ以降は全社黒字の状態が継続し、毎期、損益通算が行われていないにもかかわらず、グループ通算制度を適用している状況になってしまう。このような場合、どうしてグループ通算制度を採用しているのか会社自身もわからなくなってしまい、グループ通算制度の業務負荷だけが会社に残ることになる。したがって、グループ通算制度の採用は、短期的思考ではなく、中長期的思考で慎重に判断されるべきである。具体的には、単一年度だけの有利・不利だけで判断せず、シミュレーション期間に渡って、さらにその後の税務上の有利・不利も意識して採否の決定をすべきである。

　もちろん、毎期、いずれか又は特定のグループ法人で多額な欠損金額が

生じている場合やこのままでは多額な繰越欠損金が期限切れとなってしまう場合などは、その後のことは置いておいても、早期にグループ通算制度を採用した方がよいだろう。また、グループ通算制度の採用は、損益通算機能を保持していることが、最大のメリットでもあり、結果的に損益通算効果が発揮されなかった場合であっても、その機能自体を保持することで、常に通算グループの税負担（税負担率）を最小化できるため、そのような税務ポリシーを持つ企業はグループ通算制度を採用することになる。

また、研究開発税制など通算グループ全体で適用される税額控除制度のメリットを享受するためにグループ通算制度を採用した方がよい場合は、損益通算効果は採否の決定に影響しない。

❷ 事務負担の増加

グループ通算制度の採用を検討している企業が最も懸念しているのは、事務負担の増加である。

グループ通算制度については、主に次の理由から、単体納税制度と比較して、決算・申告に係る事務負担が増加することになる（税務調査の事務負担については❻で解説）※。

> ※　グループ通算制度では、事務負担の軽減が一つの売りであると言われているが、多くの計算項目でグループ調整計算が残ること、修更正について全体再計算を行うケースがあること、加入・離脱の取扱いが複雑であること、地方税もグループ通算制度の影響を受けること、繰延税金資産の回収可能額の計算は通算グループ全体で行う必要があること、などから連結納税制度よりは事務負担は軽減されるだろうが、単体納税制度との比較においては事務負担の増加は避けられないといえる。

［グループ通算制度で事務負担が増える主な理由］

① 損益通算、欠損金の通算など全体計算があるため、全ての法人で一斉に決算・申告作業（入力）を行い、同時に終わらせる。1社でも遅延すると全社が終了しない（二人三脚のイメージ）。

② 繰延税金資産の回収可能額の計算について、通算グループ全体で行う必要がある。スケジューリングによる回収可能額の計算について、法人税・住民税・事業税を別々に、企業分類が①や⑤の会社（単体納税制度では税効果の作業がほとんど生じていない法人）を含めて全ての法人で一斉に作業（入力）を行い、同時に終わらせる。

③ 上記①及び②について、親法人がまとめ役となって、日程作成、進捗管理、全体計算の実行、子会社の教育等を行う。

　上記については、特に、通算親法人は、通算グループ全体のコーディネート業務、全体計算に係る別表のチェック、システムの研修会の実施などを行わなければいけないため、事務負担が大きく増加する。

　また、通算子法人についても、システムの研修だけでなく、税効果会計においてスケジューリングを行っていなかった場合（例えば、企業分類が①又は⑤である場合）、グループ通算制度導入を契機に企業分類とスケジューリングの考え方を理解しなければならず、事業計画の作成や将来減算一時差異の解消額を把握する作業が生じるため、事務負担が増加することになる。

　そして、上場会社の場合は、四半期決算のため、年4回の決算作業となる。

　しかし、現行制度である連結納税制度を採用したことを理由に決算発表日を遅らせたという話は聞いたことがない。

　したがって、それだけの仕事をするために年中張り付きで1名増員させないといけないわけではないだろうが、少なくとも他の業務との兼任でも、通算親法人で専任の担当者を置く必要があることから、結果的には、人件費が増加するというのが事実であろう。

　また、これらの作業の一部を外部の専門家（税理士）に委託する場合は、

224　第3部　単体法人の「グループ通算制度」採用の有利・不利とシミュレーションと実務対応

外部委託費が増加するため、コスト増という意味では同じである。

　いずれにせよ、グループ通算制度の採否を検討する場合、税金コストの有利・不利だけではなく、グループ通算制度導入に伴う人件費又は外部委託費のコスト増も考慮する必要がある（そのため、最終的には役員の判断によってグループ通算制度の採否を決定することになる会社が一般的である）。

　なお、筆者の経験上、次のような企業グループの場合、グループ通算制度の事務負担はそれほど重くならない（最初だけ大変というイメージである）。

［グループ通算制度でも事務負担が増えない場合］

> ①　対象会社が 5 社未満の場合
> ②　グループ会社の決算・申告作業を 1 つの部門又は一人の税理士（会計事務所）で行っている場合
> ③　未上場会社のグループであるため、税効果会計を適用していない、あるいは、簡易に計算している場合

　つまり、企業グループの決算・申告作業に携わる関係者が少なければ事務負担はそれほど苦にならない、ということである。

　このような企業グループの場合、グループ通算制度を採用するハードルは低いだろう（ただし、そのような企業グループの場合、節税効果が大きくないケースが多いのも事実であろう）。

❸ グループ内再編・M&A の可能性

　グループ通算制度を採用している場合で、ある法人を完全子法人化すると、その法人はグループ通算制度に加入することになるため、時価評価、繰越欠損金の切捨て、特定資産譲渡等損失額の損金算入制限など加入に伴う取扱いが適用されることになる（第 3 部第 1 章第 1 節「5．加入・離脱に伴う有利・不利」❶参照）。

また、グループ通算制度を採用している場合で、通算子法人の株式をグループ外に売却すると、その通算子法人はグループ通算制度から離脱することになるため、離脱時の時価評価や投資簿価修正の離脱に伴う取扱いが適用されることになる（第3部第1章第1節「5．加入・離脱に伴う有利・不利」❷参照）。

　したがって、頻繁に完全子法人化やグループ法人の売却をする企業グループでは、将来、加入・離脱に伴う不利益が生じる可能性があることも想定して、グループ通算制度の採用を決定する必要がある。

　この場合、特に、税負担に大きな影響を与える可能性があるのは、離脱時の投資簿価修正であるため、以下の明細を作成することで、シミュレーション時点の投資簿価修正の影響額について把握しておくとよいだろう。

［シミュレーション時点の投資簿価修正の影響額の計算例］

1　税務上の帳簿価額

	通算子法人 A	通算子法人 B	通算子法人 C	通算子法人 D
会計上の帳簿価額	800,000,000	1	120,000,000	50,000,000
加算・減算留保額（別表5(1)）	0	99,999,999	0	0
税務上の帳簿価額	800,000,000	100,000,000	120,000,000	50,000,000

2　税務上の簿価純資産価額

	通算子法人 A	通算子法人 B	通算子法人 C	通算子法人 D
利益積立金額（別表5(1)）	200,000,000	▲ 190,000,000	▲ 55,000,000	20,000,000
資本金等の額（別表5(1)）	300,000,000	200,000,000	20,000,000	200,000,000
簿価純資産価額	500,000,000	10,000,000	▲ 35,000,000	220,000,000

※　グループ通算制度を適用する場合で離脱時の時価評価が適用される場合、利益積立金額は時価評価適用後の金額となる。

3　株式譲渡損益の差異

	通算子法人 A	通算子法人 B	通算子法人 C	通算子法人 D
想定売却価額	利益積立金配当後の 簿価純資産価額 300,000,000	簿価純資産価額 10,000,000	増資で債務超過解消 後の簿価純資産価額 0	利益積立金配当後の 簿価純資産価額 200,000,000
A：単体納税制度下の株式 譲渡損益 （＋：益、▲：損）	▲ 500,000,000	▲ 90,000,000	▲ 155,000,000	150,000,000
B：グループ通算制度下の 株式譲渡損益 （＋：益、▲：損）	0	0	0	0
株式譲渡損益の差異 （＋：通算制度不利、 ▲：通算制度有利）	500,000,000	90,000,000	155,000,000	▲ 150,000,000
税額の差異（30%） （＋：通算制度不利、 ▲：通算制度有利）	150,000,000	27,000,000	46,500,000	▲ 45,000,000

※　通算子法人の株式の全てをグループ外に譲渡した場合の単体納税制度下とグループ通算
制度下の株式譲渡損益の差異となる。

　一方、通算グループ内の組織再編成（残余財産の確定を含む）について
は、通算グループ内の適格合併、適格分割、適格現物出資、適格現物分配、
残余財産の確定において、合併法人等又は被合併法人等である通算法人の
繰越欠損金に利用制限又は引継制限は生じない（法法57②③④、法令112
の2⑥⑦）。

　また、適格要件、非適格の取扱い、特定資産譲渡等損失額の損金算入制
限、株主の税務は、単体納税制度と同様の取扱いとなる。

　そのため、通算グループ内の組織再編成（残余財産の確定を含む）につ
いては、グループ通算制度の採否の決定に当たり、将来、単体納税制度と
比較した不利益が生じる可能性があることを想定する必要はない。

❹ グループ通算制度システムの導入

　グループ通算制度とシステムは切っても切れない仲である。

　グループ通算制度を採用する場合、グループ通算制度専用のシステム（ここでは、「ソフトウェア」を含んだ表現としている。以下、同じ）を導入することを検討する必要がある。

　この点、連結納税制度専用のシステムについては、ベンダーごとに、決算システムと申告システムで別々に用意しているタイプもあれば、申告・税効果システムの一つを用意しているタイプもあり、それぞれ操作性や価格が異なっている。

　筆者の経験上、基本的に連結確定申告書の作成は、申告システムで行っていることがほとんどである。

　一方、決算時の税額計算及び税効果計算については、未上場会社のグループであったり、連結法人数が少ない場合は、必ずしも決算システムを導入しているわけではない。ただし、上場会社の場合は決算開示の正確性・迅速性から決算システムの導入をしている会社がほとんどである。

　したがって、グループ通算制度では単体納税制度と比べてシステムに係るコストが増加するとともに、通算グループ全社で統一したシステムに変更することによって、各通算法人の税務担当者及び顧問税理士の業務負荷が生じることになる。

　その一方で、通算グループ全体で同一のシステムを採用することから、一時差異項目や税務処理などが通算グループで統一される。

　また、通算親法人が各通算子法人の税務情報を一括して把握できることで、通算グループの税務に関するコーポレートガバナンスが充実するという副次的なメリットもある。

　いずれにせよ、グループ通算制度の採否を検討する場合、税金コストの有利・不利だけではなく、システム導入に伴うコスト増も考慮する必要がある。

なお、すべての通算法人について、税金計算（申告、税効果を含む）を同一の顧問税理士（税理士法人）に委託している場合は、その顧問税理士（税理士法人）がシステムを使うかを決定することになる。

❺ 税務に関するコーポレートガバナンスの充実

現在、国税庁は、実地調査以外の多様な手法を用いて、納税者に自発的な適正申告をしてもらう取組みを充実させていくことにしており、国税局調査課所管法人のうち、特別国税調査官が所掌する法人（特別国税調査官所掌法人）に対して、税務に関するコーポレートガバナンスの充実に向けた取組みを促進している（国税庁『税務に関するコーポレートガバナンスの充実に向けた取組について』参照）。

具体的には、実施調査において、リスク・ベース・アプローチ（RBA）の考え方に基づき、個々の法人の税務に関するコーポレートガバナンスの状況、事業内容、申告・決算内容、把握された非違の内容や改善状況など各種要素の分析に基づき税務リスクを判定し、その後も、調査省略となる事業年度において、国税当局が企業の再発防止策の策定及び運用状況について聴取を行うことで継続して税務リスクを判定する。そして、その税務リスクに応じて、的確な調査選定と適正な事務量配分を実践することで、企業側は、税務上のリスク軽減と税務調査対応の負担軽減を、国税当局側は、調査必要度の高い法人への税務調査の重点化を実現することとしている。

ここで、「特別国税調査官所掌法人」とは、資本金がおおむね40億円以上の法人であり、全国に500社ほどが存在しているが、特別国税調査官所掌法人の中には、現在、連結納税制度を採用している企業も比較的多いのではないかと推測される。

例えば、「税務に関するコーポレートガバナンスの確認項目の評価ポイント」において、連結法人については、以下の連結納税制度特有の評価ポイントが示されている。

> **3．税務に関する内部牽制の体制**
> (1) ③連結子法人と税務（経理）担当部署との税務上の処理（解釈）に関する情報の連絡・
> 　相談体制の整備（見直し状況を含む）
> ［評価ポイント］
> 　日々の税務（経理）処理を適正に行うため、連結子法人と本社経理担当部署との連絡・相
> 談体制の整備状況及び経理担当部署における、連結子法人の税務上の処理に係る情報の入手
> 状況を確認する。
> （取組事例）
> ・連結子法人の加入に伴い、連絡・相談体制を見直し
> ・税務上の処理方針を本社経理担当部署から各連結子法人に周知し、処理の統一化を徹底
> **5．税務に関する情報の周知**
> (2) ②連結子法人に対する税務情報の提供
> 　税務に関する処理の統一化を図るため、税務に関する情報の連結子法人に対する提供状況
> について確認する。
> （取組事例）
> ・社内向け税務情報データベースを連結子法人とも共有
> ・連結子法人から本社税務担当に直接問い合わせできる体制を整備

　上記は、現行の連結納税制度を前提としているため、個別申告方式とな
るグループ通算制度においても同様の評価ポイントとなるか不明である
が、グループ通算制度を採用する企業については、特別国税調査官所掌法
人か否かに関係なく、①通算親法人が必要に応じて通算子法人の申告書の
レビューを行うこと、②同じ取引に対して税務処理・税務方針が統一され
ること、③通算子法人が連結親法人に税務相談を行うこと、などから通算
グループ全体の税務に関するコーポレートガバナンスが充実することは明
らかである。

　ただし、これは、グループ通算制度採用の副次的な効果であり、税務に
関するコーポレートガバナンスの充実が決定的な要因となってグループ通
算制度を採用する企業は、実際にはそれほど多くないのではないかと思わ
れる。

❻ グループ通算制度の税務調査

　グループ通算制度では、単体納税制度と同様に個社単位で申告するため、税務調査も個社単位で実施されることになる。

　そのため、実施調査の対応については、単体納税制度の税務調査の対応と同じイメージでよいだろう※。

　ただし、グループ通算制度では、調査対象の通算法人で修更正の遮断措置が適用される。

　そして、この遮断措置は、グループ調整計算の項目ごとに取扱いが異なるとともに、複雑な取扱いとなっているため、適用初期において、特に、通算子法人で適用する場合には苦労することになるだろう。

　また、通算親法人では、以下のようなグループ通算制度特有の業務負荷が生じることとなる。

[グループ通算制度における税務調査の業務負荷]

- 税務調査の情報収集の内部体制の構築（通算子法人からの調査の開始・結果報告や通算親法人の子法人調査の立合）
- 通算子法人の税務調査の支援（遮断措置の適用など修正申告の支援、実施調査時の支援など）
- 全体再計算の確認と実行
- 通知義務の実行管理（外国税額控除、試験研究費の税額控除）
- 通算税効果額の計算とグループ内の精算の実行（全体再計算や試験研究費の税額控除の遮断措置が適用される場合）

　また、グループ通算制度を採用した場合、税務調査の頻度が増える又は減るということは想定されていない。

　ただし、欠損法人については、単体納税制度の場合、欠損金額が生じているため、税務調査の対象とならないケースも多いが、グループ通算制度では、通算グループ全体で所得金額が生じている場合、欠損法人は損益通算後の所得金額が0となるため、そのような欠損法人に税務調査が入り、

損益通算の遮断措置が適用されると、所得金額がプラスとなり、結果、追徴が行われることとなる。

そのため、単体納税制度と比較して、欠損法人の税務調査が増える可能性がある。

ただし、これが決定的な要因となってグループ通算制度の採用を取りやめる企業はほとんどないだろう。

> ※　グループ通算制度では、修更正について遮断措置が適用されず、全体再計算により全社で修更正を行う場合がある。また、外国税額控除の誤りについては常に全体再計算（但し、当初申告は固定して、進行年度で調整）を行うことになる。そのため、単体納税制度と同様に、各社でバラバラに、また、各社ごとに調査対象年度もバラバラに税務調査が入ると、納税義務者及び当局のいずれも非効率となる状況が生じることが想定される（つまり、業務負荷が増える）。そのため、グループ通算制度の税務調査について、状況によっては、連結納税制度と同じように、各通算法人に同時に税務調査に入るなど、単体納税制度と異なる対応も必要になると思われる。したがって、グループ通算制度の税務調査手続について、国税当局等において今後どのような検討が行われ、どのような方針が示されるか、注目される。

❼ 決算期の統一

通算子法人の決算期が通算親法人と異なる場合、その通算子法人は通算親法人の会計期間で税務申告を行わなければならず、それとは別に、自社の会計期間で会計決算を行うことになる。そのため、年2回の決算作業が必要となり、事務負担が増加する。

そのため、連結納税制度下と同様に、事務負担の観点からは、通算子法人の決算期が通算親法人と異なる場合、グループ通算制度開始日の前日で決算期変更を行い、決算期を統一する方がよい。

一方、外部的な制約（SPCなど金融機関や匿名組合が関係している場合など）により決算期の変更を行えない場合は、グループ通算制度の採用により事務負担が増加することを受け入れるしかない。

この場合、決算期を統一できない通算子法人が多数存在することにより、グループ通算制度を採用できない場合も想定される。

2 グループ通算制度の採否決定の考え方

グループ通算制度のシミュレーションの結果、グループ通算制度が有利となる場合、上記1で紹介した定性的な有利・不利を考慮しながら、グループ通算制度の採用を決定することになる。

実務上、グループ通算制度の採否決定の流れとして、まず、事前に**第3部第1章**で解説した有利・不利を把握することでグループ通算制度の採否の基本方針をある程度決定してからグループ通算制度のシミュレーションを行うことになる。

そのため、グループ通算制度のシミュレーションの結果の受け入れ方は、事前にグループ通算制度を採用するつもりか（その場合、損益通算機能の保持を目的としているのか、あるいは、具体的な節税効果を見込んでいるのか）、あるいは、そもそも最初からグループ通算制度を採用するつもりがないのか、で相違することになる。

例えば次のタイプに分かれる。

［タイプ A］損益通算機能を保持するため、グループ通算制度の採用を検討している

検討時点では具体的な節税効果が見込まれないが、損益通算機能を保持することを目的にグループ通算制度の採用を検討する場合、その採用によって税金コスト及び繰延税金資産の回収可能性について不利益を受けないことを確認するためにシミュレーションを行うことになる。そして、シミュレーションで不利益を受けないことを確認した上で、事務負担やコスト負担が生じても損益通算機能を保持するためにグループ通算制度を採用する、という流れになる。

［タイプ B］具体的な節税効果が見込まれるため、グループ通算制度の採用を検討している

この場合、グループ通算制度を採用するための積極的な理由としてシミュレーションの結果を使うことになる。具体的には、シミュレーションによってグループ通算制度の採用が税金コストの面で明らかに有利であることを確認した上で、グループ通算制度を採用した場合の事務負担やコスト負担が生じてもグループ通算制度を採用すべきである、という流れになる。但し、この場合、グループ通算制度を採用しても繰延税金資産の取崩しが生じないことが前提となる。また、この場合、シミュレーションの結果の使い方として重要な点は、シミュレーションの結果、不利益を受けることが判明した取扱いについて、何らかの対応を検討することができる、ということである。具体的には第3部第4章2で紹介するグループ通算制度の採用時期、加入・離脱・グループ内再編の時期などをシミュレーションの結果を踏まえながら検討することができることになる。

［タイプ C］最初からグループ通算制度を採用するつもりがない

この場合、グループ通算制度を採用しない理由の一つとしてシミュレーションの結果を使うことになる。具体的には、シミュレーションによってグループ通算制度の採用がそれほど有利になるわけではない、特に、5年以内の税金コストがそれほど変わらないということを明確にした上で、あるいは、グループ通算制度の採用によって連結財務諸表において繰延税金資産の取崩しが生じることを明確にした上で、グループ通算制度を採用した場合の事務負担やコスト負担があることを理由にグループ通算制度を採用しないという流れになる。グループ通算制度を採用したくないが、社内でグループ通算制度を採用しない理由を定量的に明確にすることができる点で、グループ通算制度のシミュレーションを行うことが有効になる例である。

　上記の流れをまとめると、次のとおりとなる。

[シミュレーションの結果と採否決定の考え方（フローチャート）]

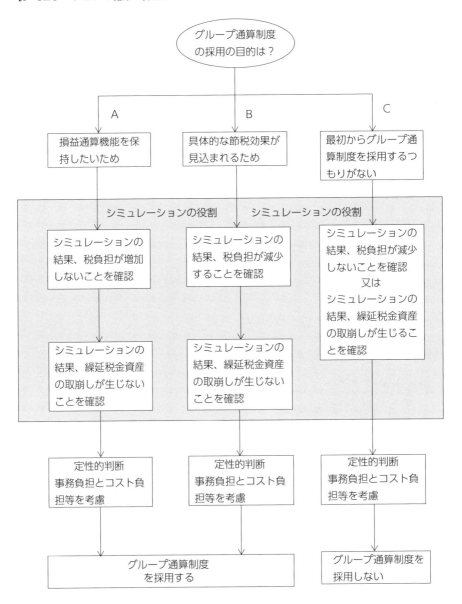

第4章
グループ通算制度導入のタスクとスケジュール

1　グループ通算制度導入のタスクとスケジュール

　グループ通算制度を導入するにあたってのタスクとスケジュールは次のとおりとなる。

[グループ通算制度導入のタスクとスケジュール例（3月決算)]

	申請年度	適用初年度	適用2年度目
	4 5 6 7 8 9 10 11 12 1 2 3	4 5 6 7 8 9 10 11 12 1 2 3	4 5 6 7 8

①シミュレーションと採否の決定	シミュレーションの実施採否の決定／決議
②システム導入（選定とトライアル）	選定／決算システム導入トライアル／申告システム導入トライアル
③承認申請等の手続	法人税／地方税
④申告期限延長の手続	法人税 地方税
⑤監査法人との調整	採否の検討と報告 通算制度ベースの税効果の適用時期と企業分類の確認、決算方針の確認
⑥子会社説明会	報告／通算制度の概要、申請書類の書き方、決算・申告方針（マニュアル・チェックリストを含む）について適宜、説明会・研修会を実施（システム導入は上記②で実施）
⑦決算・申告処理のルールの策定（マニュアル・チェックリスト）	決算処理に関するマニュアル・チェックリストの策定／申告処理に関するマニュアル・チェックリストの策定
⑧時価評価への対応	算定と決算・申告での織り込み
⑨決算（通算制度ベースの税額計算・税効果計算）	
⑩申告書の作成と提出（電子申告）	※単体納税制度では特定法人に該当していない法人について、e-Taxによる申告の特例に係る届出／※／中間申告／本申告
⑪組織再編・M&A	事前検討と実行

項　目	内容及び補足説明
①シミュレーションと採否の決定	□税額のシミュレーションの実施（通算法人の範囲、時価評価除外法人の判定、繰越欠損金・含み損の取扱いの確認、時価評価の影響額の算定、通算制度特有の計算項目（外国税額控除、研究開発税制、受取配当等）の影響度の確認） □繰延税金資産のシミュレーションの実施（企業分類の判定と回収可能額の差異の確認） □シミュレーションにあたっての全通算法人からの決算・申告資料の収集 □定性的情報の考慮（事務負担、人件費・システム等のコスト負担、組織再編・M&Aの影響等） □採否の基本方針の決定 □導入スケジュールの策定 □取締役会決議による採用の最終決定
②システム導入（選定とトライアル）	□システム会社との面談、見積り、デモ画面の確認等（必要な場合、子会社の担当者からも意見交換） □システムの選定 □導入トライアル(直前期の数字によるシステム再現。全通算法人で実施) □決算直前トライアル（本番直前の操作・入力マニュアル・チェックリストの確認。全通算法人で実施） □電子申告への対応（単体納税では電子申告をしていない法人におけるe-Taxの開始届出書、利用者識別番号の取得、電子証明書の取得、添付書類の電子化への対応。なお、通算親法人の電子署名により通算子法人の申告の提出を行うことも可能） □ベンダーごとにシステムのタイプが異なるため、どのシステムを採用するかによってスケジュールも異なる
③承認申請等の手続	□通算親法人の最初に適用を受けようとする事業年度開始日の3か月前の日までに親法人及び子法人の全ての連名で、承認申請書をその親法人の納税地の所轄税務署長を経由して国税庁長官に提出する。承認申請書の様式は、国税庁の特設サイト『グループ通算制度について』（https://www.nta.go.jp/taxes/shiraberu/zeimokubetsu/hojin/group_tsusan/index.htm）で公開されている □地方税の届出は、各地方自治体の条例等で定められることになるため、各地方自治体のホームページで確認をする必要がある
④申告期限延長の手続	□法人税は、最初に適用を受けようとする事業年度終了日の翌日から45日以内に通算親法人が納税地の所轄税務署長に対して、延長申請書を提出する □住民税は、法人税の申告期限の延長の処分に係る事業年度終了日から22日以内に主たる事務所又は事業所所在地の道府県知事に対して、申告期限の延長の処分等の届出書を提出する（提出期限は今後改正の可能性あり）

項　目	内容及び補足説明
④申告期限延長の手続	□事業税は、最初に適用を受けようとする事業年度終了日の翌日から45日以内に主たる事務所所在地の道府県知事に対して申告期限の延長申請書を提出する
⑤監査法人との調整	□通算制度の採否の検討と報告 □通算制度ベースの税効果の適用時期（税法の移行初年度である2022年4月1日以後最初に開始する事業年度から通算制度へ移行する場合、実務対応報告第42号の強制適用又は早期適用のいずれかの時期を選択）、企業分類（通算グループ全体の分類、個別財務諸表、連結財務諸表）、決算方針の確認 □適用初年度の第1四半期の税金費用の処理方針の確認（原則法又は四半期特有の処理等） □システムにおける計算方法と出力帳票の事前説明 □非連結子会社の対応方法
⑥子会社説明会	□採用決定の報告（制度概要の説明を含む） □上記②のシステム導入のキックオフ、研修会・入力会、報告会（マニュアル・チェックリストの説明を含む） □承認申請書・申告期限延長の申請書の書き方・提出方法の説明（親法人で一括して作成、提出する場合は不要） □決算・申告方針の説明会（決算スケジュールを含む。必要に応じて、申告の入力会も実施）
⑦決算・申告処理のルールの策定（マニュアル・チェックリスト）	□税金仕訳、申告調整項目、一時差異項目の統一 □スケジューリングの方法のルール化（スケ可能、長期、不能の区分を含む） □将来課税所得の見積り方法のルール化 □通算税効果額の授受に関する方針の決定 　この点、通算税効果額については授受が任意であり、計算対象、計算方法、精算方法が法令で定められていないため、実務上、通算グループ内の社内規定や契約などで、①通算グループ内で通算税効果額の授受を行うこと、②計算対象（損益通算、欠損金の通算、試験研究費の税額控除）、③計算方法（グループ通算制度に関するQ&A（令和3年6月改訂）問58で示された計算方法など）、④精算方法（通算親会社など一の通算法人を通じて精算する旨と精算時期）などを明文化しておくことが望ましいと言える。 □通算制度の決算・申告方針の決定（決算スケジュールを含む） □通算制度のマニュアルとチェックリストの策定

項　目	内容及び補足説明
⑧時価評価への対応	□時価評価対象法人の最終判定 □時価評価資産と時価評価額の算定 □決算・申告への織り込み
⑨決算（通算制度ベースの税額計算・税効果計算）	□決算における税額計算、税効果計算
⑩申告書の作成と提出（電子申告）	□単体納税制度では特定法人に該当していない法人について、通算制度の承認の効力が生じた場合には、その効力が生じた日から1か月以内に「e-Taxによる申告の特例に係る届出書」を提出しなければならない。 □通算制度の申告書の作成と提出（電子申告） □適用初年度の中間申告を仮決算で行うことによる確定決算に向けたレベルアップ効果 □通算親法人の電子署名により通算子法人の申告を行うことも可能 □ダイレクト納付（e-TAXを利用した納付）により、通算親法人が通算子法人の法人税の納付を行うことも可能（令和4年4月以降に対応を開始することを予定）
⑪組織再編・M&A	□申請年度又は適用初年度において予定される組織再編、M&Aの検討と実行

[単体納税制度からグループ通算制度に移行する場合の申請・届出のチェックリスト（通算親法人用）]

（注1）グループ通算制度に対応した申請書・届出書の様式が公表されていないものもあるのため、提出時に国税庁・地方自治体のホームページから最新のものを入手する。

（注2）申請書・届出書には添付書類が必要なものあるため、提出時に国税庁・地方自治体のホームページで確認し、用意する。

（注3）e-Taxで提出可能な申請書・届出書は、e-TaxのHP「利用可能手続一覧」（https://www.e-tax.nta.go.jp/tetsuzuki/tetsuzuki6.htm）で公開されている。

（注4）eL-Taxで提出可能な申請書・届出書は、eL-TaxのHP「eLTAXで利用可能な手続き」（https://www.eltax.lta.go.jp/eltax/gaiyou/tetuduki/）で公開されている。

（注5）通算親法人の電子署名により通算子法人の申告及び申請、届出等を行う場合の手続については、今後明らかになると思われる。

通算親法人名：
グループ通算制度の適用初年度：

☐「グループ通算制度の承認の申請書」を提出したか？

> 提出期限：
> ※　3か月前の日まで

（解説）

通算親法人の最初に適用を受けようとする事業年度開始日の3か月前の日までに親法人及び子法人の全ての連名で、承認申請書をその親法人の納税地の所轄税務署長を経由して国税庁長官に提出する。

承認申請書の様式は、国税庁の特設サイト『グループ通算制度について』（https://www.nta.go.jp/taxes/shiraberu/zeimokubetsu/hojin/group_tsusan/index.htm）で公開。

☐地方税の「法人税に係るグループ通算制度の承認等の届出書」を提出したか？

> 提出期限：
> ※　今後、各地方自治体の条例等で定められる。現行制度では東京都の場合、
> 　　連結法人となった日から15日以内。

（解説）

グループ通算制度の承認申請の承認があったことに関する地方税の届出については、各地方自治体の条例等で定められることになるため、今後の改正を確認する必要がある（連結納税制度の場合、東京都では『法人税に係る連結納税の承認等の届出書（東京都都税条例規則第32号様式（乙）その3）』を連結法人となった日から15日以内に提出する必要がある）。

☐単体納税制度では特定法人に該当していない法人について、「e-Taxによる申告の特例に係る届出書」を提出したか？

> 提出期限
> ※　開始日から1か月以内

（解説）

特定法人でなかった内国法人について、グループ通算制度の承認の効力が生じた場合には、その効力が生じた日から1か月以内に「e-Taxによる申告の特例に係る届出書」を納税地の所轄税務署長に提出しなければならない（グループ通算制

度移行後の様式はまだ公表されていない。現行の様式は、https://www.nta.go.jp/taxes/tetsuzuki/shinsei/annai/hojin/annai/etax_01.htm）。

特定法人（電子申告の義務化対象法人）とは、次に掲げる法人をいう。

① その事業年度開始の時における資本金の額又は出資金の額が1億円を超える法人

② 通算法人（①に掲げる法人を除く）

③ 保険業法に掲げる相互会社（②に掲げる法人を除く）

④ 投資法人（①に掲げる法人を除く）

⑤ 特定目的会社（①に掲げる法人を除く）

□法人税の「申告期限の延長の特例の申請書」を提出したか？

> 提出期限：
> ※　最初に適用を受けようとする事業年度終了日の翌日から45日以内

（解説）

法人税は、最初に適用を受けようとする事業年度終了日の翌日から45日以内に、通算親法人が納税地の所轄税務署長に対して、延長申請書を提出する（グループ通算制度移行後の様式はまだ公表されていない。現行の様式は、https://www.nta.go.jp/taxes/tetsuzuki/shinsei/annai/hojin/annai/1554_12.htm）。

□住民税の「法人税に係る申告書の提出期限の延長の処分の届出書」を提出したか？

> 提出期限：
> ※　法人税の申告期限の延長の処分に係る事業年度終了日から22日以内。今後、改正の可能性あり。

（解説）

住民税は、法人税の申告期限の延長の処分に係る事業年度終了日から22日以内に、主たる事務所所在地の道府県知事に対して、申告期限の延長の処分の届出書を提出する（提出期限は今後改正される可能性がある。グループ通算制度移行後の様式はまだ公表されていない。現行の東京都の様式は、https://www.tax.metro.tokyo.lg.jp/shomei/houjin/13-2a.pdf。事業税に係る申告書の提出期限の延長の承認申請書と合わせて1枚にまとめている）。

また、通算承認の効力が生ずる前に受けていた法人税の申告期限の延長の処分の失効についても、その失効のあった日の属する事業年度終了の日から22日以内に届出書を提出する必要がある。

□事業税の「申告書の提出期限の延長の承認の申請書」を提出したか？

> 提出期限：
> ※　最初に適用を受けようとする事業年度終了日の翌日から45日以内

（解説）

事業税は、最初に適用を受けようとする事業年度終了日の翌日から45日以内に、主たる事務所所在地の道府県知事に対して申告書の提出期限の延長の承認申請書を提出する（グループ通算制度移行後の様式はまだ公表されていない。現行の東京都の様式は、https://www.tax.metro.tokyo.lg.jp/shomei/houjin/13-2a.pdf。住民税の法人税に係る申告書の提出期限の延長の処分の届出書と合わせて１枚にまとめている）。

□（法人税の電子申告のための利用者識別番号を取得してない場合）「電子申告・納税等開始（変更等）届出書」を提出して利用者識別番号を取得したか？→以後、電子証明書の取得等を行う。

（解説）

e-Tax を利用するためには利用者識別番号（半角16桁の番号）が必要となる。取得する方法は、以下の方法がある(https://www.e-tax.nta.go.jp/hojin.html)。

① 「e-Tax の開始（変更等）届出書作成・提出コーナー」から開始届出書を作成・送信して、利用者識別番号を取得する。

② 書面で利用者識別番号を取得する。

③ 法人設立ワンストップサービスから利用者識別番号を取得する。

④ 税理士に依頼し、利用者識別番号を取得する。

※ 既に利用者識別番号を取得されている法人が、再度、開始届出書を提出した場合、これまで e-Tax で提出した申告等の内容を確認することができなくなる。関与税理士がいる法人は、関与税理士から開始届出書が提出されていないことを確認する必要がある。

□（地方税について電子申告を行う場合で、利用者 ID を取得してない場合）eLTAXの HP の PCdesk（WEB 版）から利用届出（新規）を行い、利用者 ID を取得したか？→以後、電子証明書の取得等を行う。

（解説）

グループ通算制度の適用法人には法人税の電子申告義務が課されるが、住民税、事業税、消費税は、法人ごとに資本金が１億円超の場合に電子申告義務が課される。したがって、資本金が１億円以下の通算法人については、地方税について電子申告を行うか選択可能となる。

［単体納税制度からグループ通算制度に移行する場合の申請・届出のチェックリスト（通算子法人用）］

（注1）グループ通算制度に対応した申請書・届出書の様式が公表されていないものもあるため、提出時に国税庁・地方自治体のホームページから最新のものを入手する。

（注2）申請書・届出書には添付書類が必要なものあるため、提出時に国税庁・地方自治体のホームページで確認し、用意する。

（注3）e-Tax で提出可能な申請書・届出書は、e-Tax の HP「利用可能手続一覧」（https://www.e-tax.nta.go.jp/tetsuzuki/tetsuzuki6.htm）で公開されている。

（注4）eL-Tax で提出可能な申請書・届出書は、eL-Tax の HP「eLTAX で利用可能な手続き」（https://www.eltax.lta.go.jp/eltax/gaiyou/tetuduki/）で公開されている。

（注5）通算親法人の電子署名により通算子法人の申告及び申請、届出等を行う場合の手続については、今後明らかになると思われる。

通算子法人名：
グループ通算制度の適用初年度：

□地方税の「法人税に係るグループ通算制度の承認等の届出書」を提出したか？

> 提出期限：
> ※　今後、各地方自治体の条例等で定められる。現行制度では東京都の場合、連結法人となった日から15日以内。

（解説）
グループ通算制度の承認申請の承認があったことに関する地方税の届出については、各地方自治体の条例等で定められることになるため、今後の改正を確認する必要がある（連結納税制度の場合、東京都では『法人税に係る連結納税の承認等の届出書（東京都都税条例規則第32号様式（乙）その3）』を連結法人となった日から15日以内に提出する必要がある）。

□単体納税制度では特定法人に該当していない法人について、「e-Tax による申告の特例に係る届出書」を提出したか？

> 提出期限
> ※　開始日から1か月以内

（解説）

特定法人でなかった内国法人について、グループ通算制度の承認の効力が生じた
場合には、その効力が生じた日から1か月以内に「e-Taxによる申告の特例に係
る届出書」を納税地の所轄税務署長に提出しなければならない（グループ通算制
度移行後の様式はまだ公表されていない。現行の様式は、https://www.nta.go.
jp/taxes/tetsuzuki/shinsei/annai/hojin/annai/etax_01.htm）。

特定法人（電子申告の義務化対象法人）とは、次に掲げる法人をいう。

① その事業年度開始の時における資本金の額又は出資金の額が1億円を超える
  法人
② 通算法人（①に掲げる法人を除く）
③ 保険業法に掲げる相互会社（②に掲げる法人を除く）
④ 投資法人（①に掲げる法人を除く）
⑤ 特定目的会社（①に掲げる法人を除く）

□住民税の「法人税に係る申告書の提出期限の延長の処分の届出書」を提出したか？

> 提出期限：
> ※ 法人税の申告期限の延長の処分に係る事業年度終了日から22日以内。今後、
>   改正の可能性あり。

（解説）

グループ通算制度では、法人税の申告期限の延長の申請は通算親法人が行い、通
算親法人に延長処分があった場合、通算子法人についても申告期限が延長された
ものとみなされる。

そして、住民税は、法人税の申告期限の延長の処分に係る事業年度終了日から22
日以内に、主たる事務所所在地の道府県知事に対して、申告期限の延長の処分の
届出書を提出する（提出期限は今後改正される可能性がある。グループ通算制度
移行後の様式はまだ公表されていない。現行の東京都の様式は、https://www.
tax.metro.tokyo.lg.jp/shomei/houjin/13-2a.pdf。事業税に係る申告書の提
出期限の延長の承認申請書と合わせて1枚にまとめている）。

また、通算承認の効力が生ずる前に受けていた法人税の申告期限の延長の処分の
失効についても、その失効のあった日の属する事業年度終了の日から22日以内に
届出書を提出する必要がある。

□事業税の「申告書の提出期限の延長の承認の申請書」を提出したか？

> 提出期限：
> ※　最初に適用を受けようとする事業年度終了日の翌日から45日以内

（解説）

事業税は、最初に適用を受けようとする事業年度終了日の翌日から45日以内に、主たる事務所所在地の道府県知事に対して申告期限の延長の承認申請書を提出する（グループ通算制度移行後の様式はまだ公表されていない。現行の東京都の様式は、https://www.tax.metro.tokyo.lg.jp/shomei/houjin/13-2a.pdf。住民税の法人税に係る申告書の提出期限の延長の処分の届出書と合わせて1枚にまとめている）。

□（法人税の電子申告のための利用者識別番号を取得してない場合）「電子申告・納税等開始（変更等）届出書」を提出して利用者識別番号を取得したか？→以後、電子証明書の取得等を行う。

（解説）

e-Tax を利用するためには利用者識別番号（半角16桁の番号）が必要となる。

取得する方法は、以下の方法がある（https://www.e-tax.nta.go.jp/hojin.html）。

① 「e-Tax の開始（変更等）届出書作成・提出コーナー」から開始届出書を作成・送信して、利用者識別番号を取得する。

② 書面で利用者識別番号を取得する。

③ 法人設立ワンストップサービスから利用者識別番号を取得する。

④ 税理士に依頼し、利用者識別番号を取得する。

※ 既に利用者識別番号を取得されている法人が、再度、開始届出書を提出した場合、これまで e-Tax で提出した申告等の内容を確認することができなくなる。関与税理士がいる法人は、関与税理士から開始届出書が提出されていないことを確認する必要がある。

□（地方税について電子申告を行う場合で、利用者ID を取得してない場合）eLTAX の HP の PCdesk（WEB 版）から利用届出（新規）を行い、利用者ID を取得したか？→以後、電子証明書の取得等を行う。

（解説）

グループ通算制度の適用法人には法人税の電子申告義務が課されるが、住民税、事業税、消費税は、法人ごとに資本金が1億円超の場合に電子申告義務が課される。したがって、資本金が1億円以下の通算法人については、地方税について電子申告を行うか選択可能となる。

連結納税の承認の申請書（初葉）

※ 整理番号

※連結グループ整理番号

（親）

3通提出（添付書類含む）

税務署受付印

令和　年　月　日

連結予定法人（申請法人）

連結親法人となる法人

納税地	〒　　電話（　　）　　−
（フリガナ）　法人名	
法人番号	
（フリガナ）　代表者氏名	
事業種目	業
資本金又は出資金の額	円
主要株主等の状況	付表1（連結親法人となる法人の主要株主等の状況）のとおり

税務署長経由

国税庁長官　　殿

連結子法人となる法人	申請書（次葉）のとおり（子法人数　法人）

法人税法第4条の2の規定に基づき、連結親法人となる法人の事業年度を（自令和　年　月　日　至令和　年　月　日）最初の連結事業年度とし、当該法人を納税義務者として、法人税を納めることの承認を受けたいので、同法第4条の3第1項の規定により申請します。

※　承認を受けようとする事業年度（自）が令和4年4月1日以降の場合には、所得税法等の一部を改正する法律（令和2年法律第8号）附則第15条第1項の規定により、通算承認の申請として取り扱われます。

1　連結親法人となる法人が、法人税法第4条の5第1項の規定により承認の取消しの処分又は同条第3項の取りやめの承認を受けたことがある法人である場合には、当該取消しの処分の日又は当該承認を受けた日
平成・令和　年　月　日

2　上記1の処分の日等における法人名及び納税地（本店又は主たる事務所の所在地を含む。）

法人名_____　納税地_____

3　連結親法人となる法人の帳簿組織の状況

帳簿書類の名称							
□ 仕　訳　帳	□ 売掛金元帳	□ 売上伝票	□ 契　約　書
□ 現金出納帳	□ 買掛金元帳	□ 仕入伝票	□ 納品書
□ 売　上　帳	□ 棚　卸　表	□ 振替伝票	□ 請　求　書
□ 仕　入　帳	□ 貸借対照表	□ 見　積　書	□ 領　収　書
□ 総勘定元帳	□ 損益計算書	□ 注　文　書	□（　　　　）

帳票形態		記帳時期	

4　設立事業年度等の承認申請特例の適用を受ける旨の記載事項

次の規定の適用を受ける場合には、□に✓印を付すとともに、該当する事項を記載してください。
□　法人税法第4条の3第6項（連結親法人となる法人の設立事業年度等が連結申請特例年度である場合の申請期限）の規定の適用を受けたいので、その旨を記載した本書類を提出します。

連結親法人となる法人の設立の日　　令和　年　月　日

5　添付書類

1　出資関係図

2　グループ一覧

税理士署名_____

（規格A4）

※税務署処理欄	部門	決算期	業種番号	番号	入力	備考	通信日付印	年 月 日	確認

03.06改正

246　第3部　単体法人の「グループ通算制度」採用の有利・不利とシミュレーションと実務対応

「連結納税の承認の申請書」の記載要領(1)

　この申請書(初葉及び次葉)は、法人税法第4条の3の規定に基づく連結納税の承認の申請(所得税法等の一部を改正する法律(令和2年法律第8号)(以下「令和2年改正法」といいます。)附則第15条第1項の規定により、令和2年改正法による改正後の法人税法第64条の9第2項の通算承認の申請とみなされるものを含みます。)を行う場合に使用してください。

　なお、連結納税の承認を受けた場合、令和4年4月1日以後最初に開始する事業年度開始の日において令和2年改正法附則第29条第1項の規定により、同日以後の事業年度はグループ通算制度が適用されます。

1　提出期限等

(1)　原則(法人税法第4条の3第1項)

　この申請書は、連結納税を適用しようとする事業年度開始の日の3月前の日までに、当該連結親法人(通算承認を受けようとする場合には、通算親法人。以下同じです。)となる法人の納税地の所轄税務署長を経由して国税庁長官に3通提出してください。

　なお、連結親法人となる法人は申請書(初葉)を、当該申請書提出日における連結子法人(通算承認を受けようとする場合には、通算子法人。以下同じです。)となる法人は申請書(次葉)を使用し、これらの法人の全ての連名で提出してください。

　(注)　下記の設立事業年度等の承認申請特例の適用を受ける場合(連結納税を適用しようとする事業年度開始の時より前に申請書を提出する場合を除く。)には、連結納税を適用しようとする事業年度開始の時かつ申請時において連結親法人となる法人による完全支配関係がある全ての連結子法人となる法人を記載してください。この場合、当該事業年度開始の時後、連結子法人となる法人が連結親法人となる法人との間に当該連結親法人となる法人による完全支配関係を有することとなったときには「完全支配関係を有することとなった旨等を記載した書類」を申請書を提出した日以後遅滞なく提出する必要があります。

(2)　設立事業年度等の承認申請特例(法人税法第4条の3第6項)

　連結納税を適用しようとする事業年度が次の事業年度(連結申請特例年度)に該当するときには、次に掲げる日までに提出することができます。

　この場合、申請書(初葉)の「4　設立事業年度等の承認申請特例の適用を受ける旨の記載事項」欄に所要の事項を記載してください。

イ　連結親法人の設立事業年度‥‥‥設立事業年度開始の日から1月を経過する日と設立事業年度終了の日から2月前の日とのいずれか早い日

ロ　連結親法人の設立事業年度の翌事業年度‥‥‥設立事業年度終了の日と翌事業年度終了の日から2月前の日とのいずれか早い日

(3)　通算承認の申請(連結納税の承認の申請に関する経過措置(令和2年改正法附則第15条第1項))

　令和4年4月1日前にされた上記(1)の申請で、同日までに連結納税の承認(法人税法第4条の2)又は却下(法人税法第4条の3第2項)の処分がされていないものは、通算承認とみなされます。

　(注)　連結親法人となる内国法人の連結申請特例年度が令和4年4月1日前に開始した事業年度である場合におけるその内国法人及び他の内国法人(時価評価法人及び関連法人を除きます。)、他の内国法人の連結親法人との間に完全支配関係を有することとなった日(加入時期の特例の適用を受ける場合には、同日の属する月次決算期間の末日の翌日)が同月1日前に開始した連結親法人事業年度の期間内の日である場合における当該他の内国法人並びに他の内国法人(時価評価法人及び関連法人を除きます。)の親法人との間に完全支配関係を有することとなった日(加入時期の特例の適用を受ける場合には、同日の属する月次決算期間の末日の翌日)が同月1日前に開始した連結申請特例年度の期間内の日である場合における当該他の内国法人に対する連結納税の承認については、上記(3)にかかわらず、それぞれ従来どおり適用されます(令和2年改正法附則第15条第2項)

2　添付書類

申請書の提出に当たっては、次の書類を各3通添付してください。

(1)　出資関係図(連結子法人となる法人に対する持株割合を記載した出資関係図)

(2)　グループ一覧(連結親法人となる法人及び全ての連結子法人となる法人等を記載した一覧表)

(注)申請書(次葉)の裏面の記載要領(2)の「5　添付書類の作成例」を参考にしてください。

3　各欄の記載要領

(1)　連結親法人となる法人の法人名等は、申請書(初葉)に記載し、連結子法人となる法人の法人名等は当該連結子法人となる法人ごとに申請書(次葉)に記載してください。

(2)　申請書(初葉)の「主要株主等の状況」欄は、必要事項を「付表1(連結親法人となる法人の主要株主等の状況)」に記載して申請書(初葉)に添付し、申請書(次葉)の「発行済株式等の状況」欄は、必要事項を「付表2(発行済株式等の状況)」に記載して申請書(次葉)に添付してください。

(3)　「3　連結親法人となる法人の帳簿組織の状況」欄及び「9　連結子法人となる法人の帳簿組織の状況」欄には、備付け・保存している帳簿書類が該当する□にレ印を付してください。

　また、仕訳帳、総勘定元帳などの主な帳票について、「帳簿形態」には「帳簿記載」、「伝票会計利用」、「コンピュータ利用」のように記載し、「記帳時期」欄には「毎日」、「1週間ごと」、「10日ごと」のように記載してください。

(4)　「5　添付書類」欄は、この申請書に添付した書類の番号を○で囲んでください。

(5)　「税理士署名」欄は、この申請書を税理士又は税理士法人が作成した場合に、その税理士等が署名してください。

(6)　「※」欄は、記載しないでください。

247

4 留意事項

次の事項に該当する場合には申請が却下されることがありますので留意してください。

(1) 連結予定法人（連結親法人となる法人及び連結子法人となる法人）又は通算予定法人（通算親法人となる法人及び通算子法人となる法人）のいずれかがその申請を行っていないこと。

(2) 申請法人に連結予定法人又は通算予定法人以外の法人が含まれていること。

(3) 連結所得金額若しくは連結欠損金額又は所得金額若しくは欠損金額及び法人税の額の計算が適正に行われ難いと認められること。

(4) 連結事業年度又はグループ通算制度の適用を受けようとする事業年度において、帳簿書類の備付け、記録又は保存が法人税法第4条の4第1項若しくは法人税法第126条第1項又は電子計算機を使用して作成する国税関係帳簿書類の保存方法等の特例に関する法律第4条各項、第5条各項若しくは第10条のいずれかに規定する財務省令で定めるところに従って行われることが見込まれること。

(5) 法人税法第4条の5第1項の規定により承認の取消し又は同条第3項の取りやめの承認を受けた日以後5年以内に申請書を提出していること。

(6) 備え付ける帳簿書類に取引の全部又は一部を隠蔽し、又は仮装して記載し、又は記録していることその他不実の記載又は記録があると認められる相当の理由があること（通算承認の申請とみなされる場合のみ）。

(7) 法人税の負担を不当に減少させる結果となると認められること。

連結納税の承認の申請書（次葉）

※整理番号 〔　　　　　〕　　　子

連結子法人となる法人	納 税 地	〒 電話（　　　）　　－	※税務署処理欄	署　　名	
	（フリガナ）			部　　門	
	法 人 名			決 算 期	
	法 人 番 号	｜　｜　｜　｜　｜　｜　｜　｜　｜　｜			
	（フリガナ）			業種番号	
	代表者氏名			入　　力	
	事 業 種 目	業			
	資本金又は 出資金の額	円		備　　考	
	発行済株式 等の状況	付表2（発行済株式等の状況）のとおり			

6　連結子法人となる法人が、法人税法第4条の5第1項又は第2項第5号の規定により承認の取消しの処分又は同条第3項の取りやめの承認を受けたことがある法人である場合には、当該取消しの処分の日又は当該承認を受けた日

平成・令和　　　年　　　月　　　日

7　上記6の処分の日等における法人名及び納税地（本店又は主たる事務所の所在地を含む。）

法人名＿＿＿＿＿＿＿＿＿＿　納税地＿＿＿＿＿＿＿＿＿＿

8　法人税法第4条の3第9項の規定に基づく法人の区分等

　　申請書（初葉）の「4　設立事業年度等の承認申請特例の適用を受ける旨の記載事項」に記載した場合で、法人税法第4条の3第9項に規定する時価評価法人又は時価評価法人が発行済株式又は出資を直接又は間接に保有する連結子法人となる法人（以下「関連法人」といいます。）のいずれかに該当するときは、該当する□にレ印を付すとともに、連結子法人となる法人に係る連結納税の承認の効力が生じる期間（以下「連結子法人適用開始年度」といいます。）を記載してください。

法 人 の 区 分 ：　□　時価評価法人　　□　関連法人

連結子法人適用開始年度 ：　自 令和　　年　　月　　日　至 令和　　年　　月　　日

9　連結子法人となる法人の帳簿組織の状況

帳名簿書類の称			
□ 仕 訳 帳	□ 売掛金元帳	□ 売 上 伝 票	□ 契 約 書
□ 現金出納帳	□ 買掛金元帳	□ 仕 入 伝 票	□ 納 品 書
□ 売 上 帳	□ 棚 卸 表	□ 振 替 伝 票	□ 請 求 書
□ 仕 入 帳	□ 貸借対照表	□ 見 積 書	□ 領 収 書
□ 総勘定元帳	□ 損益計算書	□ 注 文 書	□（　　　　）
帳票形態		記帳時期	

（規格A4）

03.06改正

「連結納税の承認の申請書」の記載要領（2）

5　添付書類の作成例

(1)　出資関係図

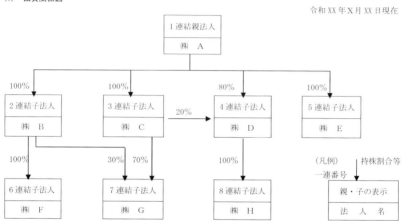

（注）　申請書に記載した全ての法人を記載してください。

(2)　グループ一覧

令和 XX 年 X 月 XX 日現在

一連番号	所轄税務署名	法人名	納税地	代表者氏名	事業種目	資本金等（千円）	決算期	備考
1	麹町	㈱A	千代田区大手町1-3-3	a	鉄鋼	314,158,750	3.31	
2	仙台北	㈱B	仙台市青葉区本町3-3-1	b	機械修理	34,150,000	6.30	

（注）　1　一連番号は、上記(1)出資関係図の一連番号に合わせて付番してください。
　　　　2　持株割合が100％であるが、法人税法第4条の2又は同第4条の3第2項の規定により、申請法人にならないものがある場合には、「一連番号」欄に「対象外」と表示して、法人名等を記載してください。
　　　　　また、対象外となった理由を「備考」欄に、「取消有」等と簡記してください。

6　その他事項

　　平成30年改正前の法人税法施行令第14条の7第4項若しくは法人税法施行令第14条の7第3項又は同令第14条の9第2項の規定により、連結子法人となる法人が、連結親法人又は連結親法人となる法人との間に当該連結親法人又は当該連結親法人となる法人による完全支配関係を有することとなった場合など、連結子法人となる法人に異動が生じた場合には「完全支配関係を有することとなった旨等を記載した書類」又は「連結完全支配関係等を有しなくなった旨を記載した書類」を提出してください。

付表1 （連結親法人となる法人の主要株主等の状況） 　親

	連結親法人となる法人の法人名	

連結親法人となる法人の発行済株式の総数又は出資の総額	

連結親法人となる法人の主要株主等の株式数等

氏 名 又 は 名 称	住 所 又 は 所 在 地	保有株式数又は出資金額	発行済株式の総数又は出資の総額に対する保有株式数又は出資金額の割合
			%

（規格A4）

18.04 改正

「付表1（連結親法人となる法人の主要株主等の状況）」の記載要領

　この付表1（連結親法人となる法人の主要株主等の状況）は連結親法人（通算承認を受けようとする場合には、通算親法人。以下同じです。）となる法人の法人税法施行規則第8条の3の3第1項第3号に規定する申請時における主要な株主等の氏名等及び保有株式数等の事項を記載する場合に使用してください。

　なお、「連結親法人となる法人の主要株主等の株式数等」欄は、発行済株式の総数又は出資の総額に対する保有株式数又は出資金額の多い上位10株主等に係る氏名等を記載してください。

　（注）　この付表1は、「連結納税の承認の申請書（初葉）」に添付してください。

付表2（発行済株式等の状況）

| | 連結子法人となる
法人の法人名 | | 子 |

連 結 子 法 人 と な る 法 人 の 発 行 済 株 式 の 総 数 又 は 出 資 の 総 額	1		
連 結 子 法 人 と な る 法 人 が 有 す る 自 己 の 株 式 数 又 は 出 資 金 額	2		
(1) － (2)	3		

法人税法施行令第 14条の6第2項に より読み替えられ た第4条の2第2 項に規定する 株式の状況	従 業 員 持 株 会 が 有 す る 株 式 数	4		
	法人の役員又は使用人が、ストックオプション によって取得した連結子法人となる法人の 株 式 を 有 す る 場 合 の 当 該 株 式 数	5		
	（ 4 ）及 び（ 5 ）の 株 式 数 の 合 計	6		
	発行済株式の総数（自己が有する自己　　（6） の株式数を除く）のうちに占める割合　　（3）	7	%
（3）－（6）（※　7の割合が5%未満の場合に限る）		8		

連結子法人となる法人の株式又は出資を保有する法人の名称等

法　　人　　名	区　分	保有株式数 又は出資金額	発行済株式の総数又は出資 の総額に対する保有株式数 又は出資金額の割合	出資関係図に おける一連番号
9	10	11	12 ((11)／(8))	13
			%	

（規格A4）

22.06 改正

「付表2（発行済株式等の状況）」の記載要領

1　この付表2（発行済株式等の状況）は、連結子法人（通算承認を受けようとする場合には、通算子法人。以下同じです。）となる法人について次に掲げる区分により発行済株式の総数、自己の株式数、従業員持株会が有する株式数等の事項を記載する場合に使用してください。

(1)　法人税法施行規則第8条の3の3第1項第4号に規定する連結子法人となる法人の申請時における発行済株式の総数等を記載し、「連結納税の承認の申請書（次葉）」又は「連結納税の承認の申請書を提出した旨の届出書」に添付してください。

(2)　同条第3項第3号に規定する完全支配関係を有することとなった日における連結子法人となる法人の発行済株式の総数等を記載し、「完全支配関係を有することとなった旨等を記載した書類」に添付してください。

2　各欄の記載要領

(1)　「4　従業員持株会が有する株式数」欄は、法人税法施行令第14条の6第2項により読み替えられた第4条の2第2項第1号に規定する株式数を記載してください。

(2)　「5　法人の役員又は使用人が、ストックオプションによって取得した連結子法人となる法人の株式を有する場合の当該株式数」欄は、法人税法施行令第14条の6第2項により読み替えられた第4条の2第2項第2号に規定する株式数を記載してください。

(3)　「10　区分」欄は、連結子法人となる法人の株式又は出資を保有する法人が連結親法人（通算承認を受けようとする場合には、通算親法人）となる法人又は連結子法人となる法人のいずれに該当するかにより「親法人」又は「子法人」と記載してください。

(4)　「13　出資関係図における一連番号」欄は、「連結納税の承認の申請書」又は「連結納税の承認の申請書を提出した旨の届出書」の添付書類「出資関係図」に付した一連番号を記載してください。

当社通算グループの通算税効果額の精算規定（例）

（目的）
第1条　この規程は、当社を通算法人とするグループ通算制度（以下「当社グループ通算制度」という）の適用法人における通算税効果額の計算と精算について定めることを目的とする。

（適用範囲）
第2条　この規程は、当社及び当社の各事業年度に係る法人税及び地方税の確定申告書において当社グループ通算制度が適用される通算法人に該当する会社（以下、当社を含めて「当社グループ通算制度が適用される通算法人」という）に適用される。

（定義）
第3条　この規程において通算税効果額とは、法人税法第64条の5で定める損益通算の規定又は同法第64条の7で定める欠損金の通算の規定その他通算法人及び通算法人であった法人のみに適用される規定を適用することにより減少する法人税及び地方法人税の額に相当する金額として通算法人（通算法人であった法人を含む）と他の通算法人（通算法人であった法人を含む）との間で授受される金額をいう。
　　2　前項以外の用語については、法人税法の定めに従う。

（授受を行う旨）
第4条　当社グループ通算制度が適用される通算法人において通算税効果額の授受を行うものとする。
　　2　法人税及び地方法人税の中間申告に係る通算税効果額については精算を行わないものとする。
　　3　当社グループ通算制度が適用された通算法人において法人税又は地方法人税に係る修正申告があった場合又は更正処分があった場合の通算税効果額の精算については別途定めるものとする。

（計算対象）
第5条　前条第1項の通算税効果額は、次の規定を適用することによる通算税効果額とする。
　　（1）　法人税法第64条の5で定める損益通算の規定
　　（2）　法人税法第64条の7で定める欠損金の通算の規定
　　（3）　租税特別措置法第42条の4で定める試験研究を行った場合の法人税額の特別控除の規定

（計算方法）
第6条　第4条第1項の通算税効果額は当社グループ通算制度が適用される通算法人ごとに次のとおり計算する。

（1）　法人税法第64条の５で定める損益通算の規定

通算対象欠損金額又は通算対象所得金額に法人税率を乗じて算出された金額（地方法人税相当額を含む）を通算税効果額とする。

（2）　法人税法第64条の７で定める欠損金の通算の規定

被配賦欠損金控除額又は配賦欠損金控除額に法人税率を乗じて算出された金額（地方法人税相当額を含む）を通算税効果額とする。

（3）　租税特別措置法第42条の４で定める試験研究を行った場合の法人税額の特別控除の規定

当社グループ通算制度が適用される各通算法人の税額控除額の合計額を当該各通算法人の試験研究費の額の比で按分して算出された金額と当該各通算法人の税額控除額との差額（地方法人税相当額を含む）に基づいて通算税効果額を算出する。

2　当社グループ通算制度が適用される各通算法人は、各事業年度に係る法人税及び地方税の確定申告書に係る明細書において前項で計算された金額を通算税効果額として記載することとする。

（通知）

第７条　前条第１項の通算税効果額の計算は通算親法人が行うものとし、金額の確定後、通算親法人は当社グループ通算制度が適用される通算子法人に対して速やかに通知するものとする。

（精算方法）

第８条　当社グループ通算制度が適用される通算子法人では、自社に係る通算税効果額について、通算親法人を通じて精算するものとする。また、通算親法人に係る通算税効果額の精算は行わない。

（精算時期）

第９条　当社グループ通算制度が適用される通算法人のうち通算税効果額を支払う通算子法人は、自社に係る通算税効果額を当該通算税効果額に係る法人税及び地方税の確定申告書の提出期限までに通算親法人に支払うものとする。

2　通算親法人は、当社グループ通算制度が適用される通算法人のうち通算税効果額を受領する通算子法人に対して、当該通算子法人に係る通算税効果額を当該通算子法人の当該通算税効果額に係る法人税及び地方税の確定申告書の提出期限までに支払うものとする。

（承認）

第10条　この規程は、当社グループ通算制度が適用される各通算法人の取締役会において承認されることによって、当社グループ通算制度が適用される通算法人全社で効力が生じるものとする。

2　この規程とは別に必要がある場合、当社及び通算親法人又は通算子法人との間で、この規程に基づき覚書を交わすものとする。

（所管）
第11条　この規程の所管は、通算親法人の財務経理部とする。

（改廃）
第12条　この規程の改廃は、通算親法人の「規程管理規程」によるものとする。
　　2　この規程の改廃があった場合、当社グループ通算制度が適用される各通算法人の取締役会において承認されることによって、当社グループ通算制度が適用される通算法人全社で効力が生じるものとする。

附則

（施行）
1　この規程は、2022年4月1日から施行する。

2　グループ通算制度を導入するにあたっての検討事項

　グループ通算制度を導入するにあたって次に掲げる事項を検討する必要がある。

検討事項1　グループ通算制度開始の時期の再検討

　本来は、来期からグループ通算制度を開始しようと考えていた場合であっても、開始時の制限が課される通算法人について、再来期にグループ通算制度を開始することで、50％超のグループ化から5年を経過することになり、5年前の日からの支配関係継続要件を満たすことになるため、繰越欠損金の切捨てや含み損の損金算入制限を回避することができるかもしれない。

　その場合、再来期にグループ通算制度を開始する場合のシミュレーションも実施し、繰越欠損金の期限切れを考慮しながら、本当に来期がいいのか、もう1年待つ方がいいのかを検討する必要がある。

[グループ通算制度開始の時期の再検討]

① 来期に開始するケース

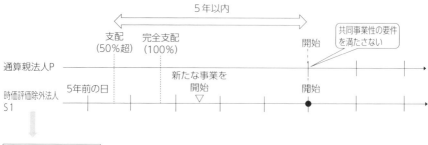

② 開始を1年遅らせるケース

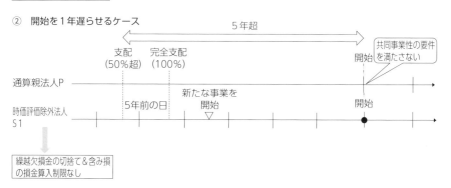

検討事項2　グループ通算制度のシステムの選定

　WEBで「連結納税制度／システム」と検索すれば、連結納税制度のシステムを提供している会社の情報が出てくる。

　現状、筆者が認識している限りでは、連結納税制度のシステムを提供している会社は4社であり、どのシステムもそれぞれ質が高く、仕組み、利用形態、帳票、税効果の取扱い、コストなど各社ごとに特徴がある。

　今後、グループ通算制度が適用開始される令和4年4月1日に向けて、各システム会社では、連結納税制度対応のシステムからグループ通算制度

対応のシステムへリプレイスをすることになる。

そして、グループ通算制度のシステムについては、それぞれ次のようなポイントを考慮して選定する必要がある。

- 操作性が高いか（使いやすいか）
- スピードが速いか（決算時にスピーディーに修正・出力等ができるのか）
- 決算の早期化（遅延化の防止）に役立つか
- 帳票が見やすいか（特に税効果の帳票など）
- 最新の別表に常に対応しているか（改訂版が出るスピードは早いか）
- 電子申告に対応しているか（添付書類や地方税も含めて電子申告がスムーズに行えるか）
- 地方税の均等割、税率が自動的に記載されるか
- ヘルプデスクなどのフォロー体制が充実しているか
- 修正申告について損益通算等の遮断措置や外国税額控除の当初申告固定措置に対応できているか（各年度のデータの引き継ぎなども含む）

また、グループ通算制度に対応した新しいシステムの提供時期はシステム会社ごとに異なることが予想されるため、トライアル等の準備期間を十分に確保するためにも、その提供時期を確認しておく必要がある※。

※　この点、例えば、3月決算の通算親法人が令和4年4月1日に開始する事業年度からグループ通算制度を適用する場合で、通算親法人が令和4年6月30日に決算期変更をした場合、令和4年4月1日から令和4年6月30日までの期間の事業年度にグループ通算制度が適用されることになる。そして、そのタイミングでグループ通算制度の申告システムが提供されていない場合、直接、e-TAXで作成（入力）するしかなく、多数の通算法人がある通算グループでは申告書の作成が事実上困難になることが予想される。したがって、3月決算の通算親法人が令和4年4月1日に開始する事業年度からグループ通算制度を適用する場合、その適用初年度については、決算期変更をしない方が賢明だろう。

これらのポイントについて、

- 通算法人の数が多いか少ないか
- 通算子法人の申告は各社で行っているか、あるいは、通算親法人（担当者）が通算子法人の申告書も一括して作成しているか

など自社の状況を考慮して、もちろん、コストも考えて、最終的にシステムの選定を行っていくことになる（システムの機能？×自社の状況？×コスト？のバランス）。

また、グループ通算制度の場合、操作するのは通算子法人の経理担当者や顧問税理士でもあるため、その点も考慮して決定する必要がある。

そのため、通算子法人の経理担当者や顧問税理士にも使ってもらい、その意見を参考にシステムの選定を行う会社もある。

しかし、個人的には、操作性（使いやすさ）や帳票の見やすさなどは、使う人の主観によって判断されることが多いため、最終的には通算親法人が最も信頼できるシステムを使用することをお勧めする。

そして、通算親法人が最も信頼できるシステムを選定するために、グループ通算制度の採否決定をする前から、直接、システム会社にコンタクトを取り、複数のシステムについて情報を収集し、比較検討することがよいであろう。

また、グループ通算制度の経験を多く積んでいる税理士などの専門家に話を聞くことも有効である。

いずれにせよ、直接聞いて、使ってみる、ことが必須である。

なお、本書では、グループ通算制度のシステムがどのようなものであるかをイメージできるように、株式会社 TKC に、自社のグループ通算制度のシステムの概要と特徴について解説してもらうことにした（以下、株式会社 TKC 作成）。

はじめに、連結納税制度を採用検討・採用した企業の声を聞くと実務上の課題は大きく３つに分けられる（TKC開催のセミナーアンケート1,174社の集計結果に基づく）。

① 業務量の増加

　理由１：グループ全体の管理、運営が必要となる。

　理由２：全体でのスケジュール管理が必要となる。

　理由３：グループ全体の計算、チェックが必要となる。

　理由４：提出書類の増加

② 子法人担当者の教育

　理由１：子法人の担当者レベルに合わせたフォローが必要となる。

　理由２：子法人が容易に利用できるシステムが必要となる。

③ 決算スケジュールの圧迫

　理由１：グループ全体の税額・税効果計算が算出できる仕組みが必要となる。

　理由２：期限内のグループ全体のチェックが必要となる。

　これらの課題を解決するため、連結納税制度を採用されている企業の概ね７割程度が何らかのシステムを導入し、業務を効率化している（国税庁発表資料等からのTKC独自調査に基づく統計）。

　なお、グループ通算制度においても、実務上の課題は連結納税制度と大きく変わらないと考えられる。

　そこで、2021年８月現在900グループ11,000社（連結納税システムを導入している企業グループのうち約70％超（TKC調べ））が利用する連結納税システムを提供する株式会社TKCは、グループ通算制度に対応したシステム導入によって前述した課題はどのように解決するのか、またグループ通算制度特有の論点にどのように対応するのか、画面イメージ等ととも

にその特長を紹介したい。

　なお、株式会社 TKC のグループ通算制度に対応したシステム内容は、2021年9月時点に予定を含め情報をまとめたものである。このため、当該情報に基づいて被ったいかなる損害について、一切責任を負うものではなく、また記載内容は予告なく変更される場合があるので予めご留意いただきたい。

[グループ通算申告システム（仮称）5つの特長（オプションシステム含む)]
① 最新の税法・実務指針に完全準拠
② 国内唯一の税額・税効果計算システム
③ 決算から電子申告・電子納税まで一気通貫
④ 完全クラウド型システム
⑤ 専門家による安心のサポート体制

① **最新の税法・実務指針に完全準拠**

グループ通算申告システム（仮称）

法人税申告書、地方税申告書、地方税納付書、事業概況書の作成及び電子申告

❶ **最新税制に対応したシステム提供**
40年間、毎年6月に最新の税制改正に対応して、税務システムを継続提供している実績がある。

❷ **完全自動転記と豊富な対応別表**
1）複雑な別表転記などを自動化、精度の高い申告書作成業務を支援する。
2）法人税と地方税を完全連動、法人税・地方税申告書作成時の入力間違いや漏れ等防止する。

❸ **データ入力サポート**
1）ワーキングシート形式を採用、申告書作成に不慣れな担当者であっても必要最低限のデータ入力で申告書作成を可能とする。
2）入力時・計算時のエキスパートチェック機能により、手戻りを減少・精度の高いデータを担保する。
3）豊富な明細データのCSV読込機能により、有価証券・減価償却・外国税額控除・事業所・外形標準など、データ入力を効率化する。
4）子法人がグループ通算制度に特有の判断をしなくても良いよう、様々な要素をマスター化、経理担当者の理解度による業務品質のばらつきを軽減する。

❹ **グループ全体計算処理に適したクラウド処理**
1）クラウド方式を採用、データ送受信の自動制御・進捗の一覧管理など、グループ管理業務を軽減する。
2）最新の地方税率を地方税率マスターへ更新、地方税率のメンテナンス作業を効率化する。
3）外国税額控除の修更正の進行年度対応として、過年度の書類添付を自動作成・自動添付により申告書作成業務負荷を軽減する。

【システム処理フロー（イメージ）（※2021年9月時点）】

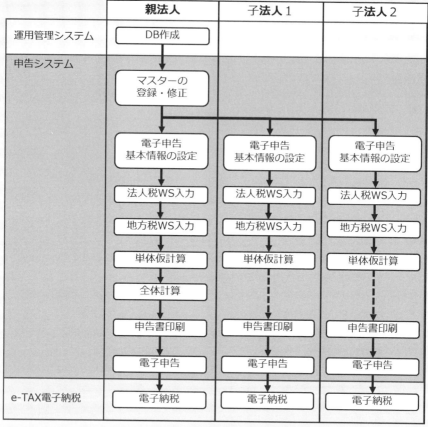

※画面は開発中

　なお、グループ通算申告システム（仮称）のメイン画面は、業務プロセスがメニュー化されている。上から下へと順に処理フローに沿って進めるため、申告作業に不慣れな担当者であっても、直感的に作業を進めることが可能になっている。また、インターフェイスは親法人と子法人で同一で、子法人担当者へフォローしやすいのも特長である。

【エキスパートチェック（税法論理チェック）機能】
（例）別表6の2（1）の所得税額が収入金額の15.315%ではない値を入力した場合

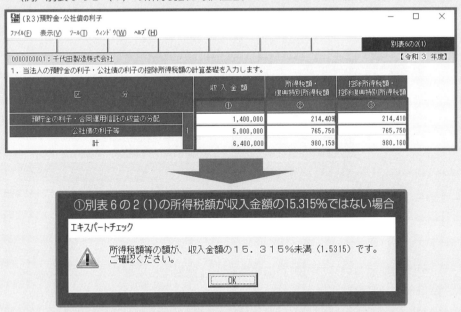

　データ入力・計算処理時に税法上の論理チェック、関連するデータとの相互チェックを行い、入力ミスを防止する。エキスパートチェック機能はシステム全体で400種類以上用意されている。また、入力項目に「解説ボタン」を用意し、入力項目ごとに税法解説を確認できる機能がある。

【地方税率マスター】

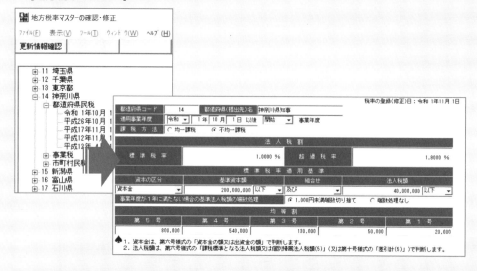

　全国の都道府県及び市町村の事業税・住民税の税率情報を保持する地方税率マスター機能を搭載している。システムログイン時に最新の税率が自動ダウンロードされる。当該機能により、各自治体の税率のチェック漏れ等のリスク排除・チェック時間削減が見込める。また、修正申告時は該当年度の税率が自動で適用される。

② 国内唯一の税額・税効果計算システム

税効果会計システム（eTaxEffect）

❶ 決算早期化を支援する計算機能
　税金引当計算から税効果計算（回収可能性の判断等）をワンクリックで完了する。

❷ 直観的でわかりやすい入力画面
　入力画面はスプレッドシートに近いイメージのため、スプレッドシートと同じ感覚で入力が可能である。

❸ 正確な税額・税効果計算
  毎年の税制改正による計算ロジックのメンテナンス・検証作業をシステムが担保する。
❹ 監査対応資料や注記・税効果仕訳まで自動作成
  計算過程・税率差異の注記など監査対応資料や税額・税効果仕訳を自動作成する。
❺ グループ通算制度シミュレーション（※2021年11月提供予定）
  単体・連結納税・グループ通算制度の計算ロジックを保持、1つの入力データに対して簡単な計算ロジックの切り替えでシミュレーションが可能になる。

【一時差異とスケジューリング入力画面】直感的に入力可能なインターフェイス

コード 一時差異名	内訳 摘要	前期決算時残高 前期末繰延税金	前期申告時残高 前期申告時発生額	当期減少額	当期増加額	当期決算時残高
(019) 一括償却資産損金算		1,200,000 368,880	1,200,000 0	600,000	1,500,000	2,100,000
(022) 退職給与引当金繰入		**5,813,286,880 1,780,268,443**	**5,813,286,880 0**	**100,000,000**	**900,000,000**	**6,613,286,880**
(078) 未払法定福利費		95,000,000 29,317,000	95,000,000 0	95,000,000	95,000,000	95,000,000
(027) 棚卸評価損否認額		5,000,000 1,543,000	5,000,000 0	5,000,000	0	0
(040) 未払事業税等		232,818,900 71,847,913	232,818,900 0	232,818,900	219,580,500	219,580,500

☐ 解消年度が長期にわたる将来減算一時差異に該当する
期末残高の解消予定額 ｜ 将来の発生予定額及びその解消予定

事業年度	解消予定額
翌期(R3. 3)連	190,000,000
2期後(R4. 3)連	190,000,000
3期後(R5. 3)連	190,000,000
4期後(R6. 3)連	190,000,000
5期後(R7. 3)連	190,000,000
6期後(R8. 3)連	190,000,000
7期後(R9. 3)連	190,000,000
8期後(R10. 3)連	190,000,000
9期後(R11. 3)連	190,000,000
10期後(R12. 3)連	0
11期後以降	4,903,286,880
解消時期不明	0

【注記・仕訳確認画面】入力データに基づいて注記・仕訳を自動作成

法定実効税率と税効果会計適用後の法人税等の負担率との差異の内訳（財務諸表等規則第8条の12①二） 計算式(PDF)

行	項目名	金額	税額	構成比
1	税引前当期純利益	949,714,567		
2	法定実効税率を適用して計算した法人税等		290,802,600	30.62
3	交際費等の損金不算入額	350,151,000	107,216,236	11.29
4	寄附金の損金不算入額	42,887,025	13,132,007	1.38
5	役員給与の損金不算入	41,000,000	12,554,200	1.32
6	【永久差異加算項目合計】	434,038,025	132,902,443	13.99
7	受取配当等の益金不算入額	-13,952,123	-4,272,140	-0.45
8	【永久差異減算項目合計】	-13,952,123	-4,272,140	-0.45
9	住民税均等割		12,200,000	1.28
10	外国子会社からの配当等の源泉税等		5,850,000	0.62
11	【税効果会計対象外の税金合計】		18,050,000	1.90
12	事業税等の課税標準の差異		-6,500,151	-0.68
13	雇用者増加・給与引上げ・設備投資の税額控除		-91,915,244	-9.68
14	法人税の特別控除による地方法人税の減少額		-4,044,271	-0.43
15	前期の実効税率と当期の税負担率との差異（繰延税金）		10,420,814	1.10
16	当期の実効税率と当期の税負担率との差異（繰延税金）		2	0.00
17	評価性引当額の増減額		165,348,000	17.41
18	特定外国子会社等に係る外国税額控除による法人税等増減額		-1,609,477	-0.17
19	前期末法人税等引当余裕額の取崩額		-112,400	-0.01
20	実効税率と税額計算用税率による実効税率との差異		89,581	0.01
21	法人税等で計上した損金算入の租税公課に係る税額		106,255	0.01
22	その他		-43,931,387	-4.63
23	税効果会計適用後の法人税等		465,334,625	49.00

行	コード	借方勘定科目名	コード	貸方勘定科目名	金額	摘要
1		法人税、住民税及び事業税		未払法人税等	87,999,200	法人税納付額の未払計上
2		法人税、住民税及び事業税		未払法人税等	9,324,000	地方法人税納付額の未払計上
3		法人税、住民税及び事業税		未払法人税等	56,407,600	住民税納付額の未払計上
4		法人税、住民税及び事業税		未払法人税等	10,450,700	事業税（所得割）納付額の未払
5		法人税、住民税及び事業税		未払法人税等	38,247,400	地方法人特別税（所得割）納付
6		租税公課		未払法人税等	172,354,800	事業税（付加価値割・資本割）
7		法人税等調整額		繰延税金資産（流動）	1,135,973,003	繰延税金資産の取崩し
8		繰延税金資産（固定）		法人税等調整額	1,143,785,174	繰延税金資産の計上
9		繰延税金負債（固定）		法人税等調整額	965,804	繰延税金負債の取崩し
10		その他有価証券評価差額金		繰延税金負債（固定）	122,480,000	繰延税金負債（その他有価証券

【グループ通算制度シミュレーション】計算ロジックを切り替え

※以下は、連結納税の場合の例。グループ通算制度においても区分等の変更＋計算の簡単なオペレーション。

第3部　単体法人の「グループ通算制度」採用の有利・不利とシミュレーションと実務対応

③ 決算から電子申告・電子納税まで一気通貫

❶ グループ通算申告システム（仮称）は、国税・地方税の電子申告から電子納税を支援。
　1）グループ通算制度に対応した法人税・地方税申告書作成及び電子申告
　2）消費税申告書作成及び電子申告
　3）税務に関する申請書・届出書の作成及び電子申請
　4）国税・地方税の電子納税

❷ 決算・単体納税・税務申請届出、固定資産など豊富なシステム間連携
　1）税効果会計システム（eTaxEffect）
　2）法人電子申告システム（ASP1000R）
　3）税務申請・届出クラウド
　4）e-TAX 電子納税
　5）固定資産管理システム（FAManager）

❸ 申告書と添付書類（財務諸表・科目内訳書等）を簡単に一括電子申告
　1）TKCシステムで法人電子申告約60万社の電子申告を支援した実績（2021年度）がある。
　2）e-Tax・PCdesk は不要、クリックで電子申告が完了する。
　　電子申告に必要な機能をすべて搭載、システムごとの履歴管理・ID 管理・バージョン管理・問合せ先といった煩雑さを解消する。
　3）電子申告送信前にデータチェック、禁止文字等を一覧で確認する帳票を出力する。
　　電子申告データ作成時にエラー一覧を作成、データ修正の手戻りを大幅に減少する。※e-Tax・PCdesk はエラーを 1 つずつ解消
　4）添付書類（財務諸表・勘定科目内訳明細書等）をどこよりも簡単に電子申告する。
・独自にスプレッドシートで作成した財務諸表を簡単に取り込み、AI を利用して科目自動紐づけする。
・勘定科目内訳の TKC 専用フォーム（エクセル）をご用意し、エクセルを一括取込み。

【TKCグループソリューション】

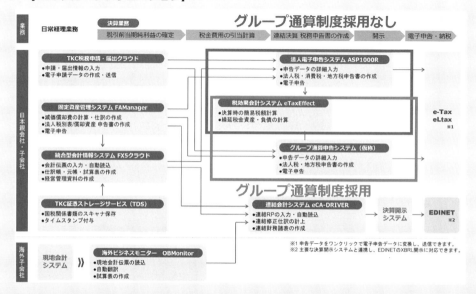

【電子申告送信前チェックリスト】

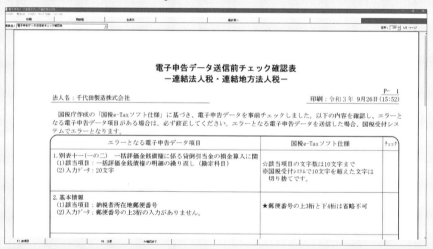

国税（e-Tax）・地方税（eLTAX）にはそれぞれ電子申告の際、使用できない文字がある。例えば、国税であれば［No.］や［℡］など、地方税であれば［㈱］や［㈲］などがこれに該当する。このような使用できない文字が申告書に含まれていた場合、電子データ変換時に事前チェックを行い、該当箇所を指摘する。また、㈱→［(株)］への変換など、利用出来る文字へ自動変換するため、送信後にエラーとならないような仕組みとなっている。

【電子申告義務化対応も簡単】勘定科目を AI を用いて e-Tax 科目へ自動変換

行	読み込んだ科目(F5)	金　額　（円）	電子申告時の科目(e-Tax科目への対応付け)	☑
1	資産の部		資産の部	－
2	流動資産		流動資産	－
3	現金及び預金	17,185,000,000	現金及び預金	－
4	売掛金	5,542,000,000	売掛金	－
5	リース投資資産	269,000,000	リース投資資産	－
6	商品	125,000,000	商品	－
7	仕掛品	243,000,000	仕掛品	－
8	原材料及び貯蔵品	110,000,000	原材料及び貯蔵品	－
9	前払費用	328,000,000	前払費用	－
10	未収入金	145,000,000	未収入金	－
11	繰延税金資産	1,890,000,000	繰延税金資産	－
12	その他の流動資産	414,000,000 ○	その他の流動資産	－
13	貸倒引当金	-31,000,000	(△)貸倒引当金（一括）	－
14	流動資産合計	26,225,000,000	流動資産合計	－
15	固定資産		固定資産	－
16	有形固定資産		有形固定資産	－
17	建物	5,905,000,000	建物	

読込レイアウト等のパターン　001　前期決算書に基づき設計　保存日時　2021/03/25 11:06:28
読込レイアウトの指定　電子申告時に使用する科目の指定(e-Tax科目への対応付け)
⊙ 資産の部　○ 負債／純資産の部　　　【読込設定】ボタンで、減算科目の読込方法、△の扱い等を設定します。

0 件 ：確認が必要な科目　　0 件 ：確認が完了した科目(☑)　　○：貴社の科目（読み込んだ科目）で電子申告
確認が必要な科目（背景色赤）を選択すると、確認が必要な理由をここに表示します。

| F1 前項目 | | | F4入力終了 | F5科目コード | | F7 左タブ | | F10処理メニュー |

④　完全クラウド型システム

TKC インターネットサービスセンター（TISC）でデータ保管する。

❶　複数担当者による同時入力
　１）担当者ごと担当企業の設定、シェアード処理等に適した運用が可能となる。
　２）同一会社で別表種類ごと複数担当者の同時（分散）入力が可能となる。

❷ ファイル管理やデータ保管不要
  1）サーバや専用端末等の管理・運用から解放する。
  2）国税通則法に基づく期間、インターネットサービスセンター（TISC）で安全に保管する。
❸ 親子間のデータやりとり不要
  1）データやファイルのやりとりを自動化、ファイル管理や送受信等の煩雑な手間を軽減する。
  2）履歴管理や最新ファイルの取り違え等のリスクを排除する。
❹ 子法人の進捗状況をリアルタイムで確認
  1）子法人担当者の申告書作成の進捗状況を一覧表示、積極的な子法人支援を可能にする。
  2）データが変更・修正できない他社閲覧機能により、問い合わせ対応など子法人担当者の入力画面を共有（閲覧）しサポート可能にする。

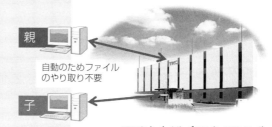

【ご参考】スプレットシートでグループ全体計算等する場合の課題

・親法人・子法人の双方でデータ保管・履歴管理作業が発生する。
・万が一、PCの故障などによるデータ破損の危険がある。
・複数担当者による同時入力ができない。
・親子間でデータやりとりの際、ファイルを取り違えるリスクがある。
・最新の数値の確認は、全担当者がシートを更新した後になる。
・シートを自由に修正できるため、全体のスケジュール管理が煩雑になる。
・1社のミスが全社へ波及してスケジュールが遅延するリスクがある。
・古いデータを申告してしまうリスクがある。

⑤ **専門家による安心のサポート体制**

① 豊富な導入実績に基づいた導入・運用支援体制
　1）連結納税システム導入約900グループ11,000で培ったグループでの税務業務に関するノウハウをご提供する。
　2）法人電子申告処理60万社で培った電子申告対応のノウハウをご提供する。
② 専門家（税理士・公認会計士）による継続的なサポート
　システム導入時の体制構築支援からシステム運用時（稼働後）まで継続して税制改正解説など支援を実施する。
③ 子法人担当者へ充実したサポートを提供
　大企業の税務に精通した1500名のTKC会員（税理士・公認会計士）が、親会社並びに子会社のシステム利用を全国規模でサポートする。

　専門家（税理士・公認会計士）が専属のシステム・コンサルタントとしてシステム導入から次年度以降のシステム運用まで継続して専任でサポートするようになっている。また、必要に応じて新任担当者への操作研修会や全子法人を集めての本番入力会などによる個別支援も可能である。

【支援サービス一覧】

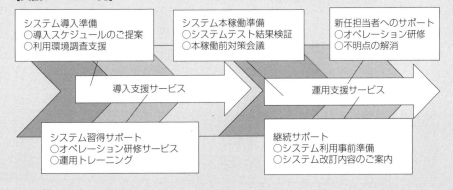

| 検討事項3 | 通算子法人の加入・離脱の時期の検討 |

　グループ通算制度の採否を検討すると同時に、他の法人の完全子法人化や100%子法人の株式譲渡を検討している場合、グループ通算制度の開始前又は開始後のいずれで完全子法人化又は株式譲渡を行うかによって税務上の取扱いが異なる場合がある。

　そのため、意図せざる不利益を受けないためにも、いずれの選択肢がよいのか検討する必要がある。

　具体的には次のような考え方となる（それぞれの制度の詳細については、第3部第1章第1節を参照してほしい）。

　なお、下記については、税金の減少のみを目的とした加入と離脱を取り扱うものではない。税金の減少のみを目的として加入又は離脱（あるいは両方）を行う行為は、包括的な租税回避防止規定（法人税法第132条、132条の2、132条の3）に抵触する可能性があることに留意する必要がある。

1．加入の時期の有利・不利

　グループ通算制度を開始する前後において、通算法人が他の法人を完全子法人化する予定がある場合、開始前に完全子法人化した場合は、当該他の法人は開始時の通算子法人として開始に伴う制限規定が適用され、開始後に完全子法人化した場合は、当該他の法人は加入法人として加入に伴う制限規定が適用されることになる。

　この場合、それぞれの選択肢の税務上の取扱いをシミュレーションする必要があるが、通算子法人の完全子法人化（加入）の時期と税務上の取扱いの適用関係は次のとおりとなる。

[通算子法人の加入の時期と税務上の取扱いの適用関係]

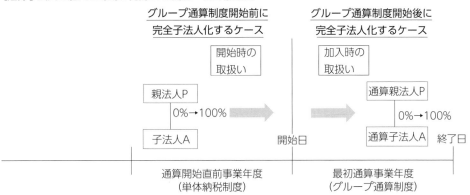

完全子法人化(加入)の時期	開始前	開始後
時価評価 また、時価評価対象法人に該当する場合、繰越欠損金が全額切り捨てられる。	通算親法人との間に完全支配関係の継続が見込まれる通算子法人であれば、時価評価除外法人となる。	以下のいずれかに該当する場合、時価評価除外法人に該当する。 ①通算グループ内の新設法人 ②適格株式交換等により加入した株式交換等完全子法人 ③50％超のグループ法人を完全子法人化する場合で完全支配関係継続要件、従業者継続要件、主要事業継続要件を満たす法人 ④グループ外の法人を完全子法人化する場合で共同事業要件を満たす法人
時価評価除外法人の繰越欠損金の切捨て又は特定資産譲渡等損失額の損金算入制限	以下のいずれかを満たす場合、制限は生じない。 ①5年前の日又は設立日からの支配関係継続要件 ②共同事業性の要件 仮に、①②の両方を満たさない場合でも新たな事業を開始したときに該当しなければ制限は生じない。	同左 なお、上記④の時価評価除外法人に該当する法人については共同事業性の要件を満たす。

この場合、まず、時価評価除外法人の判定について、開始時については完全支配関係の継続が見込まれれば時価評価除外法人に該当し、加入時については、通算グループ内の新設法人及び適格株式交換等による株式交換等完全子法人以外は、適格組織再編成と同様の要件を満たせば時価評価除外法人に該当する。

　次に、時価評価除外法人の繰越欠損金の切捨て又は特定資産譲渡等損失額の損金算入制限について、開始時又は加入時いずれも5年前の日又は設立日からの支配関係継続要件又は共同事業性の要件のいずれかを満たせば制限は課されず、仮に両要件とも満たさない場合であっても新たな事業を開始したときに該当しなければ制限は課されない（なお、グループ外の法人を完全子法人化する場合には時価評価除外法人に該当すれば共同事業性の要件を満たすことになる）。

　そのため、完全子法人化（加入）の時期について、基本的に有利・不利が生じないケースが多いだろうが、加入時の時価評価除外法人に該当しないケースについては有利・不利が生じる。

　例えば、グループ外の法人について、開始前に完全子法人する場合であれば、開始時に時価評価除外法人に該当し、新たな事業を開始したときに該当しなければ制限は生じないが、開始後に完全子法人化する場合、加入時に共同事業要件を満たさずに時価評価対象法人となり、時価評価と繰越欠損金の切捨てが生じるケースがある。

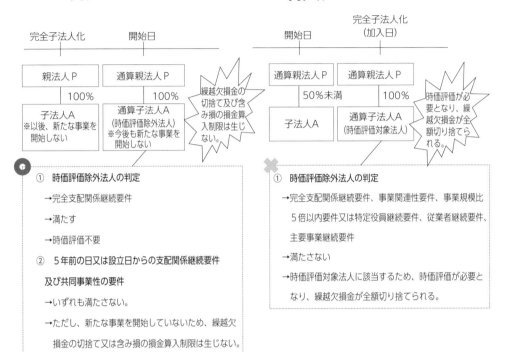

　なお、支配関係がある法人について、開始前に完全子法人化する場合と開始後に完全子法人化する場合、5年前の日又は設立日からの支配関係継続要件又は共同事業性の要件について、開始時と加入時の要件の定義は同じであるが、開始時と加入時では、通算承認日の5年前の日が異なるし、また、通算前事業（関連事業）の範囲が必ずしも一致しない。そのため、それぞれのケースで要件を満たすか確認をする必要がある。

2．離脱の時期の有利・不利

　グループ通算制度を開始する前後において、通算法人が通算子法人の株式を通算グループ外に譲渡する予定がある場合、開始前に譲渡する場合は開始・離脱時の取扱いは適用されないが、開始後に譲渡する場合は開始・離脱時の取扱いが適用されることになる。

　この場合、それぞれの選択肢の税務上の取扱いをシミュレーションする必要があるが、通算子法人の株式譲渡（離脱）の時期と税務上の取扱いの適用関係は次のとおりとなる。

[通算子法人の離脱の時期と税務上の取扱いの適用関係]

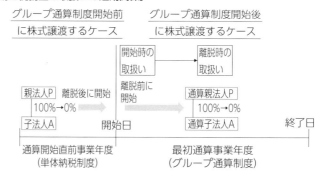

株式譲渡（離脱）の時期		開始前	開始から2か月以内	開始から2か月を経過した日以後
開始時の取扱い	開始時の時価評価	適用されない	適用されない 完全支配関係が継続する見込みがないため、時価評価対象法人に該当するが、開始日以後2か月以内、かつ、最初通算事業年度終了日までに通算グループ外に離脱するため、時価評価は行われない。	適用される ●完全支配関係が継続する見込みがないため、時価評価対象法人に該当し、時価評価が行われる。 ●株主である通算法人において離脱見込み法人株式の時価評価が行われる。

278　第3部　単体法人の「グループ通算制度」採用の有利・不利とシミュレーションと実務対応

開始時の取扱い	開始前の繰越欠損金の切捨て	適用されない	適用されない 最初通算事業年度終了日までに通算グループ外に離脱するため、繰越欠損金は切り捨てられない。	適用されない 最初通算事業年度終了日までに通算グループ外に離脱するため、繰越欠損金は切り捨てられない。
	特定資産譲渡等損失額の損金算入制限	適用されない	適用されない 時価評価対象法人に該当するため、特定資産譲渡等損失額の損金算入制限は課されない。	適用されない 時価評価対象法人に該当するため、特定資産譲渡等損失額の損金算入制限は課されない。
離脱時の取扱い	離脱時の時価評価	適用されない	適用されない 開始日以後2か月以内、かつ、最初通算事業年度終了日までに通算グループ外に離脱するため、離脱時の時価評価は適用されない。	評価要件に該当すれば適用される 但し、開始時に時価評価をしているため、基本的に評価損益は生じない。
	投資簿価修正	適用されない	適用されない 開始日以後2か月以内、かつ、最初通算事業年度終了日までに通算グループ外に離脱するため、投資簿価修正は適用されない。	適用される

　上記より、グループ通算制度の開始前に株式を譲渡する場合と開始後2か月以内に株式を譲渡する場合は、開始・離脱時の取扱いが適用されないため、この2つの選択肢について税負担に差異は生じない。

　そのため、開始から2か月を経過した日以後に株式を譲渡する場合に有利・不利が生じることになる。

この場合、まず、離脱法人において、開始時の保有資産の時価評価が適用されることによって税負担が増減し、次に、離脱法人の株式を有する通算法人において、開始時の離脱見込み法人株式の時価評価と離脱時の投資簿価修正が適用されることによって税負担が増減することになる。

　例えば、次のようなケースでは、グループ通算制度開始前に株式を譲渡する場合と比較して税負担に差異が生じることになる。

[グループ通算制度開始前又は開始後に株式を譲渡する場合の有利・不利（含み益がある場合）]

[グループ通算制度開始前に株式を譲渡するケース]

※1　土地は売却する見込みはない。
※2　時価は簿価純資産価額に土地の含み益（税効果相当額30％控除後）を加算した金額とする。

[グループ通算制度開始から2か月を経過した日以後に株式を譲渡するケース]

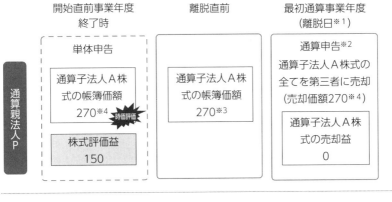

※1 離脱日(売却日)はグループ通算制度開始日以後2か月を経過した日以後とする。
※2 通算親法人Pには他の通算子法人が存在するため、グループ通算制度が継続する。
※3 通算子法人Aの簿価純資産価額に帳簿価額を修正する。なお、離脱時の時価評価の適用事由には該当しないものとする。
※4 時価が簿価純資産価額と一致するものとする。

[グループ通算制度開始前又は開始後に株式を譲渡する場合の有利・不利（含み損がある場合）]

[グループ通算制度開始前に株式を譲渡するケース]

※1　土地は売却する見込みはない。
※2　時価は簿価純資産価額に土地の含み損を減算した金額とする。

[グループ通算制度開始から2か月を経過した日以後に株式を譲渡するケース]

※1 離脱日（売却日）はグループ通算制度開始日以後2か月を経過した日以後とする。
※2 通算親法人Pには他の通算子法人が存在するため、グループ通算制度が継続する。
※3 通算子法人Aの簿価純資産価額に帳簿価額を修正する。なお、離脱時の時価評価の適用事由には該当しないものとする。
※4 時価が簿価純資産価額と一致するものとする。

| 検討事項4 | 通算グループ内の組織再編の時期の検討 |

グループ通算制度の採否を検討すると同時に、通算グループ内の組織再編又は通算子法人の残余財産の確定を検討している場合、グループ通算制度の開始前又は開始後のいずれで組織再編又は残余財産の確定を行うかによって税務上の取扱いが異なる場合がある。

そのため、意図せざる不利益を受けないためにも、いずれの選択肢がよいのか検討する必要がある。

具体的には次のような考え方となる。

ここで、「組織再編」とは、合併（通算親法人を被合併法人とするものを除く）、分割、現物出資、現物分配を対象としており、「適格合併等」とは、適格合併、適格分割、適格現物出資、適格現物分配をいい、「合併法人等」とは、合併法人、分割承継法人、被現物出資法人、被現物分配法人をいい、「被合併法人等」とは、被合併法人、分割法人、現物出資法人、現物分配法人をいう。

なお、下記については、税金の減少のみを目的とした組織再編成又は残余財産の確定を取り扱うものではない。税金の減少のみを目的として組織再編成又は残余財産の確定を行う行為は、包括的な租税回避防止規定（法人税法第132条、132条の2、132条の3）に抵触する可能性があることに留意する必要がある。

1. 通算グループ内の組織再編の時期の有利・不利

グループ通算制度の開始前又は開始後のいずれで通算グループ内の組織再編を行うかについては、それぞれの選択肢の税務上の取扱いをシミュレーションする必要があるが、通算グループ内の組織再編の時期と税務上の取扱いの適用関係は次のとおりとなる。

284　第3部　単体法人の「グループ通算制度」採用の有利・不利とシミュレーションと実務対応

[通算グループ内の組織再編の時期と税務上の取扱いの適用関係]

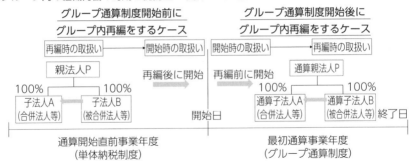

通算グループ内の組織再編の時期		開始前	開始後
再編時の取扱い	適格判定	●通常の組織再編税制の取扱いとなる。以下、適格合併等に該当するものとする。	●グループ通算制度を適用している場合も取扱いは同じとなる。以下、適格合併等に該当するものとする。
	繰越欠損金の利用制限	●通常の組織再編税制の取扱いとなる。	以下、合併法人等、被合併法人等ともに、時価評価除外法人に該当するものとする。 ●被合併法人が時価評価除外法人に該当する場合、通算法人間の適格合併において、被合併法人の開始前の繰越欠損金で持ち込めたもの（最終事業年度の残額）[1]は合併法人となる通算法人において特定欠損金として引き継がれる（法法57②、64の7②二）。この場合、通算法人間の適格合併では、被合併法人の繰越欠損金の引継制限の規定は適用されない（法令112の2⑥）。 ●通算法人間の適格合併等において合併法人等の繰越欠損金に利用制限は生じない（法法57④、法令112の2⑦）。 ●被合併法人である通算子法人の合併日の前日の属する事業年度（合併日が通算親法人の事業年度開始日である場合を除く）において生じた欠損金額は、合併法人である通算法人の合併日の属する事業年度において損金の額に算入される（法法64の8、法令131の10②）。なお、その欠損金額のうち損益通算の対象外となる欠損金額（制限対象額）がある場合は、合併法人である通算法人の通算前欠損金額のうち制限対象額に達するまでの金額は合併法人である通算法人でも損益通算の対象外とする（法法64の6④）。

再編時の取扱い	特定資産譲渡等損失額の損金算入制限	●通常の組織再編税制の取扱いとなる。 ●組織再編税制の特定資産譲渡等損失額の損金算入制限が適用された後にグループ通算制度の特定資産譲渡等損失額の損金算入制限が適用される場合、組織再編税制の特定引継資産に係る特定資産譲渡等損失額とグループ通算制度の特定資産譲渡等損失額について損金算入制限が課されることになる（法法62の7⑦）。	●グループ通算制度を適用している場合も取扱いは同じとなる。 ●グループ通算制度の特定資産譲渡等損失額の損金算入制限が適用された後に組織再編税制の特定資産譲渡等損失額の損金算入制限が適用される場合、グループ通算制度の特定資産譲渡等損失額の損金算入制限の適用は終了する（法法64の14⑤）。
	株主の税務	●通常の組織再編税制の取扱いとなる。	●グループ通算制度を適用している場合も取扱いは同じとなる。
開始時の取扱い	時価評価（時価評価除外法人の判定）	●適格合併等後の合併法人等又は被合併法人等である通算法人について完全支配関係継続要件を判定する。	●適格合併等前の個社ごとに完全支配関係継続要件を判定する。 ●この場合、通算承認の効力が生じた後にその通算子法人を被合併法人とする通算グループ内適格合併（通算親法人又は通算親法人による完全支配関係が継続することが見込まれている他の通算子法人を合併法人とするものに限る）が見込まれている場合には、その通算承認の効力が生じた時からその適格合併の直前の時まで完全支配関係が継続することが見込まれている場合が要件となる（法法64の11①、法令131の15④）。
	開始前の繰越欠損金の切捨て	以下、合併法人等又は被合併法人等である通算法人は時価評価除外法人に該当するものとする。 ●適格合併等後の合併法人等又は被合併法人等である通算法人について「5年前の日又は設立日からの支配関係継続要件」「共同事業性の要件」「新たな事業の未開始要件」を判定する。 ●開始前に適格合併等を行うため、「設立日からの支配関係継続要件」について、新設法人の除外規定※2の適用対象となる場合がある。 ●開始前に適格合併等を行うため、切捨て対象となる特定資産譲渡等損失相当額について、開始前の適格合併等（みなし共同事業要件を満たさないもの）で被合併法人等から引き継いだ資産のうち被合併法人等が支配関係発生日の属する事業年度開始日前から有していた資産（みなし特定資産）は特定資産に該当するものとして計算する（法令112の2⑤、112⑥）。 ●開始前に適格合併等を行うため、切捨て対象となる特定資産譲渡等損失相当額について、	以下、合併法人等、被合併法人等ともに、時価評価除外法人に該当するものとする。 ●適格合併等前の個社ごとに「5年前の日又は設立日からの支配関係継続要件」「共同事業性の要件」「新たな事業の未開始要件」を判定する。 ●その後の適格合併等によって、合併法人等に被合併法人等から合併法人等が既に行っている事業とは異なる事業が移転する場合、合併法人等である通算法人において「新たな事業を開始した場合」に該当することになる。

開始時の取扱い	開始前の繰越欠損金の切捨て	●開始前の適格合併（みなし共同事業要件を満たさないもの）で被合併法人等から引き継いだ繰越欠損金のうち被合併法人等の特定資産譲渡等損失相当欠損金額を加算して計算する（法令112の2⑤、112⑥⑦⑧）。 ●開始前の適格合併等によって、合併法人等に被合併法人等から合併法人等が既に行っている事業とは異なる事業が移転する場合、合併法人等である通算法人において「新たな事業を開始した場合」に該当することになる。	
	特定資産譲渡等損失額の損金算入制限	●適格合併等後の合併法人等又は被合併法人等である通算法人について「5年前の日又は設立日からの支配関係継続要件」「共同事業性の要件」「新たな事業の未開始要件」を判定する。 ●開始前に適格合併等を行うため、「設立日からの支配関係継続要件」について、新設法人の除外規定[※2]の適用対象となる場合がある。 ●開始前に適格合併等を行うため、開始前の適格合併等（みなし共同事業要件を満たさないもの）で被合併法人等から引き継いだ資産のうち被合併法人等が支配関係発生日の属する事業年度開始日前から有していた資産（特定移転資産）は特定資産とみなされる（法令131の19③、123の8③）。 ●開始前の適格合併等によって、合併法人等に被合併法人等から合併法人等が既に行っている事業とは異なる事業が移転する場合、合併法人等である通算法人において「新たな事業を開始した場合」に該当することになる。 ●組織再編税制の特定資産譲渡等損失額の損金算入制限が適用された後にグループ通算制度の特定資産譲渡等損失額の損金算入制限が適用される場合、組織再編税制の特定引継資産に係る特定資産譲渡等損失額とグループ通算制度の特定資産譲渡等損失額について損金算入制限が課される（法法62の7⑦）。	●適格合併等前の個社ごとに「5年前の日又は設立日からの支配関係継続要件」「共同事業性の要件」「新たな事業の未開始要件」を判定する。 ●その後の適格合併等によって、合併法人等に被合併法人等から合併法人等が既に行っている事業とは異なる事業が移転する場合、合併法人等である通算法人において「新たな事業を開始した場合」に該当することになる。 ●グループ通算制度の特定資産譲渡等損失額の損金算入制限が適用された後に組織再編税制の特定資産譲渡等損失額の損金算入制限が適用される場合、グループ通算制度の特定資産譲渡等損失額の損金算入制限の適用は終了する（法法64の14⑤）。

※1　つまり、新たな事業を開始した場合に該当し、グループ通算制度に持ち込めなかった繰越欠損金は合併法人に引き継げない（法法57②⑧）。なお、合併日が最初通算事業年度開始日となる場合、被合併法人の最終事業年度は最初通算事業年度開始日の前日で終了するため、最終事業年度で開始前の繰越欠損金の切捨てはなく、かつ、通算法人間の適格合併では引継ぎ制限がないため、時価評価除外法人の繰越欠損金は、合併法人に特定欠損金として引き継がれることになる（法法57②⑧、64の7②二、法令112の2⑥）。但し、このような取扱いは、新たな事業を開始した場合に該当し、本来、切捨ての対象となる繰越欠損金が、合併法人に引き継がれることで、グループ通算制度に持ち込まれることになるため、法令上問題があると思われる（この点、時価評価対象法人については、法人税法第57条第7項で手当されている）。

※2　新設法人の除外規定とは、新設法人を設立して、その新設法人に既存法人の繰越欠損金や含み損、あるいは、事業を移管した後に、その新設法人を通算子法人又は通算親法人とした場合に、その新設法人である通算子法人と通算親法人、あるいは、その新設法人である通算親法人と通算子法人との間の支配関係については、一定の場合、設立日からの支配関係継続要件を満たさないこととする取扱いをいう（法令112の2③、131の19①、131の8①）。

この場合、有利・不利の基本的な考え方は次のとおりとなる。

① 通算グループ内の組織再編が、適格合併等に該当し、再編時に組織再編税制に係る「5年前の日又は設立日からの支配関係継続要件」又は「みなし共同事業要件」のいずれかを満たし、開始時にグループ通算制度に係る「5年前の日又は設立日からの支配関係継続要件」又は「共同事業性の要件」のいずれかを満たす場合は、グループ通算制度の開始前又は開始後のいずれであっても不利益を受けない。

② グループ通算制度の開始前に通算グループ内の適格合併等を行う場合に被合併法人又は合併法人等の繰越欠損金に利用制限が生ずる場合については、グループ通算制度の開始後に通算グループ内の適格合併等を行う場合、被合併法人等及び合併法人等となる通算法人ではグループ通算制度に持ち込めた繰越欠損金の利用制限は課されないため、グループ通算制度の開始後に適格合併等を行った方が不利益を受けない。

[グループ通算制度の開始前又は開始後のいずれで通算グループ内の適格合併を行うか？]
　[1] 開始前の通算グループ内の適格合併により繰越欠損金が切り捨てられてしまうケース

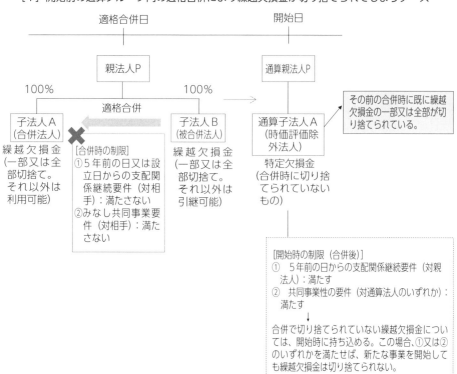

[2] 開始後に通算グループ内の適格合併をするケース

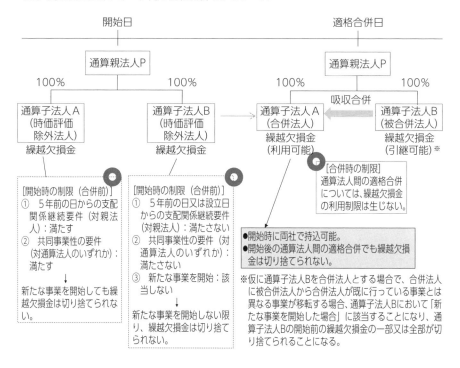

　また、組織再編税制に係る「5年前の日又は設立日からの支配関係継続要件」又は「みなし共同事業要件」とグループ通算制度に係る「5年前の日又は設立日からの支配関係継続要件」又は「共同事業性の要件」については、定義の趣旨・目的は同じであるが、以下の点を含め詳細は異なるため、最終的には、それぞれのケースで要件を満たすか確認する必要がある。

- 組織再編税制に係る「5年前の日又は設立日からの支配関係継続要件」については、被合併法人等と合併法人等との間で満たす必要があるが、グループ通算制度に係る「5年前の日又は設立日からの支配関係継続要件」については、その通算法人と通算親法人（その通算法人が通算親法人である場合、通算子法人のいずれか）との間で満たす必要がある点で、それぞれ判定結果が異なる場合もあり得る。

- 組織再編税制に係る「みなし共同事業要件」については、被合併等事業（被合併法人の主要な事業のうちいずれかの事業、分割事業、現物出資事業から選定）と合併等事業（合併法人等の事業のうちいずれかの事業から選定）との間で事業関連性等を満たす必要があるが、グループ通算制度に係る「共同事業性の要件」については、通算前事業（開始時の通算グループ内の事業のうち通算グループ全体にとって主要な事業の中からいずれかの主要な事業を選定）と親法人事業（開始時の通算グループ内（その通算法人を除く）の事業の中からいずれかの事業を選定）との間で事業関連性等を満たす必要がある点で、それぞれ判定結果が異なる場合もあり得る。

2．通算子法人の残余財産の確定の時期の有利・不利

　グループ通算制度の開始前又は開始後のいずれで通算子法人の残余財産を確定させるかについては、それぞれの選択肢の税務上の取扱いをシミュレーションする必要があるが、通算子法人の残余財産の確定の時期と税務上の取扱いの適用関係は次のとおりとなる。

　なお、合併の取扱いの解説と合わせるため、残余財産の確定日の翌日が最初通算事業年度開始日である場合については、グループ通算制度の開始後に残余財産が確定するものとして取り扱う。

[通算子法人の残余財産の確定の時期と税務上の取扱いの適用関係]

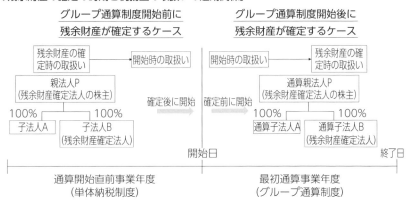

残余財産の確定の時期		開始前	開始後
残余財産の確定時の取扱い	残余財産確定の繰越欠損金の引継制限	● 通常の残余財産の確定時の取扱いとなる。	● 残余財産確定法人は時価評価対象法人に該当するため、開始前の繰越欠損金は開始時に全額切り捨てられ、残余財産の確定日の属する事業年度（最初通算事業年度開始日から残余財産の確定日までの期間）において使用できない（法法57⑥）。そのため、残余財産確定法人の株主である通算法人において引き継ぐことはできない（法法57②）。 ● 残余財産の確定日が通算開始直前事業年度終了日である場合、残余財産確定法人について、一度、通算承認が生じることになるが、完全支配関係が継続する見込みがなく時価評価対象法人に該当することになる。この場合、残余財産確定法人の株主が通算親法人である場合は、残余財産確定法人の開始前の繰越欠損金は引き継ぐことができない（法法57⑦、法令112の2②)^{※1}。 ● 残余財産確定法人である通算子法人の残余財産の確定日の属する事業年度（残余財産の確定日が通算親法人の事業年度終了日である場合を除く）において生じた欠損金額は、残余財産確定法人の株主である通算法人の残余財産の確定日の翌日の属する事業年度において損金の額に算入される（法法64の8、法令131の10②）。なお、その欠損金額のうち損益通算の対象外となる欠損金額（制限対象額）がある場合は、残余財産確定法人の株主である通算法人の通算前欠損金額のうち制限対象額に達するまでの金額は残余財産確定法人の株主である通算法人でも損益通算の対象外とする（法法64の6④）。
	株式消滅処理	● 通常の残余財産の確定時の取扱いとなる（みなし配当は全額益金不算入。株式消滅損益相当額は資本金等の額で処理)。	● グループ通算制度を適用している場合も取扱いは同じとなる。 ● ただし、投資簿価修正を適用した後の残余財産確定法人の株式の帳簿価額に基づき、株式消滅処理を行うことになる。
開始時の取扱い	時価評価（時価評価除外法人の判定）	残余財産の確定日が通算開始直前事業年度終了日の前日以前である場合、開始前に残余財産確定法人の完全支配関係は消滅している。	● 残余財産確定法人である通算子法人は開始時に完全支配関係の継続が見込まれないため、時価評価対象法人に該当する。なお、残余財産の確定日が通算開始直前事業年度終了日である場合、通算承認は残余財産の確定日の翌日から効力を失うため、最初通算事業年度開始日に通算承認の効力を失うことになる（法

開始時の取扱い		法64の10⑥五）。この場合、残余財産確定法人は、いったん通算承認の効力が生じることになるが、開始時に完全支配関係の継続が見込まれないため、時価評価対象法人に該当するものと考えられる。 ●この場合、残余財産の確定により完全支配関係を有しなくなるため、最初通算事業年度開始日以後 2 か月以内に完全支配関係を有しなくなる場合であっても初年度離脱開始子法人に該当せずに、通算開始直前事業年度に時価評価が行われる（法法64の11①、法令131の15①ハ）。 ●また、残余財産確定法人の株主である通算法人（株式等保有法人）においても通算開始直前事業年度に残余財産確定法人である通算子法人の株式の時価評価が行われる（法法64の11①②）。
	グループ通算制度開始前の繰越欠損金の切捨て	●残余財産確定後の残余財産確定法人の株主である通算法人について「 5 年前の日又は設立日からの支配関係継続要件」「共同事業性の要件」「新たな事業の未開始要件」を判定する。 ●開始前に残余財産が確定するため、「設立日からの支配関係継続要件」について、新設法人の除外規定※²の適用対象となる場合がある。 ●開始前に残余財産の確定が行われるため、切捨て対象となる特定資産譲渡等損失相当額について、開始前の残余財産の確定で残余財産確定法人から引き継いだ繰越欠損金のうち残余財産確定法人の特定資産譲渡等損失相当欠損金額を加算して計算する（法令112の 2 ⑤、112⑥⑦⑧）。	●残余財産確定法人である通算子法人は時価評価対象法人に該当することになるため、開始前の繰越欠損金は開始時に全額切り捨てられ、残余財産の確定日の属する事業年度（最初通算事業年度開始日から残余財産の確定日までの期間）において使用できない（法法57⑥）。 ●なお、残余財産の確定日が通算開始直前事業年度終了日となる場合、残余財産確定法人では、通算開始直前事業年度が最終事業年度となる（最終事業年度の残余財産の確定による繰越欠損金の引継ぎの取扱いについては上記参照）。

※ 1 　一方、残余財産確定法人の株主が他の通算子法人である場合、法人税法施行令第112条の 2 第 2 項第二号の要件（関係発生日（通算完全支配関係を有することとなった日）から残余財産の確定の日の属する通算親法人の事業年度終了日まで継続して当該通算法人と当該通算親法人との間に通算完全支配関係があること）に該当しないため、法人税法第57条第 7 項一号（残余財産確定法人の開始前の繰越欠損金に引継規定が適用されない取扱い）が適用されないことになる（つまり、残余財産確定法人の株主が通算親法人である場合と異なり、引継規定が適用されることになる）。しかし、同項第二号の要件は、その趣旨から考えて、「関係発生日から当該関係発生日の属する通算親法人の事業年度終了日まで継続して当該通算法人と当該通算親法人との間に通算完全支配関係があること」であると考えられる。また、残余財産確定法人の株主が通算親法人か、他の通算子法人かで引継ぎの可否が変わるのは理論的ではない。そのため、残余財産確定法人の株主が他の通算子法人である場合も法人税法第57条第 7 項一号が適用されるものと考えられるが、その点、法令・通達等での明確化を期待したい。

※ 2 　新設法人の除外規定とは、 5 年以内に買収した子法人を残余財産確定法人、その後に設立した新設法人を残余財産確定法人の株主として、残余財産確定法人（本来、制限のかかる法人）の繰越欠損金を残余財産確定法人の株主（本来、制限のかからない新設法人）に引き継ぐ場合に、その新設法人については、設立日からの支配関係継続要件を満たさないこととする取扱いをいう（法令112の 2 ③）。

上記のとおり、グループ通算制度の開始後に通算子法人の残余財産を確定させる場合、その通算子法人は、グループ通算制度の開始時に完全支配関係の継続が見込まれないため、時価評価対象法人に該当する。そして、残余財産確定法人となる通算子法人の開始前の繰越欠損金は開始時に全額切り捨てられることになる。そのため、グループ通算制度の開始前に通算子法人の残余財産を確定させる場合に、残余財産確定法人の株主である通算法人において残余財産確定法人の開始前の繰越欠損金を引き継ぐことができるときは、開始前にその残余財産を確定させる方が不利益を受けないことになる(注)。

(注) ただし、グループ通算制度の開始後に通算子法人の残余財産を確定させる場合で、残余財産確定法人の株主である通算法人において、残余財産確定法人である通算子法人（時価評価対象法人）の株式の評価損益が計上される場合、その評価損益を考慮して有利・不利を判断する必要がある。

[グループ通算制度の開始前又は開始後のいずれで通算子法人の残余財産を確定させるか？]
[１] 開始前に通算子法人の残余財産を確定させることで繰越欠損金が利用できるケース

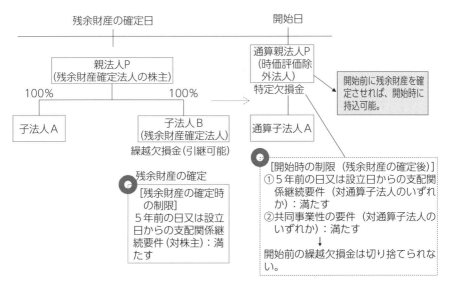

［2］開始後に通算子法人の残余財産を確定させることで繰越欠損金が利用できないケース

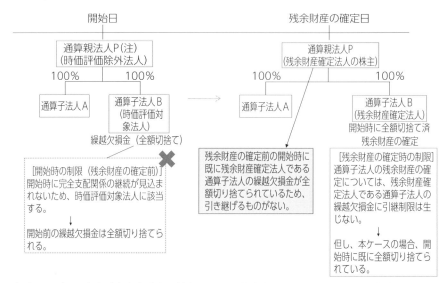

（注） ただし、残余財産確定法人の株主である通算法人において、残余財産確定法人である通算子法人（時価評価対象法人）の株式の評価損益が計上される場合、その評価損益を考慮して有利・不利を判断する必要がある。

第4部

連結法人の
「グループ通算制度」移行の
有利・不利とシミュレーション
と実務対応

第4部は、既に連結納税制度を採用している企業グループが、令和4年4月1日以後最初に開始する事業年度において、グループ通算制度に移行する場合又は単体納税制度へ復帰する場合に生じる有利・不利とシミュレーションについて解説したい。

[既に連結納税制度を採用している企業グループ]

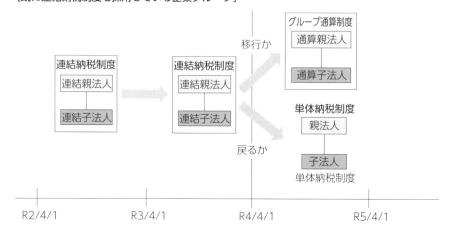

第1章
「グループ通算制度」移行の有利・不利

グループ通算制度への移行に係る税務上の取扱い

　連結納税制度からグループ通算制度への移行を検討する際に、確認しなければいけないのは、連結納税制度からグループ通算制度に移行する場合に不利益を受けるかである。

　連結納税制度からグループ通算制度への移行を検討する際に確認すべき事項とその取扱いは以下のとおりとなる。

| 確認事項1 | 連結納税制度からグループ通算制度への移行時に改めて開始時の制限規定が適用されるのか？ |

　連結納税制度からグループ通算制度への移行時に開始時の制限規定（時価評価、繰越欠損金の切捨て、含み損等の損金算入・損益通算の制限）は適用されない（令和2年所法等改正法附則20⑪、25③、26③、27①、30②④、31①）。

確認事項2	連結納税制度の連結欠損金個別帰属額は、グループ通算制度へ引き継がれるか？

　連結法人が有する連結欠損金個別帰属額は通算法人の繰越欠損金とみなされる（令和2年所法等改正法附則20①④⑦⑧）。

　この場合、特定連結欠損金個別帰属額を特定欠損金額、非特定連結欠損金個別帰属額を非特定欠損金額として引き継ぐことになる（令和2年所法等改正法附則28③）。

　つまり、連結納税制度の連結欠損金個別帰属額について、グループ通算制度移行後も控除上限の取扱いは変わらないことになる。

　引継ぎ後の繰越欠損金の発生事業年度は、その連結欠損金個別帰属額が生じた連結事業年度終了日の属するその連結法人の事業年度とする。

　また、繰越期間は、2018年（平成30年）4月1日前に開始した事業年度において生じたものとみなされた欠損金額は9年、2018年（平成30年）4月1日以後に開始した事業年度において生じたものとみなされた欠損金額は10年となり、基本的に連結欠損金個別帰属額と繰越期間は変わらない。

確認事項3	連結納税制度の住民税の欠損金は、グループ通算制度へ引き継がれるか？

　連結法人が有する「控除対象個別帰属調整額」「控除対象個別帰属税額」は、グループ通算制度に移行後は「控除対象通算適用前欠損調整額」に準じて住民税（法人税割）の課税標準から繰越控除される（令和2年地法改正法附則5④⑤、13④⑤、令和2年地令改正法令附則3⑯㉒、5⑯㉒）。

298　第4部　連結法人の「グループ通算制度」移行の有利・不利とシミュレーションと実務対応

| 確認事項4 | 連結納税制度からグループ通算制度への移行時に連結納税制度の投資簿価修正が行われるか？ |

　連結法人がグループ通算制度に移行する場合、連結納税制度の離脱・取りやめに伴う投資簿価修正は行われない（令和2年法令改正法令附則4⑥）。

　ただし、グループ通算制度の移行初日にグループ通算制度から離脱する場合は、連結納税制度の投資簿価修正が適用されることになる。

　つまり、例えば、連結親法人の決算日が3月31日である場合で、令和4年4月1日に連結グループ（通算グループ）から離脱する連結子法人（通算子法人）については、連結納税制度の投資簿価修正が適用されることになる（グループ通算制度の投資簿価修正が適用されるわけではない点に注意する）。

| 確認事項5 | 連結親法人が更生法人等となる連結グループの連結欠損金の控除上限の特例はグループ通算制度へ移行後も適用できるのか？ |

　連結親法人が更生法人等に該当して連結欠損金の控除限度割合が100％とされていた連結グループ内の連結子法人は、グループ通算制度において繰越欠損金の控除限度割合が100％となる更生法人等とみなされる（令和2年所法等改正法附則20⑬）。

　以上より、連結納税制度からグループ通算制度への移行時に税務上の不利益は生じない。

1　グループ通算制度への移行に係る税務上の取扱い　299

単体納税制度への復帰に係る税務上の取扱い

　連結納税制度から単体納税制度への復帰を検討する際に、確認しなければいけないのは、連結納税制度から単体納税制度に復帰する場合に不利益を受けるかである。

　連結納税制度から単体納税制度への復帰を検討する際に確認すべき事項とその取扱いは以下のとおりとなる。

| 確認事項1 | 連結納税制度の連結欠損金個別帰属額は、単体納税制度へ引き継がれるか？ |

　連結法人が有する連結欠損金個別帰属額は、単体納税制度に復帰する場合、単体納税制度の繰越欠損金として引き継がれる（令和2年所法等改正法附則20①④⑦⑧）。

　この場合、繰越欠損金の発生事業年度は、その連結欠損金個別帰属額が生じた連結事業年度開始日の属するその連結法人の事業年度となる（令和2年所法等改正法附則20①⑦）。

　なお、連結納税制度の開始・加入により切り捨てられた繰越欠損金は単体納税制度に戻った後も利用することができない。

確認事項2	連結納税制度の住民税の欠損金は、単体納税制度へ引き継がれるか？

　連結法人が有する「控除対象個別帰属調整額」「控除対象個別帰属税額」は、単体納税制度に復帰後も「控除対象通算適用前欠損調整額」に準じて繰越控除される（令和2年地法改正法附則5④⑤、13④⑤、令和2年地令改正法令附則3⑯㉒、5⑯㉒）。

確認事項3	連結納税制度から単体納税制度への復帰時に連結納税制度の投資簿価修正が行われるか？

　連結法人が単体納税制度に復帰する場合、連結納税制度の取りやめとなるため、連結子法人株式を有する連結法人において、その連結子法人株式について投資簿価修正が行われる（令和2年法令改正法令附則4⑥）。

　この場合、連結納税制度の投資簿価修正が適用されるため、帳簿価額修正額は連結個別利益積立金額から最終利益積立金額（連結納税の開始・加入直前の利益積立金額）を減算した金額（既修正等額を除く）となる。

　この点、連結子法人株式を売却するわけではないため、この投資簿価修正による株式譲渡損益への影響は単体納税制度への復帰時には実現しないが、単体納税制度に戻るからといって投資簿価修正が行われないわけではないため、将来の子法人株式の売却時にその影響が顕在化することを認識しておく必要がある。

2 単体納税制度への復帰に係る税務上の取扱い　301

確認事項 4	連結納税制度から単体納税制度への復帰時にグループ通算制度の離脱時の時価評価が行われるのか？

　連結納税制度から単体納税制度に復帰する場合、グループ通算制度の離脱時の時価評価は行われない（令和 2 年所法等改正法附則14）。

確認事項 5	連結納税制度から単体納税制度への復帰時に譲渡損益調整資産の繰延譲渡損益は実現するのか？

　単体納税制度に復帰後も譲渡法人と譲受法人間で完全支配関係は継続しているので、繰延譲渡損益は実現しない。

　以上より、連結納税制度から単体納税制度への復帰時に税務上の不利益は生じない。

グループ通算制度への移行と単体納税制度への復帰に係る税効果会計の適用時期と繰延税金資産の影響額の会計処理

　グループ通算制度へ移行する場合又は単体納税制度へ復帰する場合のいずれであっても、連結納税制度の適用を前提とした繰延税金資産の回収可能性の判断からグループ通算制度又は単体納税制度の適用を前提とした繰延税金資産の回収可能性の判断に切り替わるため、その切り替わる決算期を確認する必要がある。

　また、繰延税金資産の積み増し額又は取崩し額の会計処理についても確認をする必要がある。

1　連結納税制度からグループ通算制度に移行する場合

　連結納税制度からグループ通算制度へ移行する場合のグループ通算制度の適用を前提とした税効果会計の適用時期と繰延税金資産の影響額の会計処理は次のように整理される。

[連結納税制度からグループ通算制度へ移行する場合のグループ通算制度の適用を前提とした税効果会計の適用時期と繰延税金資産の影響額の会計処理]

[ケース1(1)] 3月決算の通算親法人が実務対応報告第42号を強制適用するケース

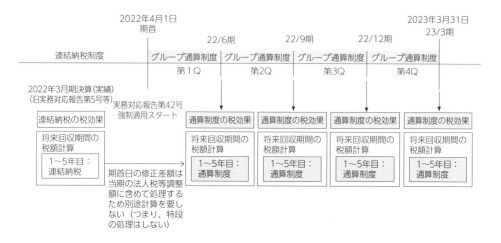

[ケース1(2)] 3月決算の通算親法人が実務対応報告第42号を早期適用するケース

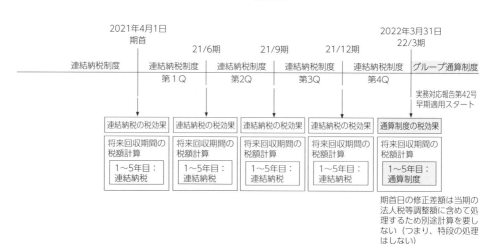

[ケース2(1)] 12月決算の通算親法人が実務対応報告第42号を強制適用するケース

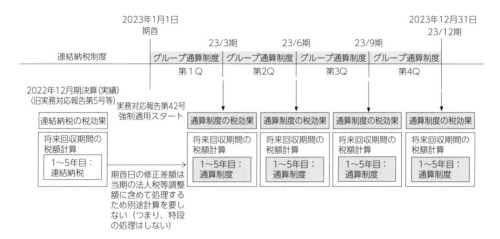

[ケース2(2)] 12月決算の通算親法人が実務対応報告第42号を早期適用するケース

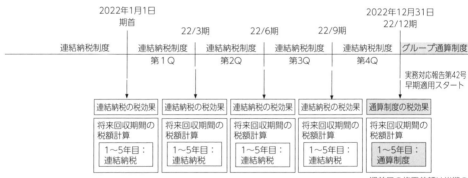

2 連結納税制度から単体納税制度に復帰する場合

連結納税制度から単体納税制度へ復帰する場合の単体納税制度の適用を前提とした税効果会計の適用時期と繰延税金資産の影響額の会計処理は次のように整理される。

[連結納税制度から単体納税制度へ復帰する場合の単体納税制度の適用を前提とした税効果会計の適用時期と繰延税金資産の影響額の会計処理]

[ケース1(1)] 3月決算の連結親法人のケース（第4Qから切り替えるケース）

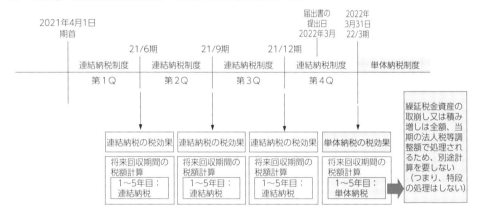

[ケース1(2)] 3月決算の連結親法人のケース（第3Qから切り替えるケース）

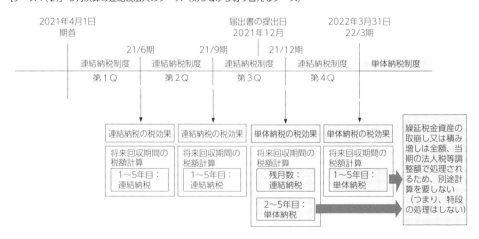

[ケース2(1)] 12月決算の連結親法人のケース（第4Qから切り替えるケース）

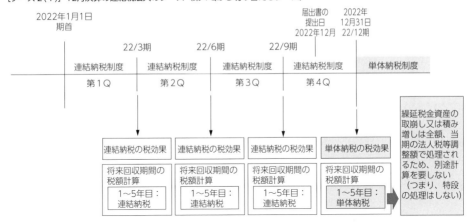

[ケース2(2)] 12月決算の連結親法人のケース（第3Qから切り替えるケース）

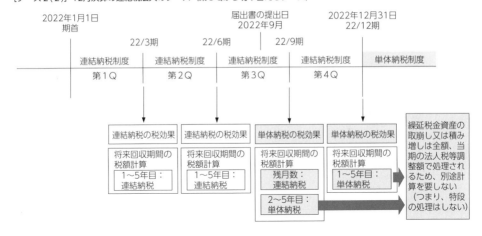

3 グループ通算制度への移行と単体納税制度への復帰に係る税効果会計の適用時期と繰延税金資産の影響額の会計処理

④ 連結納税制度下の節税効果のグループ通算制度移行後の取扱い

　既に連結納税制度を採用している企業グループが、グループ通算制度に移行するか、単体納税制度へ復帰するか、を判断するためには、連結納税制度下の節税効果(税負担の増加に繋がるデメリットを含む。以下、同じ)がグループ通算制度へ移行するとどうなるのかを確認する必要がある。

　連結納税制度下の節税効果のグループ通算制度移行後の取扱いは次のようにまとめられる。

[連結納税制度下の節税効果のグループ通算制度移行後の取扱い]

連結納税制度下の節税効果[※1]			グループ通算制度移行後の取扱い
1．損益通算又は欠損金の通算	節税	グループ内の赤字と黒字を相殺できる。	節税効果が継続
2．親法人の開始前の繰越欠損金の他の子法人の所得との相殺	節税	親法人の開始前の繰越欠損金を他の子法人の所得金額と相殺できる。	連結納税制度から移行する場合は節税効果が継続
3．開始前の繰越欠損金の控除限度割合の拡大	節税[※2]	子法人の開始前の繰越欠損金の控除限度額が自社の所得金額の50%から100%に拡大する。	節税効果が継続
4．研究開発税制・外国税額控除	節税[※3]	グループ全体で税額控除限度額が計算されるため、税額控除額が増加する。	節税効果が継続

308　第4部　連結法人の「グループ通算制度」移行の有利・不利とシミュレーションと実務対応

5．特定同族会社の留保金課税	節税又は増税	グループ一体で留保金課税が適用されるため、留保税額が増加又は減少する。	移行後は、各法人で留保金額を損益通算後の所得金額で計算し、通算法人間の配当金を調整して計算する。 そのため、連結納税制度下と比較すると税負担が増減する可能性がある。
6．中小法人・中小企業者・適用除外事業者の判定	節税又は増税	親法人が中小法人又は中小企業者（適用除外事業者を除く）に該当する場合、グループ一体で、中小法人の特例措置又は中小企業者の租税特別措置が適用できる。	移行後は、1社でも中小法人又は中小企業者（適用除外事業者を除く）に該当しない場合、大通算法人又は大企業（適用除外事業者を含む）に該当し、中小法人の特例措置又は中小企業者の租税特別措置が適用できない。そのため、連結納税制度下と比較して税負担が増加する場合がある。
7．軽減税率の適用対象枠又は交際費の定額控除枠の縮小	増税	中小法人の軽減税率の適用対象枠（800万円）又は交際費の定額控除枠（800万円）について、グループ内で1回しか利用できない。	移行後も節税枠はグループ内で1回しか利用できない（交際費の定額控除枠は適用期限の関係で現時点では明らかにされていない）。
8．加入に伴う制限規定	増税	加入法人はほとんどのケースで時価評価が必要となり、加入前の繰越欠損金が切り捨てられる。	移行後の加入法人は多くのケースで時価評価が不要となり、加入前の繰越欠損金が切り捨てられない。 そのため、連結納税制度下と比較して不利益を受けることが少なくなる。

4 連結納税制度下の節税効果のグループ通算制度移行後の取扱い

9. 離脱時の取扱い	節税又は増税	● 離脱法人の保有資産は帳簿価額のまま持ち出すことができる。 ● 投資簿価修正により離脱法人株式の譲渡損益が増加又は減少する。投資簿価修正額は、連結納税制度適用期間中の利益積立金の増減額となる。	● 移行後は、離脱法人が一定の要件に該当する場合、保有資産について時価評価が必要となる。そのため、連結納税制度下と比較すると税負担が増加する場合がある。 ● 移行後の投資簿価修正では、離脱法人の株式の離脱直前の帳簿価額を離脱法人の簿価純資産価額に相当する金額とする。そのため、連結納税制度下と比較すると税負担が増減する可能性がある。
10. 地方税の取扱い	—	● 事業税は単体納税制度と同様の計算方法となる。 ● 住民税は単体納税制度と同様の課税標準とするため、損益通算等の影響を排除する調整計算を行う。	● 移行後も事業税及び住民税の課税標準の計算は同様の仕組みとなる（ただし、住民税の調整方法が異なる）。

※1　「節税／増税」は単体納税制度と比較した連結納税制度の有利・不利を意味している。

※2　単体納税制度において控除上限の割合が100％となる中小法人等に該当する場合、基本的に節税効果はない。

※3　損益通算や欠損金の通算によりグループ全体の法人税額が少なくなることにより、税額控除限度額が単体納税制度と比較して縮小するケースもある。

　上記のように、現在、連結納税制度下で実現している節税効果については、グループ通算制度移行後も基本的に継続すると考えてよい。

　だたし、上記のうち、次に掲げるケースについては、連結納税制度下の税負担額とグループ通算制度移行後の税負担額に差異が生じることになる。

1 損益通算後の所得金額を上限とするため、特定欠損金（子法人の適用前の繰越欠損金）の解消額が少なくなるケース

特定欠損金（子法人の適用前の繰越欠損金）については、連結納税制度では、損益通算前の所得金額を限度に控除できるが、グループ通算制度では、損益通算後の所得金額を限度に控除することができる（いずれもグループ全体の所得金額の50％又は100％を限度とする）。

この点、損益通算後の所得金額の方が損益通算前の所得金額より少なくなることから、グループ通算制度では、連結納税制度と比較して特定欠損金の控除額が少なくなり、その結果、グループ全体の繰越欠損金の控除額が少なくなるケースが生じる。

例えば、次のような計算例となる。

[特定欠損金（子法人の連結納税適用前の繰越欠損金）の解消額が少なくなるケース]

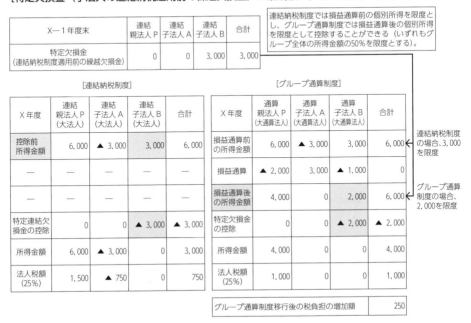

4 連結納税制度下の節税効果のグループ通算制度移行後の取扱い

上記については、もちろん解消時期のズレにすぎない場合が一般的であろうが、連結子法人の適用前の繰越欠損金の早期解消を見込んで連結納税制度を採用した企業グループにとっては、グループ通算制度への移行により節税効果の実現スピードが遅くなる可能性がある。

　なお、特定欠損金（子法人の適用前の繰越欠損金）の解消額の差異については、地方法人税及び住民税の税負担にも影響する。

2　非特定欠損金が他の通算法人に配分されることにより住民税額が増加するケース

　連結納税制度では、非特定欠損金は自社の所得から控除される。

　一方、グループ通算制度では、非特定欠損金は各通算法人の損金算入限度額の比で配分され、他の通算法人で控除が行われる。

　そして、住民税では、欠損金の通算で他の通算法人へ配分した非特定欠損金のうち損金算入された額（配賦欠損金控除額）に相当する法人税額を住民税の欠損金（控除対象配賦欠損調整額）として翌年度以後に控除することになる。

　そのため、連結納税制度とグループ通算制度との比較において、グループ全体で非特定欠損金の控除額が同じ場合でも、各法人単位で非特定欠損金の控除額が異なる場合は、住民税の計算結果も異なることになる。

[非特定欠損金が他の通算法人に配分されることにより住民税額が増加するケース]

X—1年度末	連結親法人P	連結子法人A	合計
非特定欠損金（連結納税制度適用前の繰越欠損金）	3,000	0	3,000

[連結納税制度]

法人税

X年度	連結親法人P（大法人）	連結子法人A（大法人）	合計
控除前所得金額	3,000	3,000	6,000
非特定連結欠損金の控除	▲3,000	0	▲3,000
所得金額	0	3,000	3,000
法人税額（25%）	0	750	750

住民税

X年度	連結親法人P（大法人）	連結子法人A（大法人）	合計
法人税額	0	750	750
—	—	—	—
課税標準	0	750	750
住民税額（10%）	0	75	75
控除対象個別帰属税額	0	0	0

[グループ通算制度]

法人税

X年度	通算親法人P（大通算法人）	通算子法人A（大通算法人）	合計
損益通算後の所得金額	3,000	3,000	6,000
非特定欠損金の控除	▲1,500	▲1,500	▲3,000
所得金額	1,500	1,500	3,000
法人税額（25%）	375	375	750

住民税

X年度	通算親法人P（大通算法人）	通算子法人A（大通算法人）	合計
法人税額	375	375	750
加算対象被配賦欠損調整額	0	375	375
課税標準	375	750	1,125
住民税額（10%）	38	75	113
控除対象配賦欠損調整額	375	0	375

グループ通算制度の場合、非特定欠損金3,000を各法人に損金算入限度額（1,500：1,500）の比で配分して、グループ全体の所得金額の50%（3,000）を限度に非特定損金算入割合（100%）を乗じて控除する。

法人税

グループ通算制度の場合の税負担の増加額	0

グループ通算制度の場合、他の法人へ配分した非特定欠損金のうち損金算入された額（配賦欠損金控除額）に相当する法人税を住民税の欠損金（控除対象配賦欠損調整）として翌年度以後に控除する。

住民税

グループ通算制度移行後の税負担の増加額	38

　上記については、もちろん解消時期のズレにすぎない場合が一般的であろうが、非特定欠損金（連結親法人の開始前の繰越欠損金）を活用した節税効果を見込んで連結納税制度を採用した企業グループにとっては、グループ通算制度への移行により節税効果の一部の実現が遅れる可能性がある。

3 中小法人の特例措置又は中小企業者の租税特別措置が適用できなくなるケース

　これは、通算親法人の資本金が1億円以下である場合のみグループ通算制度への移行により税負担が増加することになる。

　親法人の資本金が1億円を超えている場合は、連結納税制度とグループ通算制度で中小法人等の判定結果に差異は生じない。

　具体的には、連結納税制度では、連結親法人が中小法人又は中小企業者（適用除外事業者を除く）に該当する場合、グループ一体で中小法人の特例措置又は中小企業者の租税特別措置が適用できる[※1]。

> ※1　連結子法人における貸倒引当金の損金算入制度については、連結親法人及びその連結子法人の両方が中小法人に該当する場合に適用できる。また、設備投資促進税制は、連結親法人又は連結子法人が中小連結法人（適用除外事業者を除く）に該当する場合に適用できる。中小連結法人とは、連結親法人が中小企業者に該当する場合のその連結親法人又はその連結子法人（資本金1億円以下のものに限る）をいう。

　一方、グループ通算制度では、通算法人のうち1社でも単体納税制度の中小法人又は中小企業者（適用除外事業者を除く）に該当しない場合、大通算法人又は大企業（適用除外事業者を含む）に該当し、中小法人の特例措置又は中小企業者の租税特別措置が適用できない。

　そのため、例えば、通算親法人の資本金が1億円以下で、通算子法人のいずれかの資本金が1億円超である場合、連結納税制度では適用できていた次に掲げる措置をグループ通算制度に移行後は適用できなくなってしまう。

[中小法人の特例措置]

- 貸倒引当金の損金算入制度の適用
- 繰越欠損金の控除限度額の拡大（50%→100%）
- 軽減税率の適用

- 特定同族会社の留保金課税の不適用
- 交際費の800万円の定額控除特例[※2]
- 欠損金の繰戻還付の適用[※2]

※2 グループ通算制度の適用が開始する令和4年4月1日以後に開始する事業年度よりも前に、適用期限が到来するため、現時点でグループ通算制度における取扱いは決まっていない。

[中小企業者の租税特別措置]
- 中小企業技術基盤強化税制（研究開発税制）
- 所得拡大促進税制
- 設備投資促進税制（中小企業経営強化税制、中小企業投資促進税制）
- 大企業に対する租税特別措置の適用除外措置の不適用

4 投資簿価修正によって税負担が増加するケース

　投資簿価修正について、連結納税制度では、連結法人に該当する期間中に生じた利益積立金額の増減額を帳簿価額修正額とする。

　一方、グループ通算制度では、離脱法人株式の離脱直前の帳簿価額を離脱法人の簿価純資産価額に一致させるように帳簿価額を修正することになる。

　そのため、株式の取得価額が最終利益積立金額（連結納税制度の開始・加入直前の簿価純資産価額）より大きい場合（例えば、加入法人の株式を買収プレミアムを付けて購入した場合など）は連結納税制度と比較して株式譲渡益が多くなり（株式譲渡損が少なくなり）、株式の取得価額が最終利益積立金額（連結納税制度の開始・加入直前の簿価純資産価額）より小さい場合（例えば、加入法人の株式をディスカウントされた価格で購入した場合など）は連結納税制度と比較して株式譲渡益が少なくなり（株式譲渡損が多くなり）、グループ通算制度への移行後は、将来の通算子法人の離脱を想定する場合、連結納税制度下と比較して税負担が増減する可能性がある。

4 連結納税制度下の節税効果のグループ通算制度移行後の取扱い

例えば、次のようなケースとなる。

[連結納税制度下で売却した方が有利となるケース1]

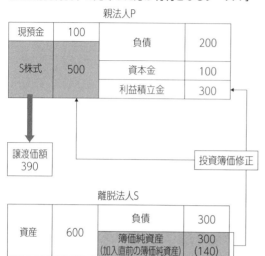

※グループ通算制度の方が譲渡益が360多くなる。これは、株式の取得価額500と加入時の簿価純資産140との差360と一致する（つまり、プレミアム部分）。

[連結納税制度下で売却した方が有利となるケース2]

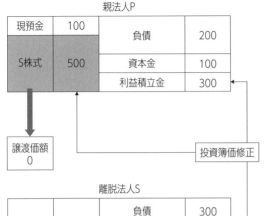

[連結納税制度]

●投資簿価修正

| 利益積立金 | 340 | S株式 | 340 |

●株式譲渡

| 現預金 | 0 | S株式 | 160 |
| 譲渡損 | 160 | | |

[グループ通算制度]

●投資簿価修正

| 利益積立金 | 700 | S株式 | 700 |

●株式譲渡

| 現預金 | 0 | 譲渡益 | 200 |
| S株式 | 200 | | |

不利※

※グループ通算制度の方が譲渡益が360多くなる。これは、株式の取得価額500と加入時の簿価純資産140との差360と一致する（つまり、プレミアム部分）。

[連結納税制度下で売却した方が不利となるケース]

親法人P

現預金	500	負債	200
		資本金	100
S株式	100	利益積立金	300

譲渡価額 400

投資簿価修正

離脱法人S

| 資産 | 700 | 負債 | 300 |
| | | 簿価純資産
（加入直前の簿価純資産） | 400
(350) |

[連結納税制度]

●投資簿価修正

| S株式 | 50 | 利益積立金 | 50 |

●株式譲渡

| 現預金 | 400 | S株式 | 150 |
| | | 譲渡益 | 250 |

[グループ通算制度]

●投資簿価修正

| S株式 | 300 | 利益積立金 | 300 |

●株式譲渡

| 現預金 | 400 | S株式 | 400 |
| | | 譲渡益 | 0 |

有利※

※グループ通算制度の方が譲渡益が250少なくなる。これは、株式の取得価額100と加入時の簿価純資産350との差250と一致する（つまり、ディスカウント部分）。

4 連結納税制度下の節税効果のグループ通算制度移行後の取扱い

連結納税制度とグループ通算制度の繰延税金資産の回収可能性の比較

　連結納税制度を適用する場合の繰延税金資産の回収可能性の判断とグループ通算制度を適用する場合の繰延税金資産の回収可能性の判断を行う場合について比較すると次のとおりとなる。

[グループ通算制度と連結納税制度の繰延税金資産の回収可能性の判断の比較]
① 個別財務諸表

	グループ通算制度を適用する場合の取扱い	連結納税制度を適用する場合との相違点
企業分類	●将来減算一時差異に係る繰延税金資産の回収可能性の判断について、通算グループ全体の分類と個社の分類のいずれか上位を適用する。 ●繰越欠損金に係る繰延税金資産の回収可能性の判断について、特定繰越欠損金以外の繰越欠損金については通算グループ全体の分類に応じた判断を行う。また、特定繰越欠損金については、損金算入限度額計算における課税所得ごとに、通算グループ全体の課税所得は通算グループ全体の分類に応じた判断を行い、通算会社の課税所得は通算会社の分類に応じた判断を行う。	差異はない。 なお、グループ通算制度では、損益通算や欠損金の通算を考慮せず、自社の通算前所得又は通算前欠損金に基づいて個社の分類を判定し、課税所得の合計で通算グループ全体の分類を判定するため、分類の判定結果も連結納税制度と異ならない。

| スケジューリング | ●グループ通算制度を適用した場合の将来の税額計算によりスケジューリングによる回収可能額を計算する。
●自社単独の将来の通算前所得で回収できない場合でも、損益通算による益金算入額(つまり、他の通算会社の所得)があれば回収可能と判断される。
●繰越欠損金は将来の税額計算における解消額が回収可能と判断される。 | 他の通算会社の所得（損益通算による益金算入額）を使って回収可能額を計算する点で連結納税制度を適用する場合と差異はない。
ただし、連結納税制度とグループ通算制度の将来の税額計算の計算過程が異なるため、スケジューリングの計算過程等が異なる。
この点、連結納税制度とグループ通算制度で繰越欠損全の解消額が異なるケースが生じる。 |

② 連結財務諸表

	グループ通算制度を適用する場合の取扱い	連結納税制度を適用する場合との相違点
企業分類	将来減算一時差異に係る繰延税金資産の回収可能性の判断について、通算グループ全体の分類を適用する。	差異はない。 グループ全体の分類の判定結果も同じとなる。
スケジューリング	将来減算一時差異に係る繰延税金資産の回収可能性の判断について、通算グループ全体でスケジューリングによる回収可能額を計算する。	将来減算一時差異について、グループ全体を1つの計算単位としてスケジューリングによる回収可能額を計算する点に変更はない。

　実務対応報告第42号では、グループ通算制度を適用する場合の繰延税金資産の回収可能性の判断について、連結納税制度を適用する場合と基本的な取扱いは同様としている。

　特に、繰延税金資産の回収可能額に大きな影響を与える企業分類については、連結納税制度を適用する場合もグループ通算制度を適用する場合も同一の判定方法になることから、その点で、繰延税金資産の回収可能額について、連結納税制度を適用する場合の計算からグループ通算制度を適用する場合の計算に変更した場合であっても、基本的に繰延税金資産の取崩しや積み増しは行われない。

　ただし、連結納税制度とグループ通算制度では、将来の税額計算の計算過程が異なるため、次のようなケースにおいて繰延税金資産の回収可能額に差異が生じることになる。

5 連結納税制度とグループ通算制度の繰延税金資産の回収可能性の比較

[ケース1]

特定欠損金（子法人の連結納税適用前の繰越欠損金）の回収可能額が減少するケース

　連結納税制度では損益通算前の所得金額を限度に特定連結欠損金の控除額が計算されるが、グループ通算制度では、損益通算後の所得金額を限度に特定欠損金の控除額が計算される。

　この点、損益通算後の所得金額の方が損益通算前の所得金額より少なくなることから、グループ通算制度では、連結納税制度と比較して特定（連結）欠損金の控除額が少なくなり、その結果、グループ全体の繰越欠損金の控除額が少なくなるケースが生じる。

　この場合、特定（連結）欠損金に係る繰延税金資産の回収可能額が減少し、最終的に繰延税金資産の取崩しに繋がることになる。

[特定欠損金（子法人の連結納税適用前の繰越欠損金）の回収可能額が減少するケース]

X—1年度末	連結納税親会社P	連結納税子会社A	連結納税子会社B	合計
特定欠損金 （連結納税制度適用前の繰越欠損金）	0	0	3,000	3,000

[連結納税制度]

X年度	連結納税親会社P（大法人）	連結納税子会社A（大法人）	連結納税子会社B（大法人）	合計
控除前所得金額	6,000	▲ 3,000	3,000	6,000
—	—	—	—	—
—	—	—	—	—
特定連結欠損金の控除	0	0	▲ 3,000	▲ 3,000
所得金額	6,000	▲ 3,000	0	3,000
法人税額（25%）	1,500	▲ 750	0	750

[グループ通算制度]

X年度	通算親会社P（大通算法人）	通算子会社A（大通算法人）	通算子会社B（大通算法人）	合計
損益通算前の所得金額	6,000	▲ 3,000	3,000	6,000
損益通算	▲ 2,000	3,000	▲ 1,000	0
損益通算後の所得金額	4,000	0	2,000	6,000
特定欠損金の控除	0	0	▲ 2,000	▲ 2,000
所得金額	4,000	0	0	4,000
法人税額（25%）	1,000	0	0	1,000

	通算子会社B（大通算法人）
グループ通算制度の適用を前提とした計算方法への変更による特定欠損金の解消額の減少額（マイナス表示）	▲ 1,000
繰延税金資産の取崩し額（25%※）	▲ 250

※　実際には法人税、地方法人税、住民税に係る繰延税金資産の金額が取崩しとなる。

5 連結納税制度とグループ通算制度の繰延税金資産の回収可能性の比較　321

[ケース2]

非特定欠損金に係る住民税の回収可能額が減少するケース

　グループ通算制度では、非特定欠損金の期首残高を各通算法人の損金算入限度額（50％又は100％）の比で配分するが、住民税では、欠損金の通算で他の法人へ配分した非特定欠損金（うち損金算入額）に相当する法人税額を住民税の欠損金（控除対象配賦欠損調整額）として翌年度以後に控除する。

　この点、法人税では、通算税効果額（金銭）を受け取ることを前提とした場合、非特定欠損金は自社又は他社の所得のいずれであっても解消できれば回収可能額が生じるが、住民税では、住民税の欠損金に転化された分は、少なくともその非特定欠損金の解消年度では回収可能とは判断できないことになる。

　そのため、繰延税金資産の回収期間内にその住民税の欠損金（控除対象配賦欠損調整額）が解消されない場合、非特定（連結）欠損金に係る住民税の繰延税金資産の回収可能額が減少し、最終的に繰延税金資産の取崩しに繋がることになる。

[非特定欠損金に係る住民税の回収可能額が減少するケース]

X—1年度末	連結納税親会社P	連結納税子会社A	合計
非特定欠損金 （連結納税制度適用前の繰越欠損金）	3,000	0	3,000

[連結納税制度]

法人税

X年度	連結納税親会社P（大法人）	連結納税子会社A（大法人）	合計
控除前所得金額	3,000	3,000	6,000
非特定連結欠損金の控除	▲3,000	0	▲3,000
所得金額	0	3,000	3,000
法人税額（25%）	0	750	750

住民税

X年度	連結納税親会社P（大法人）	連結納税子会社A（大法人）	合計
法人税額	0	750	750
—	—	—	—
課税標準	0	750	750
住民税額（10%）	0	75	75
控除対象個別帰属税額	0	0	0

[グループ通算制度]

法人税

X年度	通算親法人P（大通算法人）	通算子法人A（大通算法人）	合計
損益通算後の所得金額	3,000	3,000	6,000
非特定欠損金の控除	▲1,500	▲1,500	▲3,000
所得金額	1,500	1,500	3,000
法人税額（25%）	375	375	750

住民税

X年度	通算親法人P（大通算法人）	通算子法人A（大通算法人）	合計
法人税額	375	375	750
加算対象被配賦欠損調整額	0	375	375
課税標準	375	750	1,125
住民税額（10%）	38	75	113
控除対象配賦欠損調整額	375	0	375

法人税では、通算親法人Pから通算子法人Aへ配分された非特定欠損金の損金算入額（1,500）に対して通算親法人Pが通算子法人Aから通算税効果額（375＝1,500×25%）を受け取ることを前提とした場合、通算親法人Pの非特定欠損金の解消額（3,000）について、全額、回収可能となる。

住民税において、通算親法人Pが通算子法人Aへ配分した非特定欠損金の損金算入額（1,500）は、住民税の欠損金に転化され、翌年度以後に解消されることになる。そのため、非特定欠損金の解消年度だけで計算した場合、連結納税制度と比較して、非特定欠損金に係る住民税の繰延税金資産の回収可能額が減少する。

5　連結納税制度とグループ通算制度の繰延税金資産の回収可能性の比較　323

以上より、上記1又は2のケースに該当する場合、グループ通算制度の適用を前提とした回収可能性の判断に変更することで、繰延税金資産の回収可能額が減少することになる。

　ただし、企業分類②及び③の会社では、繰越欠損金の回収期間を複数年設定することが一般的であることから、実際に、それに係る繰延税金資産の取崩しが生じるのは企業分類④の会社であると考えられる。

　また、上記1又は2以外にも、連結納税制度とグループ通算制度では、受取配当金の益金不算入、寄附金の損金不算入、投資簿価修正等の取扱いが異なるため、それによって一時差異等加減算前課税所得が異なる場合は、スケジューリングによる繰延税金資産の回収可能額についても差異が生じることになる。ただし、受取配当金の益金不算入や寄附金の損金不算入については差異が軽微となる場合がほとんどだろう。

税金コストの有利・不利

　グループ通算制度に移行するか、単体納税制度へ復帰するかの選択に係る税金コストの有利・不利は、単体納税制度を採用している企業グループがグループ通算制度を採用する場合の有利・不利と真逆のものとなる。

　つまり、**第4節**で解説した通り、連結納税制度のメリット・デメリットは、基本的にグループ通算制度に移行後もそのまま残るため、単体納税制度に復帰する場合、現在の連結納税制度のメリット・デメリットが消滅すると考えればよい。

　グループ通算制度の移行に係る税金コストの有利・不利は次のとおりとなる。

　なお、具体的な計算例は、第3部第1章第1節を参照してほしい。

[グループ通算制度の移行に係る有利・不利]

項　目	有利・不利	判定
損益通算又は欠損金の通算	通算グループ内の赤字と黒字を相殺できる。	有利
非特定欠損金のグループ全体の所得金額との相殺	非特定連結欠損金について、グループ通算制度に移行後に非特定欠損金として、通算グループ全体の所得金額（50％又は100％）と相殺できる。	有利
特定欠損金の控除限度割合の拡大	特定連結欠損金について、グループ通算制度に移行後に特定欠損金として、自社の所得金額の50％ではなく、100％を限度に控除できる[※1]。	有利

研究開発税制・外国税額控除	通算グループ全体で税額控除限度額が計算されるため、税額控除額が増加する[※2]。	有利
中小法人・中小企業者・適用除外事業者の判定[※3]	1社でも中小法人又は中小企業者(適用除外事業者を除く)に該当しない場合、大通算法人又は大企業(適用除外事業者を含む)に該当する。	不利
軽減税率の適用対象枠又は交際費の定額控除枠の縮小[※4]	中小通算法人の軽減税率の適用対象枠又は交際費の定額控除枠について、通算グループ内で1回しか利用できない(交際費は適用期限の関係で今後改正される見込み)。	不利
加入に伴う有利・不利	●時価評価対象法人では、時価評価が必要となり、加入前の繰越欠損金が切り捨てられる。 ●時価評価除外法人でも一定の要件を満たさない場合、加入前の繰越欠損金の切捨てと加入前の含み損等の損金算入・損益通算の制限が課される。	不利
離脱に伴う有利・不利	●離脱法人が一定の事由に該当する場合、保有資産について時価評価が必要となる。 ●離脱法人の株式について、投資簿価修正により株式譲渡損益が増加又は減少する。離脱法人の株式の離脱直前の帳簿価額を離脱法人の簿価純資産価額に相当する金額とする。	有利又は不利

※1 単体納税制度の適用時に控除限度割合が100%となる中小法人等に該当する場合は有利とならない。

※2 損益通算や欠損金の通算によりグループ全体の法人税額が少なくなることにより、税額控除限度額が単体納税制度と比較して縮小するケースもある。

※3 単体納税制度では中小法人等に該当するが、グループ通算制度では大通算法人等に該当する場合のみ不利益となる。

※4 単体納税制度では中小法人等に該当し、グループ通算制度でも中小通算法人等に該当する場合のみ不利益となる。

326 第4部 連結法人の「グループ通算制度」移行の有利・不利とシミュレーションと実務対応

[移行メリット1]

グループ法人で赤字が生じるケース
～グループ内の赤字と黒字を相殺して節税できる～

[移行メリット2]

グループ全体で赤字のケース
～赤字でも繰越欠損金の解消スピードが速い～

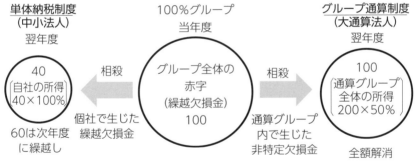

［移行メリット３］

非特定連結欠損金をできるだけ早く解消したいケース
～非特定連結欠損金の解消スピードが速い～

[非特定連結欠損金の解消メリット（イメージ）]

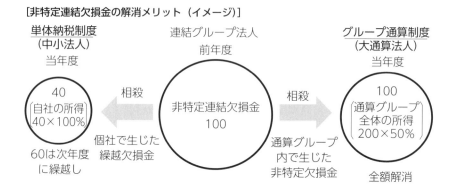

［移行メリット４］　単体納税制度下で大法人に該当する場合のみメリット

特定連結欠損金をできるだけ早く解消したいケース
～特定連結欠損金の解消スピードが速い～

[特定連結欠損金の解消メリット（イメージ）]

[移行メリット5]

試験研究費の税額控除額を増やしたいケース
～赤字の会社の試験研究費に税額控除額が発生する～

[研究開発税制の節税効果（イメージ）]

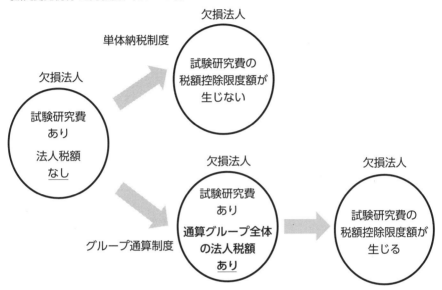

6 税金コストの有利・不利　329

[移行メリット6]

外国税額控除額を増やしたいケース
～赤字の会社でも国外で稼ぎがあれば外国税額が還付される～

[外国税額控除の節税効果（イメージ）]

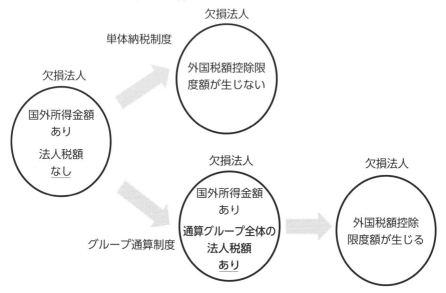

[移行デメリット1] > 単体納税制度では中小法人に該当する場合のみデメリット

グループ通算制度では大通算法人に該当する場合でも、単体納税制度では中小法人に該当する場合がある
〜グループ通算制度は、グループ1社でも資本金1億円を超えると中小法人の特例措置が適用できない〜

《中小法人の特例措置》

① 貸倒引当金の損金算入制度の適用
② 繰越欠損金の控除限度額の拡大（50%→100%）
③ 軽減税率の適用
④ 特定同族会社の留保金課税の不適用
⑤ 交際費の800万円の定額控除特例（未定）
⑥ 欠損金の繰戻還付の適用（未定）

[移行デメリット2] > 単体納税制度では中小法人、グループ通算制度では中小通算法人に該当する場合のみデメリット

中小法人の節税枠が1回しか利用できない
〜中小通算法人の軽減税率（15%又は19%）の適用対象枠800万円について、通算グループ内で1回しか利用できない。今後、交際費の定額控除枠800万円についても同様の措置が講じられることが予想される〜

[グループ通算制度の軽減税率の適用対象枠の縮小（イメージ）]

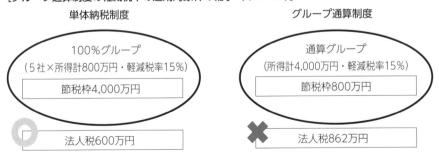

繰延税金資産の回収可能性の有利・不利

グループ通算制度に移行するか、単体納税制度へ復帰するかの選択に係る繰延税金資産の回収可能性の有利・不利は、単体納税法人がグループ通算制度を採用する場合の有利・不利と真逆のものとなる。

つまり、単体納税制度の場合、自社の所得のみに基づいて企業分類の判定とスケジューリングが行われることになるため、グループ通算制度に移行せずに単体納税制度に戻る場合、基本的に繰延税金資産の取崩しになることが一般的であると思われる。

一方、連結財務諸表における繰延税金資産の回収可能性の判断においては、単体納税制度に戻ることによって企業分類とスケジューリングが改善されるケースもある。

A 将来減算一時差異に係る分類（個別財務諸表）

個別財務諸表では単体納税制度に戻れば維持か、ダウン。

通算グループ全体の分類	通算グループ全体での判定	①	②	③	④	⑤
単体納税制度の分類	各社単独の判定	①②③④⑤	①②③④⑤	①②③④⑤	①②③④⑤	①②③④⑤
グループ通算制度の分類	各社ごとに通算グループ全体の分類と単体納税制度の分類の上位を適用	down ①	down ① ②	down ①② ③	down ①②③ ④	①②③④⑤

B　将来減算一時差異に係る分類（連結財務諸表）

連結財務諸表では単体納税制度に戻れば維持、アップ、ダウンいずれもありえる。

通算グループ全体の分類	通算グループ全体での判定	①	②	③	④	⑤
単体納税制度の分類	各社単独の判定	①②③④⑤	①②③④⑤	①②③④⑤	①②③④⑤	①②③④⑤
グループ通算制度の分類	各社ごとに通算グループ全体の分類を適用	down ①	up ②	down ② / up ③	down ③ / up ④	down ④ / up ⑤

C　特定欠損金に係る分類

単体納税制度に戻っても通常変わらない

通算グループ全体の分類	通算グループ全体での判定	①		②		③		④		⑤	
単体納税制度の分類	各社単独の判定 （重要な繰越欠損金がある場合は、通常、分類④又は⑤）	④	⑤	④	⑤	④	⑤	④	⑤	④	⑤
グループ通算制度の分類	各社ごとに通算グループ全体の分類と単体納税制度の分類の下位を適用	④	⑤	④	⑤	④	⑤	④	⑤	up ⑤	⑤

D　非特定欠損金に係る分類

単体納税制度に戻っても通常変わらない

通算グループ全体の分類	通算グループ全体での判定 （重要な繰越欠損金がある場合は、通常、分類④又は⑤）	④		⑤	
単体納税制度の分類	各社単独の判定 （重要な繰越欠損金がある場合は、通常、分類④又は⑤）	④	⑤	④	⑤
グループ通算制度の分類	各社ごとに通算グループ全体の分類を適用	④	down ④	up ⑤	⑤

[単体納税制度に戻ると個別財務諸表でも連結財務諸表でも取崩しとなるケース]

[将来減算一時差異の解消額]

一時差異の内訳	X2年			
	通算 親会社P	通算 子会社S1	通算 子会社S2	合計
賞与引当金・未払事業税等	700	150	0	850

[スケジューリングによる回収可能額の計算]

1．単体納税制度

X1年 法人税及び地方法人税	X2年			
	親会社P	子会社S1	子会社S2	合計
① 一時差異等加減算前課税所得	200	150	1,000	1,350
② 将来減算一時差異の解消見込額	700	150	0	850
③ 将来減算一時差異の解消見込額減算後の 課税所得（①－②）	▲500	0	1,000	500
④ 回収可能見込額	200	150	0	350

2．グループ通算制度（個別財務諸表）

X1年 法人税及び地方法人税	X2年			
	通算 親会社P	通算 子会社S1	通算 子会社S2	合計
① 一時差異等加減算前通算前所得	200	150	1,000	1,350
② 将来減算一時差異の解消見込額	700	150	0	850
③ 将来減算一時差異の解消見込額減算後の 通算前所得（①－②）	▲500	0	1,000	500
④ 損益通算	500	0	▲500	0
⑤ 課税所得（③＋④）	0	0	500	500
⑥ 各社の通算前所得に基づく回収可能額	200	150	0	350
⑦ 損益通算による益金算入額	500	0	0	500
⑧ 上記のうち、マイナスの一時差異等加減 算前通算前所得への充当額	0	0	0	0
⑨ 損益通算に基づく回収可能額（⑦－⑧）	500	0	0	500
⑩ 回収可能見込額（個別財務諸表）（⑥＋⑨）	700	150	0	850

個別財務諸表で
は単体納税制度
に戻ると取崩し

3．グループ通算制度（連結財務諸表）

X1年 法人税及び地方法人税	X2年			
	通算 親会社P	通算 子会社S1	通算 子会社S2	通算 グループ 全体の合計
① 通算グループ全体の一時差異等加減算前課税所得	—	—	—	1,350
② 通算グループ全体の将来減算一時差異の解消見込額	—	—	—	850
③ 通算グループ全体の将来減算一時差異の 解消見込額減算後の課税所得（①－②）	—	—	—	500
④ 回収可能見込額（連結財務諸表）	—	—	—	850

連結財務諸表で
は単体納税制度
に戻ると取崩し

[単体納税制度に戻ると個別財務諸表では変わらず、連結財務諸表では積み増しとなるケース]

[将来減算一時差異の解消額]

一時差異の内訳	X2年			
	通算 親会社P	通算 子会社S1	通算 子会社S2	合計
賞与引当金・未払事業税等	700	150	100	950

[スケジューリングによる回収可能額の計算]

1．単体納税制度

X1年 法人税及び地方法人税	X2年			
	親会社P	子会社S1	子会社S2	合計
① 一時差異等加減算前課税所得	700	250	▲ 400	550
② 将来減算一時差異の解消見込額	700	150	100	950
③ 将来減算一時差異の解消見込額減算後の課税所得（①－②）	0	100	▲ 500	▲ 400
④ 回収可能見込額	700	150	0	850

2．グループ通算制度（個別財務諸表）

X1年 法人税及び地方法人税	X2年			
	通算 親会社P	通算 子会社S1	通算 子会社S2	合計
① 一時差異等加減算前通算前所得	700	250	▲ 400	550
② 将来減算一時差異の解消見込額	700	150	100	950
③ 将来減算一時差異の解消見込額減算後の通算前所得（①－②）	0	100	▲ 500	▲ 400
④ 損益通算	0	▲ 100	100	0
⑤ 課税所得（③＋④）	0	0	▲ 400	▲ 400
⑥ 各社の通算前所得に基づく回収可能額	700	150	0	850
⑦ 損益通算による益金算入額	0	0	100	100
⑧ 上記のうち、マイナスの一時差異等加減算前通算前所得への充当額	0	0	100	100
⑨ 損益通算に基づく回収可能額（⑦－⑧）	0	0	0	0
⑩ 回収可能見込額（個別財務諸表）（⑥＋⑨）	700	150	0	850

個別財務諸表では単体納税制度に戻っても変わらない

3．グループ通算制度（連結財務諸表）

X1年 法人税及び地方法人税	X2年			
	通算 親会社P	通算 子会社S1	通算 子会社S2	通算 グループ 全体の合計
① 通算グループ全体の一時差異等加減算前課税所得	―	―	―	550
② 通算グループ全体の将来減算一時差異の解消見込額	―	―	―	950
③ 通算グループ全体の将来減算一時差異の解消見込額減算後の課税所得（①－②）	―	―	―	▲ 400
④ 回収可能見込額（連結財務諸表）	―	―	―	550

連結財務諸表では単体納税制度に戻ると積み増し

なお、上記以外にも、グループ通算制度に移行する場合と単体納税制度に復帰する場合について、受取配当金の益金不算入、外国子会社配当の益金不算入、投資簿価修正等の取扱いが異なるため、それによって一時差異等加減算前課税所得が異なる場合は、スケジューリングによる繰延税金資産の回収可能額についても差異が生じることになる。

第2章
「グループ通算制度」移行のシミュレーション

『税金コスト』のシミュレーション

1 シミュレーションの基本情報（一覧表）

シミュレーションを行うためには、その前提となる情報を収集することから開始することになる。

具体的には、次に掲げる手順で、グループ通算制度に移行する場合と単体納税制度に復帰する場合の両方のケースについて、次に掲げる情報を把握する必要がある。

《シミュレーションの基本情報》

手順1	前提条件の設定
手順1-1	計算期間の設定
手順1-2	個別所得金額の設定
手順1-3	繰越欠損金の期首残高と繰越期間の設定
手順1-4	繰越欠損金の控除限度割合の設定
手順1-5	税率の設定

手順2	各通算法人に係る情報の確定
手順2-1	通算法人の決定
手順2-2	中小法人等の判定
手順2-3	外国税額控除額又は試験研究費の税額控除額の計算
手順2-4	特定同族会社の判定

手順1　前提条件の設定

手順1-1　計算期間の設定

　2022年4月1日以後最初に開始する事業年度を初年度として、シミュレーションの対象となる計算期間を設定する。

手順1-2　個別所得金額の設定

　計算期間における個別所得金額を設定する。

　この場合、グループ通算制度に移行する場合と単体納税制度に復帰する場合の両方のケースについて設定するが、以下の項目について、それぞれの取扱いが異なることから、個別所得金額が相違するケースが生じる。

- ●関連法人株式に係る受取配当金の益金不算入額
- ●外国子会社配当金の益金不算入額
- ●交際費の損金不算入額

　ただし、通算グループ内の支払利子等の額に重要性がない場合、単体納税制度において外国子会社配当金について95%益金不算入の取扱いが適用されている場合、単体納税制度でも各法人が大法人に該当するため交際費（接待飲食費の50%を除く）は全額損金不算入となっている場合は、その影響を無視して、グループ通算制度に移行する場合と単体納税制度に復帰する場合について同額の個別所得金額を設定してもよい。

338　第4部　連結法人の「グループ通算制度」移行の有利・不利とシミュレーションと実務対応

手順1-3 繰越欠損金の期首残高と繰越期間の設定

　法人税の特定欠損金、非特定欠損金、住民税の控除対象個別帰属調整額、控除対象個別帰属税額、事業税の繰越欠損金について、計算期間の初年度の期首残高と繰越期間を設定する。

手順1-4 繰越欠損金の控除限度割合の設定

　計算期間における繰越欠損金の控除限度割合を法人税と事業税の区分ごと、グループ通算制度と単体納税制度の区分ごとに設定する。

手順1-5 税率の設定

　各通算法人の税率を設定する。

手順2 各通算法人に係る情報の確定

手順2-1 通算法人の決定

　グループ通算制度を採用した場合の通算法人の範囲を確認する。基本的は、現在の連結法人が通算法人に該当する。

手順2-2 中小法人等の判定

　グループ通算制度において各通算法人が中小通算法人等又は大通算法人等のいずれに該当するか、単体納税制度において各法人が中小法人等又は大法人等のいずれに該当するかを判定する。

手順2-3 外国税額控除額又は試験研究費の税額控除額の計算

　外国税額控除又は研究開発税制が適用される場合は、グループ通算制度又は単体納税制度における外国税額控除額又は試験研究費の税額控除額を別途試算する。

　この場合、計算方法については、**第3部第1章第1節「2．グループ通算制度の採用がメリットになるケース」**のメリット4及び5で計算例を示

1 『税金コスト』のシミュレーション　339

している。

　また、他の租税特別措置についても、有利・不利が生じる場合、シミュレーションに織り込むことを検討する必要がある。

(手順2-4)　特定同族会社の判定

　グループ通算制度又は単体納税制度において特定同族会社に該当するかを確認する。

　特定同族会社に該当する場合、留保税額を別途試算する。

　この場合、計算方法については、**第3部第1章第1節「4．その他の有利・不利が生じる取扱い」**の❸で解説している。

　例えば、**手順1及び2**の情報を一覧表でまとめると次のとおりとなる。

【シミュレーションのための基本情報（一覧表）】

1　通算開始事業年度（令和4年4月1日以後最初に開始する事業年度）

	年	月	日
開始年月日	2022	4	1
終了年月日	2023	3	31

2　会社情報

	通算親法人	通算子法人	通算子法人
会社名	トラスト1	トラスト2	トラスト3

●グループ通算制度に移行する場合

資本金	500,000,000	200,000,000	50,000,000
中小通算法人又は大通算法人	大通算法人	大通算法人	大通算法人
中小企業者 （適用除外事業者を除く）	非中小企業者	非中小企業者	非中小企業者
留保金課税	不適用	不適用	不適用

●単体納税制度に復帰する場合

中小法人又は大法人	大法人	大法人	大法人
中小企業者 （適用除外事業者を除く）	非中小企業者	非中小企業者	非中小企業者
留保金課税	不適用	不適用	不適用

3　法定税率

トラスト1

事業年度／税目	法人税	地方法人税	住民税	事業税
2023. 3期	23.2000%	10.3000%	10.4000%	3.7800%
2024. 3期	23.2000%	10.3000%	10.4000%	3.7800%

トラスト2

事業年度／税目	法人税	地方法人税	住民税	事業税
2023. 3期	23.2000%	10.3000%	10.4000%	3.7800%
2024. 3期	23.2000%	10.3000%	10.4000%	3.7800%

トラスト3

事業年度／税目	法人税	地方法人税	住民税	事業税
2023. 3期	23.2000%	10.3000%	10.4000%	10.0700%
2024. 3期	23.2000%	10.3000%	10.4000%	10.0700%

4　個別所得金額（グループ通算制度に移行する場合）

①　税引前当期純利益

事業年度／会社名	トラスト1	トラスト2	トラスト3
2023. 3期	900,000	300,000	▲ 200,000
2024. 3期	900,000	300,000	▲ 200,000

②　受取配当金の益金不算入額（マイナス表示）

事業年度／会社名	トラスト1	トラスト2	トラスト3
2023. 3期	0	0	0
2024. 3期	0	0	0

③　交際費の損金不算入額

事業年度／会社名	トラスト1	トラスト2	トラスト3
2023. 3 期	0	0	0
2024. 3 期	0	0	0

通算前所得金額（①～③）

事業年度／会社名	トラスト1	トラスト2	トラスト3
2023. 3 期	900,000	300,000	▲ 200,000
2024. 3 期	900,000	300,000	▲ 200,000

5　個別所得金額（単体納税制度に復帰する場合）

①　税引前当期純利益

事業年度／会社名	トラスト1	トラスト2	トラスト3
2023. 3 期	900,000	300,000	▲ 200,000
2024. 3 期	900,000	300,000	▲ 200,000

②　受取配当金の益金不算入額（マイナス表示）

事業年度／会社名	トラスト1	トラスト2	トラスト3
2023. 3 期	0	0	0
2024. 3 期	0	0	0

③　交際費の損金不算入額

事業年度／会社名	トラスト1	トラスト2	トラスト3
2023. 3 期	0	0	0
2024. 3 期	0	0	0

欠損金控除前所得金額（①～③）

事業年度／会社名	トラスト1	トラスト2	トラスト3
2023. 3 期	900,000	300,000	▲ 200,000
2024. 3 期	900,000	300,000	▲ 200,000

6．繰越欠損金の控除限度割合（％）

事業年度／会社名	グループ通算制度（法人税）			グループ通算制度（事業税）			単体納税制度		
	トラスト1	トラスト2	トラスト3	トラスト1	トラスト2	トラスト3	トラスト1	トラスト2	トラスト3
2023.3期	50%	50%	50%	50%	50%	50%	50%	50%	50%
2024.3期	50%	50%	50%	50%	50%	50%	50%	50%	50%

7．繰越欠損金の期首残高と繰越期間

［繰越欠損金（特定及び非特定の合計）］

通算親法人	通算子法人	通算子法人	発生事業年度							繰越期間	繰越最終事業年度						
トラスト1	トラスト2	トラスト3	年	月	日	～	年	月	日	年	年	月	日	～	年	月	日
0	500,000	0	2017	4	1	～	2018	3	31	9	2026	4	1	～	2027	3	31
0	500,000	0															

［非特定欠損金］

通算親法人	通算子法人	通算子法人	発生事業年度							繰越期間	繰越最終事業年度						
トラスト1	トラスト2	トラスト3	年	月	日	～	年	月	日	年	年	月	日	～	年	月	日
0	0	0															

［特定欠損金］

通算親法人	通算子法人	通算子法人	発生事業年度							繰越期間	繰越最終事業年度						
トラスト1	トラスト2	トラスト3	年	月	日	～	年	月	日	年	年	月	日	～	年	月	日
	500,000		2017	4	1	～	2018	3	31	9	2026	4	1	～	2027	3	31
0	500,000	0															

［控除対象個別帰属税額及び控除対象個別帰属調整額］

通算親法人	通算子法人	通算子法人	発生事業年度							繰越期間	繰越最終事業年度						
トラスト1	トラスト2	トラスト3	年	月	日	～	年	月	日	年	年	月	日	～	年	月	日
		50,000	2018	4	1	～	2019	3	31	10	2028	4	1	～	2029	3	31
		50,000	2019	4	1	～	2020	3	31	10	2029	4	1	～	2030	3	31
		50,000	2020	4	1	～	2021	3	31	10	2030	4	1	～	2031	3	31
		50,000	2021	4	1	～	2022	3	31	10	2031	4	1	～	2032	3	31
0	0	200,000															

［繰越欠損金（事業税）］

通算親法人	通算子法人	通算子法人	発生事業年度							繰越期間	繰越最終事業年度						
トラスト1	トラスト2	トラスト3	年	月	日	～	年	月	日	年	年	月	日	～	年	月	日
	650,000		2017	4	1	～	2018	3	31	9	2026	4	1	～	2027	3	31
		200,000	2018	4	1	～	2019	3	31	10	2028	4	1	～	2029	3	31
		200,000	2019	4	1	～	2020	3	31	10	2029	4	1	～	2030	3	31
		200,000	2020	4	1	～	2021	3	31	10	2030	4	1	～	2031	3	31
		200,000	2021	4	1	～	2022	3	31	10	2031	4	1	～	2032	3	31
0	650,000	800,000															

以上の手順によって把握した基本情報に基づいてシミュレーションを行うことになる。

　なお、シミュレーションの計算結果は、使用する事業計画によって左右されるため、過度に強気又は弱気な事業計画を使用するよりは、将来の不確定要素を考慮して、複数のシナリオ（例えば、強気・中立・弱気の事業計画等）を作成して、シナリオごとにシミュレーションを行うことをお勧めする。

2 │ シミュレーション（有利・不利の判定）

【本節のシミュレーションの目的】

- トラスト1を通算親法人とした通算グループにおける2023年3月期（移行初年度）から2024年3月期までのグループ通算制度に移行する場合と単体納税制度に復帰する場合の税額計算の比較（以下、「本ケース」という）について、『通算制度移行のシミュレーションシート』（以下、「本シート」という）を使って解説する。
- 本ケースでは、上記1で示した「シミュレーションの基本情報（一覧表）」を計算の基礎となる前提条件とする。
- なお、以下では、本シートの一部を抜粋して記載しているため、すべてを確認したい場合は、本ケースで使用した『通算制度移行のシミュレーションシート』（Excel）をWebサイトからダウンロードしてほしい（「本書のご利用にあたって」参照）。
- また、本シートでは、計算過程において端数調整は行わず、最終的に表示される金額について小数点以下第1位を四捨五入して表示している。

　税金コストのシミュレーションの結果は次のとおりとなる。

　結果として、損益通算と特定欠損金の解消額の増加によりグループ通算制度に移行した方が税金コストは減少する。

1 『税金コスト』のシミュレーション

単体納税制度に復帰するケース

事業年度	2023. 3期
税制	単体納税
法人税、住民税及び事業税（合計）	333,715

法人税及び地方法人税の計算	トラスト1	トラスト2	トラスト3	合計
●所得金額の計算				
所得金額（欠損金控除前）	900,000	300,000	▲ 200,000	1,000,000
—	—	—	—	—
—	—	—	—	—
—	—	—	—	—
—	—	—	—	—
繰越欠損金（控除：＋）	0	*4150,000	0	150,000
所得金額	900,000	150,000	▲ 200,000	850,000
●法人税額の計算				
法人税額	208,800	34,800	0	243,600
●地方法人税額の計算				
地方法人税額	21,506	3,584	0	25,091

住民税の計算	トラスト1	トラスト2	トラスト3	合計
●法人税割の計算				
法人税額	208,800	34,800	0	243,600
—	—	—	—	—
—	—	—	—	—
法人税額（控除前）	208,800	34,800	0	243,600
控除対象個別帰属税額等（控除：＋）	0	0	0	0
法人税割	208,800	34,800	0	243,600
●住民税額の計算				
住民税額	21,715	3,619	0	25,334

事業税の計算	トラスト1	トラスト2	トラスト3	合計
●所得金額の計算				
所得金額（欠損金控除前）	900,000	300,000	▲ 200,000	1,000,000
繰越欠損金	0	150,000	0	150,000
所得金額	900,000	150,000	▲ 200,000	850,000
●事業税額の計算				
事業税額	34,020	5,670	0	39,690

※1 （差額分析）
　　①損益通算
　　　▲51,179
　　　※　200,000×（1＋10.3%）×23.2%
　　②トラスト2の繰越欠損金の使用額の減少
　　　▲28,002
　　　※　（250,000－150,000）×（1＋10.3%＋10.4%）×23.2%
※2 トラスト3の欠損金額200,000を所得法人で損益通算している。
※3 トラスト2では特定欠損金の期首残高（2018.3期発生分500,000）について、損益通算後の所得金額の100%（250,000）を限度に控除している。
※4 トラスト2では繰越欠損金の期首残高（2018.3期発生分500,000）について、所得金額の50%（150,000）を限度に控除している。
※5 トラスト2では、法人税の繰越欠損金の使用額が単体納税より多いため、通算制度の住民税が単体納税より少なくなる。

グループ通算制度に移行するケース

事業年度（通算開始事業年度）		2023. 3期	差額	通算制度 有利・不利
税制		通算制度		
法人税、住民税及び事業税（合計）		254,534	*1▲79,182	有利

法人税及び地方法人税の計算	トラスト1	トラスト2	トラスト3	通算グループ計
●所得金額の計算				
通算前所得金額	900,000	300,000	0	1,200,000
通算前欠損金額	0	0	▲ 200,000	▲ 200,000
損益通算 通算対象欠損金額	▲ 150,000	▲ 50,000	0	*2▲ 200,000
損益通算 通算対象所得金額	0	0	200,000	200,000
欠損控除前所得金額	750,000	250,000	0	1,000,000
繰越欠損金（控除：＋）	0	*3250,000	0	250,000
所得金額	750,000	0	0	750,000
●法人税割の計算				
法人税額	174,000	0	0	174,000
●地方法人税額の計算				
地方法人税額	17,922	0	0	17,922

住民税の計算	トラスト1	トラスト2	トラスト3	通算グループ計
●法人税割の計算				
法人税額	174,000	0	0	174,000
加算対象通算対象欠損調整額（加算：＋）	34,800	11,600	0	46,400
加算対象被配賦欠損調整額（加算：＋）	0	0	0	0
法人税額（控除前）	208,800	11,600	0	220,400
控除対象通算対象所得調整額等（控除：＋）	0	0	0	0
法人税割	208,800	11,600	0	220,400
●住民税額の計算				
住民税額	21,715	*51,206	0	22,922

事業税の計算	トラスト1	トラスト2	トラスト3	通算グループ計
●所得金額の計算				
所得金額（欠損金控除前）	900,000	300,000	▲ 200,000	1,000,000
繰越欠損金	0	150,000	0	150,000
所得金額	900,000	150,000	▲ 200,000	850,000
●事業税額の計算				
事業税額	34,020	5,670	0	39,690

単体納税制度に復帰するケース

事業年度	2024. 3期
税制	単体納税
法人税、住民税及び事業税（合計）	333,715

法人税及び地方法人税の計算	トラスト1	トラスト2	トラスト3	合計
●所得金額の計算				
所得金額（欠損金控除前）	900,000	300,000	▲ 200,000	1,000,000
—	—	—	—	—
—	—	—	—	—
—	—	—	—	—
—	—	—	—	—
繰越欠損金（控除：＋）	0	※4 150,000	0	150,000
所得金額	900,000	150,000	▲ 200,000	850,000
●法人税額の計算				
法人税額	208,800	34,800	0	243,600
●地方法人税額の計算				
地方法人税額	21,506	3,584	0	25,091

住民税の計算	トラスト1	トラスト2	トラスト3	合計
●法人税割の計算				
法人税額	208,800	34,800	0	243,600
—	—	—	—	—
—	—	—	—	—
法人税額（控除前）	208,800	34,800	0	243,600
控除対象個別帰属税額等（控除：＋）	0	0	0	0
法人税割	208,800	34,800	0	243,600
●住民税額の計算				
住民税額	21,715	3,619	0	25,334

事業税の計算	トラスト1	トラスト2	トラスト3	合計
●所得金額の計算				
所得金額（欠損金控除前）	900,000	300,000	▲ 200,000	1,000,000
繰越欠損金	0	150,000	0	150,000
所得金額	900,000	150,000	▲ 200,000	850,000
●事業税額の計算				
事業税額	34,020	5,670	0	39,690

※1 　（差額分析）
　　①損益通算
　　　▲51,179
　　　※　200,000×（1＋10.3%）×23.2%
　　②トラスト2の繰越欠損金の使用額の減少
　　　▲28,002
　　　※　（250,000－150,000）×（1＋10.3%＋10.4%）×23.2%
※2 　トラスト3の欠損金額200,000を所得法人で損益通算している。
※3 　トラスト2では特定欠損金の期首残高（2018. 3期発生分残額250,000）について、損益通算後の所得金額の100%（250,000）を限度に控除している。
※4 　トラスト2では繰越欠損金の期首残高（2018. 3期発生分残額350,000）について、所得金額の50%（150,000）を限度に控除している。
※5 　トラスト2では、法人税の繰越欠損金の使用額が単体納税より多いため、通算制度の住民税が単体納税より少なくなる。

グループ通算制度に移行するケース

事業年度		2024. 3期	差額	通算制度 有利・不利
税制		通算制度		
法人税、住民税及び事業税（合計）		254,534	※1▲ 79,182	有利

法人税及び地方法人税の計算		トラスト1	トラスト2	トラスト3	通算グループ 計
●所得金額の計算					
通算前所得金額		900,000	300,000	0	1,200,000
通算前欠損金額		0	0	▲ 200,000	▲ 200,000
損益 通算	通算対象欠損金額	▲ 150,000	▲ 50,000	0	※2▲ 200,000
	通算対象所得金額	0	0	200,000	200,000
欠損控除前所得金額		750,000	250,000	0	1,000,000
繰越欠損金（控除：＋）		0	※3250,000	0	250,000
所得金額		750,000	0	0	750,000
●法人税額の計算					
法人税額		174,000	0	0	174,000
●地方法人税額の計算					
地方法人税額		17,922	0	0	17,922

住民税の計算	トラスト1	トラスト2	トラスト3	通算グループ 計
●法人税割の計算				
法人税額	174,000	0	0	174,000
加算対象通算対象欠損調整額（加算：＋）	34,800	11,600	0	46,400
加算対象被配賦欠損調整額（加算：＋）	0	0	0	0
法人税額（控除前）	208,800	11,600	0	220,400
控除対象通算対象所得調整額等（控除：＋）	0	0	0	0
法人税割	208,800	11,600	0	220,400
●住民税額の計算				
住民税額	21,715	※51,206	0	22,921

事業税の計算	トラスト1	トラスト2	トラスト3	通算グループ 計
●所得金額の計算				
所得金額（欠損金控除前）	900,000	300,000	▲ 200,000	1,000,000
繰越欠損金	0	150,000	0	150,000
所得金額	900,000	150,000	▲ 200,000	850,000
●事業税額の計算				
事業税額	34,020	5,670	0	39,690

『繰延税金資産の回収可能額』のシミュレーション

1 シミュレーションの基本情報（一覧表）

シミュレーションを行うためには、その前提となる情報を収集することから開始することになる。

具体的には、次に掲げる手順で、グループ通算制度に移行する場合と単体納税制度に復帰する場合の両方のケースについて、次に掲げる情報を把握する必要がある。

《シミュレーションの基本情報》

手順1	企業分類の決定
手順2	回収期間の設定
手順3	一時差異等加減算前通算前所得の計算
手順4	将来減算一時差異等の集計とスケジューリング
手順5	法定実効税率の設定

手順1　企業分類の決定

各通算会社の分類と通算グループ全体の分類を決定する。

単体納税制度に復帰する場合は、各通算会社の分類を適用し、グループ通算制度に移行する場合は、各通算会社ごとに、各通算会社の分類と通算グループ全体の分類を考慮して、将来減算一時差異（個別財務諸表）、将来減算一時差異（連結財務諸表）、非特定欠損金、特定欠損金の企業分類をそれぞれ決定する。

例えば、以下のように判定する。

[企業分類の判定]

	事業年度	基礎所得	通算親会社 トラスト1	通算子会社 トラスト2	通算子会社 トラスト3	通算グループ 全体
通算前所得 (実績・見込)	2019. 3期	連結納税制度： 欠損金控除前所得金額	100,000	0	▲ 200,000	▲ 100,000
	2020. 3期	連結納税制度： 欠損金控除前所得金額	100,000	0	▲ 200,000	▲ 100,000
	2021. 3期	連結納税制度： 欠損金控除前所得金額	600,000	100,000	▲ 200,000	500,000
	2022. 3期	連結納税制度： 欠損金控除前所得金額	700,000	200,000	▲ 200,000	700,000
将来減算一時差異（合計）	期末残高		650,000	650,000	650,000	1,950,000
通算会社と 通算グループ全体 のそれぞれの分類	通算会社の分類は単体納税制度の分類を採用。通算グループ全体の分類は通算グループ合計で単体法人と同様に判定		②	③	⑤	③

最終判定	将来減算一時差異に係る法人税及び地方法人税の分類（個別財務諸表）	通算会社と通算グループ全体の分類のうち、上位を採用		②	③	③	—
	将来減算一時差異に係る法人税及び地方法人税の分類（連結財務諸表）	通算グループ全体の分類を採用		③	③	③	③
	非特定欠損金に係る分類	通算グループ全体の分類を採用		③	③	③	—
	特定欠損金に係る分類	通算会社と通算グループ全体の分類のうち、下位を採用		③	③	⑤	—
	単体納税制度の分類	通算会社の分類を採用		②	③	⑤	—

2 『繰延税金資産の回収可能額』のシミュレーション

グループ通算制度を適用している場合の各通算会社の分類は、損益通算や欠損金の通算を考慮せず、自社の通算前所得に基づいて判定するため、当期及び過去3期の所得の実績について、連結納税制度を適用している年度がある場合、連結納税制度の欠損金控除前個別所得に基づいて判定すればよい。

手順2 回収期間の設定

スケジューリングの計算期間となる回収期間を設定する。

グループ通算制度の場合、基本的には、通算グループ全体で回収期間を統一する。

手順3 一時差異等加減算前通算前所得の計算

事業計画から税引前当期純利益を把握するとともに、所得金額の基礎になる永久差異、将来減算一時差異、将来加算一時差異の増減額を把握する。

この場合、受取配当金の益金不算入額や交際費の損金不算入額は、グループ通算制度に移行する場合と単体納税制度に復帰する場合で金額が異なる場合があるため、その影響が大きい場合、制度ごとの金額を把握する。

以上から、各通算会社の「一時差異等加減算前通算前所得」を計算する。

例えば、以下のように計算する。

[一時差異等加減算前通算前所得（グループ通算制度に移行する場合）]

事業年度／会社名	トラスト1	トラスト2	トラスト3
2023. 3期	950,000	350,000	▲ 150,000
2024. 3期	950,000	350,000	▲ 150,000

[一時差異等加減算前課税所得（単体納税制度に復帰する場合）]

事業年度／会社名	トラスト1	トラスト2	トラスト3
2023. 3期	950,000	350,000	▲ 150,000
2024. 3期	950,000	350,000	▲ 150,000

手順4　将来減算一時差異等の集計とスケジューリング

　計算対象となる年度末に見込まれる将来減算一時差異等を、スケジューリング可能差異、長期の将来減算一時差異、スケジューリング不能差異に区分して、回収期間における解消額を集計する。

　例えば、以下のように集計する。

[将来減算一時差異]
トラスト1

種類	残高	解消スケジュール				
		2023. 3期	2024. 3期	回収期間超	長期	スケ不能
スケ可能	250,000	50,000	50,000	150,000		
長期	200,000				200,000	
スケ不能	200,000					200,000
合計	650,000	50,000	50,000	150,000	200,000	200,000

トラスト2

種類	残高	解消スケジュール				
		2023. 3期	2024. 3期	回収期間超	長期	スケ不能
スケ可能	250,000	50,000	50,000	150,000		
長期	200,000				200,000	
スケ不能	200,000					200,000
合計	650,000	50,000	50,000	150,000	200,000	200,000

トラスト3

種類	残高	解消スケジュール				
		2023. 3期	2024. 3期	回収期間超	長期	スケ不能
スケ可能	250,000	50,000	50,000	150,000		
長期	200,000				200,000	
スケ不能	200,000					200,000
合計	650,000	50,000	50,000	150,000	200,000	200,000

2 『繰延税金資産の回収可能額』のシミュレーション

［非特定欠損金］

通算親会社	通算子会社	通算子会社	発生事業年度							繰越期間	繰越最終事業年度						
トラスト1	トラスト2	トラスト3	年	月	日	～	年	月	日	年	年	月	日	～	年	月	日
0	0	0															

［特定欠損金］

通算親会社	通算子会社	通算子会社	発生事業年度							繰越期間	繰越最終事業年度						
トラスト1	トラスト2	トラスト3	年	月	日	～	年	月	日	年	年	月	日	～	年	月	日
	500,000		2017	4	1	～	2018	3	31	9	2026	4	1	～	2027	3	31
0	500,000	0															

手順5　法定実効税率の設定

　繰延税金資産の回収可能額を計算するため、法定実効税率を設定する。

［法人税及び地方法人税に係る法定実効税率（％）］

事業年度／会社名	トラスト1	トラスト2	トラスト3
2023. 3 期	24.66%	24.66%	23.25%
2024. 3 期	24.66%	24.66%	23.25%
回収期間超	24.66%	24.66%	23.25%
長期の将来減算一時差異	24.66%	24.66%	23.25%
スケジューリング不能差異	24.66%	24.66%	23.25%

　以上の手順によって把握した基本情報に基づいてシミュレーションを行うことになる。

　なお、シミュレーションの目的は、グループ通算制度に移行する場合と単体納税制度に復帰する場合の繰延税金資産の計上額の比較をすることにあり、グループ通算制度は地方税には適用されないことから、法人税及び地方法人税に係る繰延税金資産の回収可能額のみ比較すれば意思決定には十分であろう。

　ただし、グループ通算制度と単体納税制度では、受取配当金の益金不算入、外国子会社配当金の益金不算入、投資簿価修正、住民税の欠損金等の取扱いが異なるため、それによって住民税又は事業税の課税標準が異なる

ことになり、グループ通算制度と単体納税制度の繰延税金資産の回収可能額に大きな差異が生じる場合は、繰延税金資産の回収可能額への影響を別途計算して有利・不利の判定に織り込む必要がある。

　最後に、シミュレーションの計算結果は、使用する事業計画によって左右されるため、過度に強気又は弱気な事業計画を使用するよりは、将来の不確定要素を考慮して、複数のシナリオ（例えば、強気・中立・弱気の事業計画等）を作成して、シナリオごとにシミュレーションを行うことをお勧めする。

2 ｜ シミュレーション（有利・不利の判定）

【本節のシミュレーションの目的】

- 第1節で税金コストのシミュレーションを行ったトラスト1を通算親法人とした通算グループについて、グループ通算制度に移行する場合と単体納税制度に復帰する場合の繰延税金資産の回収可能額のシミュレーションを行うことにする。
- 以下、トラスト1の通算グループにおける2022年3月期（移行直前期）におけるグループ通算制度に移行する場合と単体納税制度に復帰する場合の繰延税金資産の回収可能額の比較（以下、「本ケース」という）について、『通算制度移行のシミュレーションシート』（以下、「本シート」という）を使って解説する。
- 本ケースでは、上記1で示した「シミュレーションの基本情報」を前提条件とする。また、通算グループ内で通算税効果額の授受を行うことを前提としている。
- なお、以下では、本シートの一部を抜粋して記載しているため、すべてを確認したい場合は、本ケースで使用した『通算制度移行のシミュレーションシート』（Excel）をWebサイトからダウンロードしてほしい（「本書のご利用にあたって」参照）。
- また、本シートでは、計算過程において端数調整は行わず、最終的に表示される金額について小数点以下第1位を四捨五入して表示している。

　繰延税金資産の回収可能額のシミュレーションの結果は、次のとおりとなる。

　結果として、企業分類が改善すること及び損益通算と開始前の繰越欠損金の解消額の増加により回収可能額が増加することから、グループ通算制度に移行した方が個別財務諸表及び連結財務諸表の繰延税金資産の計上額は増加する。

2 『繰延税金資産の回収可能額』のシミュレーション　355

1 シミュレーション結果（繰延税金資産の計上額の比較）

単体納税制度に復帰するケース				
法人税及び地方法人税に係る繰延税金資産	親会社	子会社	子会社	グループ全体（合計）
	トラスト1	トラスト2	トラスト3	
繰延税金資産（固定）	110,970	147,960	0	258,930
［個別財務諸表］差額（単体納税制度に復帰する場合の取崩：マイナス、積増：プラス）	0	▲ 49,320	▲ 69,750	[*1] ▲ 119,070
［連結財務諸表］差額（単体納税制度に復帰する場合の取崩：マイナス、積増：プラス）	[*2] 36,990	▲ 49,320	▲ 69,750	▲ 82,080

グループ通算制度に移行するケース				

［個別財務諸表］

法人税及び地方法人税に係る繰延税金資産	通算親会社	通算子会社	通算子会社	通算グループ全体（合計）
	トラスト1	トラスト2	トラスト3	
繰延税金資産（固定）	110,970	197,280	69,750	378,000

［連結財務諸表］

法人税及び地方法人税に係る繰延税金資産	通算親会社	通算子会社	通算子会社	通算グループ全体（合計）
	トラスト1	トラスト2	トラスト3	
繰延税金資産（固定）	73,980	197,280	69,750	341,010

※1　差異分析
　　（トラスト2）
　　スケジューリングの悪化による取崩額　49,320
　　①2023. 3期　繰越欠損金24,660（100,000×24.66％）
　　②2024. 3期　繰越欠損金24,660（100,000×24.66％）
　　（トラスト3）
　　企業分類及びスケジューリングの悪化による取崩額　69,750
　　①2023. 3期　将来減算一時差異11,625（50,000×23.25％）
　　②2024. 3期　将来減算一時差異11,625（50,000×23.25％）
　　③長期の将来減算一時差異46,500（200,000×23.25％）
※2　トラスト1では、グループ通算制度の連結財務諸表の場合、将来減算一時差異に係る分類は通算グループ全体の分類③となるが、単体納税制度の場合、分類②（グループ通算制度の個別財務諸表の場合も分類②）となるため、単体納税制度に復帰すると回収期間超の部分が回収可能となる。

2 単体納税制度の繰延税金資産の計上額

（1） スケジューリングによる回収可能額

法人税及び地方法人税に係るスケジューリング（単体納税制度）	2024. 3期			
	親会社	子会社	子会社	グループ全体（合計）
	トラスト1	トラスト2	トラスト3	
	②	③	⑤	―
[将来減算一時差異の回収可能見込額（当期回収分）]				
一時差異等加減算前課税所得	950,000	350,000	▲ 150,000	1,150,000
将来減算一時差異の解消見込額	50,000	50,000	50,000	150,000
将来減算一時差異の解消見込額減算後の課税所得	900,000	300,000	▲ 200,000	1,000,000
回収可能見込額	50,000	50,000	0	100,000
[将来減算一時差異の回収可能見込額（翌期以後回収分）]				
当期の繰越欠損金発生額	0	0	200,000	200,000
マイナスの一時差異等加減算前課税所得	0	0	150,000	150,000
当期の繰越欠損金発生額に含まれる当期の将来減算一時差異の解消額	0	0	50,000	50,000
当期の繰越欠損金発生額の翌期以後の解消額	0	0	0	0
2024. 3期	―	―	―	―
当期の繰越欠損金発生額の翌期以後の解消額に含まれる当期の将来減算一時差異の解消額	0	0	0	0
2024. 3期	―	―	―	―
回収可能見込額	0	0	0	0
2024. 3期	―	―	―	―
[繰越欠損金の回収可能見込額]				
繰越欠損金の回収可能見込額	0	150,000	0	150,000
2018. 3期	0	150,000	0	150,000

※1　自社の所得で回収可能となる金額。
※2　将来減算一時差異の解消額のうち、繰越欠損金に転化された金額。本ケースでは、翌期以後の回収期間で繰越欠損金が解消されないため、回収可能額は0となる。
※3　税金コストのシミュレーションで計算した繰越欠損金の解消額が回収可能額となる。

法人税及び地方法人税に係るスケジューリング （単体納税制度）	2023. 3期			
	親会社	子会社	子会社	グループ全体 （合計）
	トラスト1	トラスト2	トラスト3	
	②	③	⑤	―
[将来減算一時差異の回収可能見込額（当期回収分）]				
一時差異等加減算前課税所得	950,000	350,000	▲ 150,000	1,150,000
将来減算一時差異の解消見込額	50,000	50,000	50,000	150,000
将来減算一時差異の解消見込額減算後の課税所得	900,000	300,000	▲ 200,000	1,000,000
回収可能見込額	50,000	50,000	0	*1100,000
[将来減算一時差異の回収可能見込額（翌期以後回収分）]				
当期の繰越欠損金発生額	0	0	200,000	200,000
マイナスの一時差異等加減算前課税所得	0	0	150,000	150,000
当期の繰越欠損金発生額に含まれる当期の将来減算一時差異の解消額	0	0	*250,000	50,000
当期の繰越欠損金発生額の翌期以後の解消額	0	0	0	0
2024. 3期	0	0	0	0
当期の繰越欠損金発生額の翌期以後の解消額に含まれる当期の将来減算一時差異の解消額	0	0	0	0
2024. 3期	0	0	0	0
回収可能見込額	0	0	0	0
2024. 3期	0	0	0	0
[繰越欠損金の回収可能見込額]				
繰越欠損金の回収可能見込額	0	150,000	0	150,000
2018. 3期	0	150,000	0	*3150,000

（2） 企業分類による将来減算一時差異及び繰越欠損金の回収可能性の判断

法人税及び地方法人税に係る将来減算一時差異等の回収可能額（単体納税制度）	内訳	2023．3期			
		親会社	子会社	子会社	グループ全体（合計）
		トラスト1	トラスト2	トラスト3	
		②	③	⑤	―
将来減算一時差異の回収可能見込額	解消額	50,000	50,000	50,000	150,000
	スケジューリング	50,000	50,000	0	100,000
	回収可能額	※1 50,000	50,000	0	100,000
繰越欠損金の回収可能見込額	スケジューリング	0	150,000	0	150,000
	回収可能額	0	150,000	0	150,000

※1　スケジューリングによる回収可能額を企業分類で最終判定。

法人税及び地方法人税に係る将来減算一時差異等の回収可能額（単体納税制度）	内訳	2024．3期			
		親会社	子会社	子会社	グループ全体（合計）
		トラスト1	トラスト2	トラスト3	
		②	③	⑤	―
将来減算一時差異の回収可能見込額	解消額	50,000	50,000	50,000	150,000
	スケジューリング	50,000	50,000	0	100,000
	回収可能額	50,000	50,000	0	100,000
繰越欠損金の回収可能見込額	スケジューリング	0	150,000	0	150,000
	回収可能額	0	150,000	0	150,000

法人税及び地方法人税に係る将来減算一時差異等の回収可能額（単体納税制度）	内訳	回収期間超			
		親会社	子会社	子会社	グループ全体（合計）
		トラスト1	トラスト2	トラスト3	
		②	③	⑤	―
将来減算一時差異の回収可能見込額	解消額	150,000	150,000	150,000	450,000
	スケジューリング	150,000	150,000	150,000	450,000
	回収可能額	150,000	0	0	※2 150,000
繰越欠損金の回収可能見込額	スケジューリング	―	―	―	―
	回収可能額	―	―	―	―

※2　分類①②で回収可能。

2 『繰延税金資産の回収可能額』のシミュレーション　359

法人税及び地方法人税に係る将来減算一時差異等の回収可能額（単体納税制度）	内訳	長期の将来減算一時差異			
		親会社	子会社	子会社	グループ全体（合計）
		トラスト1	トラスト2	トラスト3	
		②	③	⑤	—
将来減算一時差異の回収可能見込額	解消額	200,000	200,000	200,000	600,000
	スケジューリング	200,000	200,000	200,000	600,000
	回収可能額	200,000	200,000	0	※3 400,000
繰越欠損金の回収可能見込額	スケジューリング	—	—	—	—
	回収可能額	—	—	—	—

※3　分類①②③で回収可能。

法人税及び地方法人税に係る将来減算一時差異等の回収可能額（単体納税制度）	内訳	スケジューリング不能差異			
		親会社	子会社	子会社	グループ全体（合計）
		トラスト1	トラスト2	トラスト3	
		②	③	⑤	—
将来減算一時差異の回収可能見込額	解消額	200,000	200,000	200,000	600,000
	スケジューリング	200,000	200,000	200,000	600,000
	回収可能額	0	0	0	※4 0
繰越欠損金の回収可能見込額	スケジューリング	—	—	—	—
	回収可能額	—	—	—	—

※4　分類①で回収可能。

（3）　単体納税制度の繰延税金資産の計算

法人税及び地方法人税に係る繰延税金資産（単体納税制度）	内訳	2023. 3期			
		親会社	子会社	子会社	グループ全体（合計）
		トラスト1	トラスト2	トラスト3	
		24.66%	24.66%	23.25%	—
将来減算一時差異に係る繰延税金資産	繰延税金資産（回収可能性検討後）	12,330	12,330	0	24,660
繰越欠損金に係る繰延税金資産	繰延税金資産（回収可能性検討後）	0	36,990	0	36,990
将来減算一時差異等に係る繰延税金資産(合計)	繰延税金資産（回収可能性検討後）	12,330	49,320	0	61,650

法人税及び地方法人税に係る繰延税金資産（単体納税制度）	内訳	2024. 3 期			
		親会社	子会社	子会社	グループ全体（合計）
		トラスト1	トラスト2	トラスト3	
		24.66%	24.66%	23.25%	—
将来減算一時差異に係る繰延税金資産	繰延税金資産（回収可能性検討後）	12,330	12,330	0	24,660
繰越欠損金に係る繰延税金資産	繰延税金資産（回収可能性検討後）	0	36,990	0	36,990
将来減算一時差異等に係る繰延税金資産（合計）	繰延税金資産（回収可能性検討後）	12,330	49,320	0	61,650

法人税及び地方法人税に係る繰延税金資産（単体納税制度）	内訳	回収期間超			
		親会社	子会社	子会社	グループ全体（合計）
		トラスト1	トラスト2	トラスト3	
		24.66%	24.66%	23.25%	—
将来減算一時差異に係る繰延税金資産	繰延税金資産（回収可能性検討後）	36,990	0	0	36,990
繰越欠損金に係る繰延税金資産	繰延税金資産（回収可能性検討後）	—			
将来減算一時差異等に係る繰延税金資産（合計）	繰延税金資産（回収可能性検討後）	36,990	0	0	36,990

法人税及び地方法人税に係る繰延税金資産（単体納税制度）	内訳	長期の将来減算一時差異			
		親会社	子会社	子会社	グループ全体（合計）
		トラスト1	トラスト2	トラスト3	
		24.66%	24.66%	23.25%	—
将来減算一時差異に係る繰延税金資産	繰延税金資産（回収可能性検討後）	49,320	49,320	0	98,640
繰越欠損金に係る繰延税金資産	繰延税金資産（回収可能性検討後）	—	—	—	—
将来減算一時差異等に係る繰延税金資産（合計）	繰延税金資産（回収可能性検討後）	49,320	49,320	0	98,640

2 『繰延税金資産の回収可能額』のシミュレーション

法人税及び地方法人税に係る繰延税金資産（単体納税制度）	内訳	スケジューリング不能差異			
		親会社	子会社	子会社	グループ全体（合計）
		トラスト1	トラスト2	トラスト3	
		24.66%	24.66%	23.25%	―
将来減算一時差異に係る繰延税金資産	繰延税金資産（回収可能性検討後）	0	0	0	0
繰越欠損金に係る繰延税金資産	繰延税金資産（回収可能性検討後）	―	―	―	―
将来減算一時差異等に係る繰延税金資産（合計）	繰延税金資産（回収可能性検討後）	0	0	0	0

3　グループ通算制度の繰延税金資産の計上額（個別財務諸表）

（1）　スケジューリングによる回収可能額（個別財務諸表）

法人税及び地方法人税に係るスケジューリング（グループ通算制度／個別財務諸表）	2023.3期			
	通算親会社	通算子会社	通算子会社	通算グループ全体（合計）
	トラスト1	トラスト2	トラスト3	
[将来減算一時差異の回収可能見込額（当期回収分）]				
一時差異等加減算前通算前所得	950,000	350,000	▲ 150,000	1,150,000
将来減算一時差異の解消見込額	50,000	50,000	50,000	150,000
将来減算一時差異の解消見込額減算後の課税所得	900,000	300,000	▲ 200,000	1,000,000
損益通算	▲ 150,000	▲ 50,000	200,000	0
課税所得	750,000	250,000	0	1,000,000
各社の通算前所得に基づく回収可能額	50,000	50,000	0	100,000
損益通算による益金算入額	0	0	200,000	200,000
上記うち、マイナスの一時差異等加減算前通算前所得への充当額	0	0	150,000	150,000
損益通算に基づく回収可能額	0	0	*1 150,000	50,000
回収可能見込額	50,000	50,000	50,000	150,000
[繰越欠損金の回収可能見込額]				
非特定欠損金の回収可能見込額	0	0	0	0
2018.3期	0	0	0	0
特定欠損金の回収可能見込額	0	250,000	0	*2 250,000
2018.3期	0	250,000	0	250,000

※1　損益通算により回収可能となる。
※2　税金コストのシミュレーションで計算した繰越欠損金の解消額が回収可能額となる。単体納税制度より回収可能額が100,000増加している。

法人税及び地方法人税に係るスケジューリング（グループ通算制度／個別財務諸表）	2024. 3期			
	通算親会社 トラスト 1	通算子会社 トラスト 2	通算子会社 トラスト 3	通算グループ全体（合計）
[将来減算一時差異の回収可能見込額（当期回収分）]				
一時差異等加減算前通算前所得	950,000	350,000	▲ 150,000	1,150,000
将来減算一時差異の解消見込額	50,000	50,000	50,000	150,000
将来減算一時差異の解消見込額減算後の課税所得	900,000	300,000	▲ 200,000	1,000,000
損益通算	▲ 150,000	▲ 50,000	200,000	0
課税所得	750,000	250,000	0	1,000,000
各社の通算前所得に基づく回収可能額	50,000	50,000	0	100,000
損益通算による益金算入額	0	0	200,000	200,000
上記うち、マイナスの一時差異等加減算前通算前所得への充当額	0	0	150,000	150,000
損益通算に基づく回収可能額	0	0	50,000	50,000
回収可能見込額	50,000	50,000	50,000	150,000
[繰越欠損金の回収可能見込額]				
非特定欠損金の回収可能見込額	0	0	0	0
2018. 3期	0	0	0	0
特定欠損金の回収可能見込額	0	250,000	0	*3 250,000
2018. 3期	0	250,000	0	250,000

※3　税金コストのシミュレーションで計算した繰越欠損金の解消額が回収可能額となる。
　　単体納税制度より回収可能額が100,000増加している。

（2） 企業分類による将来減算一時差異及び繰越欠損金の回収可能性の判断　（個別財務諸表）

法人税及び地方法人税に係る将来減算一時差異等の回収可能額（グループ通算制度／個別財務諸表）	内訳	2023．3期			
		通算親会社	通算子会社	通算子会社	通算グループ全体（合計）
		トラスト1	トラスト2	トラスト3	
将来減算一時差異の回収可能見込額	解消額	50,000	50,000	50,000	150,000
	スケジューリング	50,000	50,000	50,000	150,000
	分類	②	③	③	—
	回収可能額	50,000	50,000	※2 50,000	150,000
非特定欠損金の回収可能見込額	スケジューリング	0	0	0	0
	分類	③	③	③	
	回収可能額	0	0	0	0
特定欠損金の回収可能見込額	スケジューリング	0	250,000	0	250,000
	分類	③	③	⑤	—
	回収可能額	0	※1 250,000	0	250,000

※1　単体納税制度よりグループ通算制度の方が繰越欠損金の解消額が増加するため、回収可能額も増加する。

※2　単体納税制度の場合、自社の所得のみで回収可能性を判断するため回収不能となるが、グループ通算制度の場合、他の通算会社の所得金額を含めて回収可能性を判断するため回収可能となる。

法人税及び地方法人税に係る将来減算一時差異等の回収可能額（グループ通算制度／個別財務諸表）	内訳	2024．3期			
		通算親会社	通算子会社	通算子会社	通算グループ全体（合計）
		トラスト1	トラスト2	トラスト3	
将来減算一時差異の回収可能見込額	解消額	50,000	50,000	50,000	150,000
	スケジューリング	50,000	50,000	50,000	150,000
	分類	②	③	③	—
	回収可能額	50,000	50,000	※4 50,000	150,000
非特定欠損金の回収可能見込額	スケジューリング	0	0	0	0
	分類	③	③	③	—
	回収可能額	0	0	0	0
特定欠損金の回収可能見込額	スケジューリング	0	250,000	0	250,000
	分類	③	③	⑤	—
	回収可能額	0	※3 250,000	0	250,000

※3　単体納税制度よりグループ通算制度の方が繰越欠損金の解消額が増加するため、回収可能額も増加する。

※4　単体納税制度の場合、自社の所得のみで回収可能性を判断するため回収不能となるが、グループ通算制度の場合、他の通算会社の所得金額を含めて回収可能性を判断するため回収可能となる。

法人税及び地方法人税に係る将来減算一時差異等の回収可能額（グループ通算制度／個別財務諸表）	内訳	回収期間超			
		通算親会社 トラスト1	通算子会社 トラスト2	通算子会社 トラスト3	通算グループ全体（合計）
将来減算一時差異の回収可能見込額	解消額	150,000	150,000	150,000	450,000
	スケジューリング	150,000	150,000	150,000	450,000
	分類	②	③	③	—
	回収可能額	150,000	0	0	150,000
非特定欠損金の回収可能見込額	スケジューリング	—	—	—	—
	分類	—	—	—	—
	回収可能額	—	—	—	—
特定欠損金の回収可能見込額	スケジューリング	—	—	—	—
	分類	—	—	—	—
	回収可能額	—	—	—	—

法人税及び地方法人税に係る将来減算一時差異等の回収可能額（グループ通算制度／個別財務諸表）	内訳	長期の将来減算一時差異			
		通算親会社 トラスト1	通算子会社 トラスト2	通算子会社 トラスト3	通算グループ全体（合計）
将来減算一時差異の回収可能見込額	解消額	200,000	200,000	200,000	600,000
	スケジューリング	200,000	200,000	200,000	600,000
	分類	②	③	③	—
	回収可能額	200,000	200,000	※5 200,000	600,000
非特定欠損金の回収可能見込額	スケジューリング	—	—	—	—
	分類	—	—	—	—
	回収可能額	—	—	—	—
特定欠損金の回収可能見込額	スケジューリング	—	—	—	—
	分類	—	—	—	—
	回収可能額	—	—	—	—

※5　単体納税制度の場合、分類⑤であるため回収不能となるが、グループ通算制度の場合、分類③となるため、回収可能となる。

法人税及び地方法人税に係る将来減算一時差異等の回収可能額（グループ通算制度／個別財務諸表）	内訳	スケジューリング不能差異			
		通算親会社	通算子会社	通算子会社	通算グループ全体（合計）
		トラスト1	トラスト2	トラスト3	
将来減算一時差異の回収可能見込額	解消額	200,000	200,000	200,000	600,000
	スケジューリング	200,000	200,000	200,000	600,000
	分類	②	③	③	—
	回収可能額	0	0	0	0
非特定欠損金の回収可能見込額	スケジューリング	—	—	—	—
	分類	—	—	—	—
	回収可能額	—	—	—	—
特定欠損金の回収可能見込額	スケジューリング	—	—	—	—
	分類	—	—	—	—
	回収可能額	—	—	—	—

（3） グループ通算制度の繰延税金資産の計算（個別財務諸表）

法人税及び地方法人税に係る繰延税金資産（グループ通算制度／個別財務諸表）	内訳	2023. 3期			
		通算親会社	通算子会社	通算子会社	通算グループ全体（合計）
		トラスト1	トラスト2	トラスト3	
		24.66%	24.66%	23.25%	
将来減算一時差異に係る繰延税金資産	繰延税金資産（回収可能性検討後）	12,330	12,330	11,625	36,285
繰越欠損金に係る繰延税金資産	繰延税金資産（回収可能性検討後）	0	61,650	0	61,650
将来減算一時差異等に係る繰延税金資産（合計）	繰延税金資産（回収可能性検討後）	12,330	73,980	11,625	97,935

法人税及び地方法人税に係る繰延税金資産（グループ通算制度／個別財務諸表）	内訳	2024. 3期			
		通算親会社	通算子会社	通算子会社	通算グループ全体（合計）
		トラスト1	トラスト2	トラスト3	
		24.66%	24.66%	23.25%	
将来減算一時差異に係る繰延税金資産	繰延税金資産（回収可能性検討後）	12,330	12,330	11,625	36,285
繰越欠損金に係る繰延税金資産	繰延税金資産（回収可能性検討後）	0	61,650	0	61,650
将来減算一時差異等に係る繰延税金資産（合計）	繰延税金資産（回収可能性検討後）	12,330	73,980	11,625	97,935

法人税及び地方法人税に係る繰延税金資産（グループ通算制度／個別財務諸表）	内訳	回収期間超			
		通算親会社	通算子会社	通算子会社	通算グループ全体（合計）
		トラスト1	トラスト2	トラスト3	
		24.66%	24.66%	23.25%	
将来減算一時差異に係る繰延税金資産	繰延税金資産（回収可能性検討後）	36,990	0	0	36,990
繰越欠損金に係る繰延税金資産	繰延税金資産（回収可能性検討後）	―	―	―	―
将来減算一時差異等に係る繰延税金資産（合計）	繰延税金資産（回収可能性検討後）	36,990	0	0	36,990

法人税及び地方法人税に係る繰延税金資産（グループ通算制度／個別財務諸表）	内訳	長期の将来減算一時差異			
		通算親会社	通算子会社	通算子会社	通算グループ全体（合計）
		トラスト1	トラスト2	トラスト3	
		24.66%	24.66%	23.25%	
将来減算一時差異に係る繰延税金資産	繰延税金資産（回収可能性検討後）	49,320	49,320	46,500	145,140
繰越欠損金に係る繰延税金資産	繰延税金資産（回収可能性検討後）	―	―	―	―
将来減算一時差異等に係る繰延税金資産（合計）	繰延税金資産（回収可能性検討後）	49,320	49,320	46,500	145,140

法人税及び地方法人税に係る繰延税金資産（グループ通算制度／個別財務諸表）	内訳	スケジューリング不能差異			
		通算親会社	通算子会社	通算子会社	通算グループ全体（合計）
		トラスト1	トラスト2	トラスト3	
		24.66%	24.66%	23.25%	
将来減算一時差異に係る繰延税金資産	繰延税金資産（回収可能性検討後）	0	0	0	0
繰越欠損金に係る繰延税金資産	繰延税金資産（回収可能性検討後）	―	―	―	―
将来減算一時差異等に係る繰延税金資産（合計）	繰延税金資産（回収可能性検討後）	0	0	0	0

2 『繰延税金資産の回収可能額』のシミュレーション

4 グループ通算制度の繰延税金資産の計上額（連結財務諸表）

（1） スケジューリングによる回収可能額（連結財務諸表）

法人税及び地方法人税の将来減算一時差異に係るスケジューリング（グループ通算制度／連結財務諸表）	2023. 3期	2024. 3期	回収期間超	長期の将来減算一時差異	スケジューリング不能差異
	通算グループ全体（合計）	通算グループ全体（合計）	通算グループ全体（合計）	通算グループ全体（合計）	通算グループ全体（合計）
[将来減算一時差異の回収可能見込額(当期回収分)]					
通算グループ全体の一時差異等加減算前課税所得	1,150,000	1,150,000	—	—	—
通算グループ全体の将来減算一時差異の解消見込額	150,000	150,000	450,000	600,000	600,000
通算グループ全体の将来減算一時差異の解消見込額減算後の課税所得	1,000,000	1,000,000	—	—	—
通算グループ全体の回収可能見込額	150,000	150,000	—	—	—

（2） 企業分類による将来減算一時差異の回収可能性の判断（連結財務諸表）

法人税及び地方法人税に係る将来減算一時差異の回収可能額（グループ通算制度／連結財務諸表）	内訳	2023. 3期	2024. 3期	回収期間超	長期の将来減算一時差異	スケジューリング不能差異
		通算グループ全体（合計）	通算グループ全体（合計）	通算グループ全体（合計）	通算グループ全体（合計）	通算グループ全体（合計）
将来減算一時差異の回収可能見込額	解消額	150,000	150,000	450,000	600,000	600,000
	スケジューリング	150,000	150,000	450,000	600,000	600,000
	分類	③	③	③	③	③
	回収可能額	150,000	150,000	0	600,000	0

（3）　グループ通算制度の連結財務諸表における繰延税金資産の取崩し額

通算グループ全体の回収可能額を各通算会社の個別財務諸表の回収可能額の比で配分している（実務対応報告第42号では各通算会社への配分方法について特に定められていない）。

連結財務諸表における繰延税金資産の取崩し額	内訳	2023．3期			
		通算親会社 トラスト1	通算子会社 トラスト2	通算子会社 トラスト3	通算グループ 全体（合計）
将来減算一時差異の回収可能見込額（当期回収分）	連結財務諸表	50,000	50,000	50,000	150,000
	個別財務諸表	50,000	50,000	50,000	150,000
	将来減算一時差異の回収可能額の差異	0	0	0	0
	法人税及び地方法人税に係る法定実効税率	24.66%	24.66%	23.25%	―
	繰延税金資産の差額	0	0	0	0

連結財務諸表における繰延税金資産の取崩し額	内訳	2024．3期			
		通算親会社 トラスト1	通算子会社 トラスト2	通算子会社 トラスト3	通算グループ 全体（合計）
将来減算一時差異の回収可能見込額（当期回収分）	連結財務諸表	50,000	50,000	50,000	150,000
	個別財務諸表	50,000	50,000	50,000	150,000
	将来減算一時差異の回収可能額の差異	0	0	0	0
	法人税及び地方法人税に係る法定実効税率	24.66%	24.66%	23.25%	―
	繰延税金資産の差額	0	0	0	0

連結財務諸表における繰延税金資産の取崩し額	内訳	回収期間超			
		通算親会社 トラスト1	通算子会社 トラスト2	通算子会社 トラスト3	通算グループ 全体（合計）
将来減算一時差異の回収可能見込額（当期回収分）	連結財務諸表	0	0	0	0
	個別財務諸表	150,000	0	0	150,000
	将来減算一時差異の回収可能額の差異	▲ 150,000	0	0	▲ 150,000
	法人税及び地方法人税に係る法定実効税率	24.66%	24.66%	23.25%	―
	繰延税金資産の差額	[※1]▲ 36,990	0	0	▲ 36,990

※1　トラスト1は、個別財務諸表では分類②（単体納税制度の場合も②）であるが、連結財務諸表の場合、通算グループ全体の分類③となるため、回収期間超の部分が回収不能となる。

2『繰延税金資産の回収可能額』のシミュレーション

連結財務諸表における繰延税金資産の取崩し額	内訳	長期の将来減算一時差異			
		通算親会社 トラスト1	通算子会社 トラスト2	通算子会社 トラスト3	通算グループ全体（合計）
将来減算一時差異の回収可能見込額（当期回収分）	連結財務諸表	200,000	200,000	200,000	600,000
	個別財務諸表	200,000	200,000	200,000	600,000
	将来減算一時差異の回収可能額の差異	0	0	0	0
	法人税及び地方法人税に係る法定実効税率	24.66%	24.66%	23.25%	―
	繰延税金資産の差額	0	0	0	0

連結財務諸表における繰延税金資産の取崩し額	内訳	スケジューリング不能差異			
		通算親会社 トラスト1	通算子会社 トラスト2	通算子会社 トラスト3	通算グループ全体（合計）
将来減算一時差異の回収可能見込額（当期回収分）	連結財務諸表	0	0	0	0
	個別財務諸表	0	0	0	0
	将来減算一時差異の回収可能額の差異	0	0	0	0
	法人税及び地方法人税に係る法定実効税率	24.66%	24.66%	23.25%	―
	繰延税金資産の差額	0	0	0	0

第3章
グループ通算制度の移行決定の考え方

1 定性的な側面から見たグループ通算制度の有利・不利

　グループ通算制度のシミュレーションの結果を踏まえてグループ通算制度への移行を決定する際に、実務上、定量的情報以外に考慮すべき点は以下のものが挙げられる。

❶ 損益通算効果の継続性

　連結納税制度を適用している法人は、令和4年4月1日以後最初に開始する事業年度に単体納税制度に戻ることを選択しなかった場合、その後、グループ通算制度を継続的に適用しなくてはいけない。

　そのため、グループ通算制度への移行は損益通算効果の継続性を考慮して、中長期的思考で慎重に判断されるべきである。具体的には、単一年度だけの有利・不利だけで判断せず、シミュレーション期間に渡って、さらにその後の税務上の有利・不利も意識して移行の決定をすべきである。

　もちろん、毎期、いずれか又は特定のグループ法人で欠損金額が生じている場合やこのままでは多額な繰越欠損金が期限切れとなってしまう場合などは、その後のことは置いておいても、グループ通算制度に移行すべきである。

　また、グループ通算制度の適用は、損益通算機能を保持していることが、最大のメリットであり、結果的に損益通算効果が発揮されなかった場合であっても、その機能自体を保持することで、常に通算グループの税負担（税負担率）を最小化できるため、そのような税務ポリシーを持つ企業はグループ通算制度に移行することになる。

371

❷ 事務負担の増加

　グループ通算制度では、事務負担の軽減が一つの売りであると言われているが、多くの計算項目でグループ調整計算が残ること、修更正について全体再計算を行うケースがあること、加入・離脱の取扱いが複雑であること、地方税の計算もグループ通算制度の影響を受けること、繰延税金資産の回収可能額の計算は通算グループ全体で行う必要があること、などから連結納税制度よりは事務負担は軽減されるだろうが、単体納税制度との比較においては事務負担の増加は避けられないといえる。

　そのため、グループ通算制度への移行を検討する場合、税金コストの有利・不利だけではなく、単体納税制度に復帰することで得られる事務負担の軽減効果についても考慮する必要がある。

❸ グループ内再編・M&A の可能性

　グループ通算制度を採用している場合で、ある法人を完全子法人化すると、その法人はグループ通算制度に加入することになるため、時価評価、繰越欠損金の切捨て、特定資産譲渡等損失額の損金算入制限など加入に伴う取扱いが適用されることになる。

　また、グループ通算制度を採用している場合で、通算子法人の株式をグループ外に売却すると、その通算子法人はグループ通算制度から離脱することになるため、離脱時の時価評価や投資簿価修正が適用されることになる。

　この点、基本的には、連結納税制度を適用していたときと同様の状況になるため、過去、頻繁に完全子法人化やグループ法人の売却をしていた連結グループにおいて、連結納税制度下で加入・離脱に伴う不利益を受けていた場合は、移行後も加入・離脱に伴う不利益が生じる可能性があるため、その点を考慮してグループ通算制度への移行を決定する必要がある。

　ただし、加入に伴う取扱いについては、連結納税制度下と比較すると、

グループ通算制度下では不利益を受けないケースが多いことが見込まれるため、過去、連結子法人の離脱が多くない連結グループでは、グループ通算制度へ移行しても加入・離脱に伴う不利益は生じないだろう。

なお、離脱時の投資簿価修正については、単体納税制度に復帰した場合は連結納税制度の投資簿価修正が適用され、グループ通算制度に移行した場合はグループ通算制度の投資簿価修正が適用されることになるため、その影響額について把握しておく必要がある。

次に、通算グループ内の組織再編成（残余財産の確定を含む）については、通算グループ内の適格合併、適格分割、適格現物出資、適格現物分配、残余財産の確定において、合併法人等又は被合併法人等である通算法人の繰越欠損金に利用制限又は引継制限は生じない（法法57②③④、法令112の2⑥⑦）。

また、適格要件、非適格の取扱い、特定資産譲渡等損失額の損金算入制限、株主の税務は単体納税制度と同様の取扱いとなる[※]。

そのため、通算グループ内の組織再編成（残余財産の確定を含む）については、グループ通算制度への移行の決定に当たり、将来、単体納税制度と比較した不利益が生じる可能性があることを想定する必要はない。

[※] 正確には、通算法人間の合併などで、株主となる通算法人の所有する通算子法人株式に投資簿価修正が適用されることで、抱合株式の額（資本金等の額）や合併法人株式の帳簿価額（将来の株式売却損益）が変わるケースもある。

④ グループ通算制度システムの導入

現在、連結納税制度を適用している法人では、連結納税制度の専用システムとして、次のシステムを利用していることが多い。

① 決算時に使用する税額計算及び税効果計算システム
② 申告時に使用する申告書作成システム

また、上記①②を合わせたものとして「決算時・申告時に使用する申告書作成及び税効果計算システム」も利用されている。

　現在、連結納税制度下で専用システムを利用している法人については、グループ通算制度への移行後はグループ通算制度専用のシステムにリプレイスされるだけであり、現状のシステムに不満や不安がない限りは、改めてシステム導入の検討をする必要はないだろう。

　一方、現在、連結納税制度を適用している法人のうち、連結納税制度の申告書の作成についてはシステムを導入しているが、決算時の税額計算及び税効果計算についてはエクセルで行っている連結グループも存在している。

　この点、決算時にシステムを使わなくても連結納税制度下の税額計算ができるのは、連結グループ全体で所得金額が生じる場合、連結納税制度ではプロラタ計算が行われないことから個社計算で税額を計算することが可能となるためである（同様に、回収期間において連結グループ全体で十分な所得金額が生じる場合は、各社のスケジューリングにおいて将来減算一時差異等は全額回収可能と考えればよいため、システムで計算をしなくても対応が可能となる）。

　それがグループ通算制度に移行した場合、通算グループ全体で所得金額が生じる場合でも、プロラタ計算を行う必要が生じることから個社計算ができないことになる。

　計算例で示すと次のとおりである。

[連結納税法人であるが決算は単体計算を行っている会社]

① 連結納税制度（合算計算）

X年度	連結親法人 P	連結子法人 A	連結子法人 B	合計
所得金額 （損益通算前）	400	200	▲ 300	300
損益通算 （プロラタ計算）	―	―	―	―
所得金額 （損益通算後）	400	200	▲ 300	300
法人税額等 （20％）	80	40	▲ 60	60
試験研究費	0	100	300	400
税額控除割合 （決算仮置き）	―	6.00％	6.00％	―
税額控除額	0	6	18	24
税額控除額 （プロラタ計算）	―	―	―	―
法人税額等 （親子の未収・未払金）	80	34	▲ 78	36

400×20%　200×20%　▲300×20%
　－0×6%　　－100×6%　　－300×6%

プロラタ計算は不要であり（つまり、マイナスの所得には
マイナスの税額を計上すればよい）、また、子法人は納税
義務者ではないため、BS上は、親法人に対する未収・未
払のみ計上すればよい。親法人も子法人の見合い金額を未
払・未収計上すればよいし、自社と子法人の税額の合計を
未払法人税等で計上すればよい。そのため、個社計算が可
能となる。

② グループ通算制度（プロラタ計算）

X年度	通算親法人 P	通算子法人 A	通算子法人 B	合計
所得金額 （損益通算前）	400	200	▲ 300	300
損益通算 （プロラタ計算）	▲ 200	▲ 100	300	0
所得金額 （損益通算後）	200	100	0	300
法人税額等 （20％）	40	20	0	60
試験研究費	0	100	300	400
税額控除割合 （決算仮置き）		6.00％	6.00％	
税額控除額	0	6	18	24
税額控除額 （プロラタ計算）	16	8	0	24
法人税額等 （未払法人税等）	24	12	0	36
通算税効果額 （親子の未収・未払金）	56	22	▲ 78	0

プロラタ計算が必要となり、子法人は納税義務者でもある
ため、BS上は、納税額は未払法人税等、通算税効果額は
親法人又は子法人に対する未収・未払として計上する必要
がある。そのため、個社計算が不可能となる。

　このように、現在、決算時にエクセルで税額及び税効果計算を行っている
連結グループについては、グループ通算制度に移行するに際して、決算時に
グループ通算制度専用のシステムを利用することを検討する必要が生じる。
　この場合、申告時に利用している申告書作成システム（税効果機能付き）
を決算時にも利用するか、改めて決算時に使用する税額計算及び税効果計
算システムを導入するかを検討する必要がある。

375

❺ 税務に関するコーポレートガバナンスの充実

第3部第3章第1節「❺税務に関するコーポレートガバナンスの充実」において解説したとおり、連結納税制度又はグループ通算制度下では、企業グループの税務に関するコーポレートガバナンスが充実することになるが、単体納税制度下でも税務上の処理方針を親法人から各子法人に周知し、処理の統一化を徹底する、社内向け税務情報データベースを子法人とも共有する、子法人から親法人に直接問い合わせできる体制を整備することは可能である。

そのため、グループ通算制度への移行の決定に当たり、この点は決定的要因にはならないだろう。

❻ グループ通算制度の税務調査

グループ通算制度では、単体納税制度と同様に個社単位で申告するため、税務調査も個社単位で受けることとなる。

そのため、実施調査の対応については、単体納税制度の税務調査の対応と同じイメージでよいだろう※。

但し、グループ通算制度では、調査対象の通算法人で修更正の遮断措置が適用される。

そして、この遮断措置は、グループ調整計算の項目ごとに取扱いが異なるとともに、複雑な取扱いとなっているため、適用初期において、特に、通算子法人で適用する場合には苦労することになるだろう。

また、特に、通算親法人では、以下のようなグループ通算制度特有の業務負荷が生じることとなる。

［グループ通算制度における税務調査の業務負荷］

- 税務調査の情報収集の内部体制の構築（通算子法人からの調査の開始・結果報告や通算親法人の子法人調査の立合）
- 通算子法人の税務調査の支援（遮断措置の適用など修正申告の支援、実施調査時の支援など）
- 全体再計算の確認と実行
- 通知義務の実行管理（外国税額控除、試験研究費の税額控除）
- 通算税効果額の計算とグループ内の精算の実行（全体再計算や試験研究費の税額控除の遮断措置が適用される場合）

また、グループ通算制度に移行した場合、税務調査の頻度が増える又は減るということは想定されていない。

ただし、欠損法人については、単体納税制度の場合、欠損金額が生じているため、税務調査の対象とならないケースも多いが、グループ通算制度では、通算グループ全体で所得金額が生じている場合、欠損法人は損益通算後の所得金額が0となるため、そのような欠損法人に税務調査が入り、損益通算の遮断措置が適用されると、所得金額がプラスとなり、結果、追徴が行われることとなる。

そのため、単体納税制度と比較して、欠損法人の税務調査が増える可能性がある。

ただし、これが決定的な要因となってグループ通算制度の移行を取りやめる企業はほとんどないだろう。

※　グループ通算制度では、修更正について遮断措置が適用されず、全体再計算により全社で修更正を行う場合がある。また、外国税額控除の誤りについては常に全体再計算（ただし、当初申告は固定して、進行年度で調整）を行うことになる。そのため、単体納税制度と同様に、各社でバラバラに、また、各社ごとに調査対象年度もバラバラに税務調査が入ると、納税義務者及び当局のいずれも非効率となる状況が生じることが想定される（つまり、業務負荷が増える）。そのため、グループ通算制度の税務調査について、状況によっては、連結納税制度と同じように、各通算法人に同時に税務調査に入るなど、単体納税制度と異なる対応も必要になると思われる。したがって、グループ通算制度の税務調査手続について、国税当局等において今後どのような検討が行われ、どのような方針が示されるか、注目される。

2 | グループ通算制度の移行決定の考え方

　グループ通算制度移行のシミュレーションの結果、グループ通算制度への移行が有利となる場合、上記1で紹介した定性的な有利・不利を考慮しながら、グループ通算制度の移行を決定することになる。

　実務上、グループ通算制度の移行決定の流れとして、まず、事前に**第4部第1章**で解説した有利・不利を把握することでグループ通算制度の移行の基本方針をある程度決定してからグループ通算制度移行のシミュレーションを行うことになるだろう。

　そのため、グループ通算制度移行のシミュレーションの結果の受け入れ方は、事前にグループ通算制度に移行するつもりか（その場合、損益通算機能の保持を目的としているのか、あるいは、具体的な節税効果を見込んでいるのか）、あるいは、そもそも最初からグループ通算制度に移行するつもりがないのか、で相違することになる。

　例えば、次のようなタイプに分けられる。

[タイプ A] 損益通算機能を保持するため、グループ通算制度の移行を検討している

> 検討時点では具体的な節税効果が見込まれないが、損益通算機能を保持することを目的にグループ通算制度への移行を検討する場合、その移行によって不利益を受けないことを確認するためにシミュレーションを行うことになる。そして、シミュレーションで不利益を受けないことを確認した上で、単体納税制度に復帰すれば事務負担やコストが軽減されることを考慮しても損益通算機能を保持するためにグループ通算制度に移行する、という流れになる。

[タイプ B] 具体的な節税効果が見込まれるため、グループ通算制度への移行を検討している

> この場合、グループ通算制度へ移行するための積極的な理由としてシミュレーションの結果を使うことになる。具体的には、シミュレーションによってグループ通算制度への移行が税金コストの面で明らかに有利であることを確認した上で、単体納税制度に復帰すれば事務負担やコストが軽減されることを考慮してもグループ通算制度に移行すべきである、という流れになる。

378　第4部　連結法人の「グループ通算制度」移行の有利・不利とシミュレーションと実務対応

［タイプ C］ 最初からグループ通算制度に移行するつもりがない

この場合、グループ通算制度に移行しない理由の一つとしてシミュレーションの結果を使うことになる。具体的には、シミュレーションによってグループ通算制度への移行がそれほど有利になるわけではない、特に、5 年以内の税金コストがそれほど変わらないということを明確にした上で、単体納税制度に復帰することで事務負担やコストが軽減されることを理由にグループ通算制度に移行しないという流れになる。グループ通算制度に移行したくないが、社内でグループ通算制度に移行しない理由を定量的に明確にすることができる点で、グループ通算制度のシミュレーションを行うことが有効になる例である。なお、この場合、単体納税制度に復帰しても繰延税金資産の取崩しが生じないことが前提となる。

　上記の流れをまとめると、次のとおりとなる。

[シミュレーションの結果と移行決定の考え方（フローチャート）]

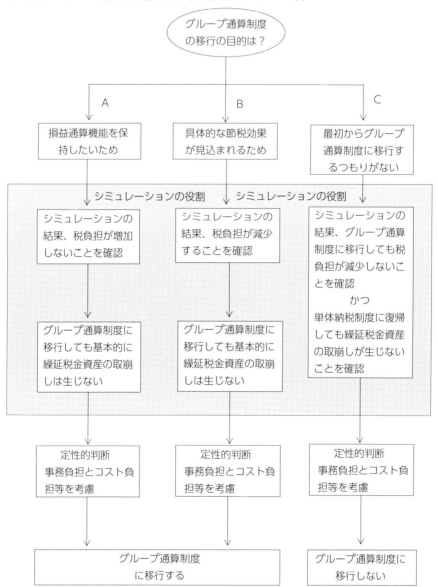

第4章
グループ通算制度に移行する場合又は移行しない場合のタスクとスケジュール

1 │ グループ通算制度に移行する場合又は移行しない場合のタスクとスケジュール

　　グループ通算制度に移行する場合又は移行しない場合にあたってのタスクとスケジュールは、次のとおりとなる。

1．グループ通算制度に移行する場合のタスクとスケジュール

[グループ通算制度に移行する場合のタスクとスケジュール例（3月決算）]

	移行直前年度	移行初年度	移行2年度目
	4 5 6 7 8 9 10 11 12 1 2 3	4 5 6 7 8 9 10 11 12 1 2 3	4 5 6 7 8
①シミュレーションと移行の決定	シミュレーションの実施／移行の決定	決議※　※社内プロセス上、必要あると判断される場合	
②システムの移行（トライアル）	新決算システム移行トライアル	新申告システム移行トライアル	
③法人税・事業税の申告期限延長の手続		現行、延長を受けている場合は自動移行	
④監査法人との調整	移行の検討・報告　実務対応報告第42号の適用時期と企業分類の確認、決算方針の確認		
⑤子会社説明会	報告	通算制度の概要、決算・申告方針（マニュアル・チェックリストを含む）について適宜、説明会・研修会を実施（新システムの導入は上記②で実施）	
⑥決算・申告処理のルールの改訂（マニュアル・チェックリスト）	決算、処理に関するマニュアル・チェックリストの策定	申告処理に関するマニュアル・チェックリストの策定	
⑦決算（通算制度ベースの税額計算・税効果計算）	早期適用	強制適用	
⑧申告書の作成と提出（電子申告）	※連結納税制度では特定法人に該当していない法人について、電子申告義務化の届出　※	中間申告	本申告
⑨組織再編・M&A	事前検討と実行		

381

項目	内容及び補足説明
①シミュレーションと移行の決定	☐税額のシミュレーションの実施（移行する場合又は移行しない場合の税額の比較） ☐繰延税金資産のシミュレーションの実施（移行する場合又は移行しない場合の企業分類の判定と回収可能額の比較） ☐定性的情報の考慮（事務負担、人件費・システム等のコスト負担、組織再編・M&A の影響等） ☐採否の基本方針の決定 ☐スケジュールの策定 ☐取締役会決議による移行の最終決定（社内プロセス上、必要と判断される場合）
②システムの移行（トライアル）	☐既に連結納税のシステムを利用している場合は、既存システムのリプレイス対応 ☐通算制度の移行に合わせて新たにシステムを導入する場合はシステムの選定 ☐新システムの移行・導入トライアル（直前期の数字によるシステム再現。全通算法人で実施） ☐決算直前トライアル（本番直前の操作・入力マニュアル・チェックリストの確認。全通算法人で実施） ☐電子申告への対応（連結納税では電子申告をしていない法人における e-Tax の開始届出書、利用者識別番号の取得、電子証明書の取得、添付書類の電子化への対応。なお、通算親法人の電子署名により通算子法人の申告を行うことも可能） ☐ベンダーごとにシステムのタイプが異なるため、どのシステムを利用しているかによってスケジュールも異なる
③法人税・事業税の申告期限延長の手続	☐連結納税で申告期限の延長の承認を受けていた場合、通算制度へ移行する際に改めて法人税及び事業税の申告期限の延長について手続は不要
④監査法人との調整	☐通算制度の移行の検討と報告 ☐通算制度ベースの税効果計算の適用時期（実務対応報告第42号の強制適用又は早期適用）、企業分類（通算グループ全体の分類、個別財務諸表、連結財務諸表）の確認、決算方針の確認 ☐移行初年度の第1四半期の税金費用の処理方針の確認（原則法又は四半期特有の処理等） ☐システムにおける計算方法と出力帳票の事前説明 ☐非連結子会社の対応方法

項目	内容及び補足説明
⑤子会社説明会	□移行決定の報告（制度概要の説明を含む） □上記②の既存システムのリプレイス又は新システム導入のキックオフ、研修会・入力会、報告会（マニュアル・チェックリストの説明を含む） □決算・申告方針の説明会（決算スケジュールを含む。必要に応じて、申告の入力会も実施）
⑥決算・申告処理のルールの策定（マニュアル・チェックリスト）	□税金仕訳の統一 □通算税効果額の授受に関する方針の決定 　この点、通算税効果額については授受が任意であり、計算対象、計算方法、精算方法が法令で定められていないため、実務上、通算グループ内の社内規定や契約などで、①通算グループ内で通算税効果額の授受を行うこと、②計算対象（損益通算、欠損金の通算、試験研究費の税額控除）、③計算方法（グループ通算制度に関するQ＆A（令和3年6月改訂）問58で示された計算方法など）、④精算方法（通算親会社など一の通算法人を通じて精算する旨と精算時期）などを明文化しておくことが望ましいと言える。 □通算制度の決算・申告方針の決定（決算スケジュールを含む） □連結納税用のマニュアルとチェックリストの改訂
⑦決算（通算制度ベースの税額計算・税効果計算）	□本決算及び四半期決算における通算制度ベースの税額計算、税効果計算
⑧申告書の作成と提出（電子申告）	□連結納税制度では特定法人に該当していない法人について、通算制度の承認の効力が生じた場合には、その効力が生じた日から1か月以内に「e-Tax による申告の特例に係る届出書」を提出しなければならない。 　この点、「グループ通算制度に関するQ＆A（国税庁。令和3年6月改訂）」の問8では、通算親法人又は通算子法人について、次の取扱いとなることを解説している。 　①　連結親法人が連結納税制度を適用している事業年度において特定法人に該当していない場合、連結親法人及び連結子法人は、グループ通算制度開始日から1か月以内に「e-Tax による申告の特例に係る届出書」をそれぞれの納税地の所轄税務署長に提出する必要がある。

項目	内容及び補足説明
⑧申告書の作成と提出 （電子申告）	② 連結親法人が連結納税制度を適用している事業年度において特定法人に該当する場合、連結子法人のみが「e-Tax による申告の特例に係る届出書」を納税地の所轄税務署長に提出する必要がある。 ただし、②について、連結親法人が法人税法第81条の24の2第1項及び第2項に規定する特定法人に該当し、既に「e-Tax による申告の特例に係る届出書」を提出している場合でも、グループ通算制度では、法人税法第75条の4第1項及び第2項に規定する特定法人に該当することになる。つまり、連結納税制度とグループ通算制度では、特定法人及び電子申告義務化の該当条項が異なることから、グループ通算制度への移行に際し、改めて、「e-Tax による申告の特例に係る届出書」を提出すべきではないかという疑問が生じる。そのため、②の連結親法人についても、「e-Tax による申告の特例に係る届出書」の提出の必要性について、グループ通算制度への移行時に改めて所轄税務署に確認した方がよい。 □通算制度の申告書の作成と提出（電子申告） □移行初年度の中間申告を仮決算で行うことによる確定決算に向けたレベルアップ効果 □通算親法人の電子署名により通算子法人の申告を行うことが可能 □ダイレクト納付（e-TAX を利用した納付）により、通算親法人が通算子法人の法人税の納付を行うことも可能（令和4年4月以降に対応を開始することを予定）
⑨組織再編・M&A	□移行直前年度又は移行初年度において予定される組織再編、M&Aの検討と実行

384　第4部　連結法人の「グループ通算制度」移行の有利・不利とシミュレーションと実務対応

[連結納税制度からグループ通算制度に移行する場合の申請・届出のチェックリスト（通算法人用）]

（注１）グループ通算制度に対応した申請書・届出書の様式が公表されていないものもあるのため、提出時に国税庁・地方自治体のホームページから最新のものを入手する。

（注２）申請書・届出書には添付書類が必要なものあるため、提出時に国税庁・地方自治体のホームページで確認し、用意する。

（注３）e-Tax で提出可能な申請書・届出書は、e-Tax の HP「利用可能手続一覧」（https://www.e-tax.nta.go.jp/tetsuzuki/tetsuzuki6.htm）で公開されている。

（注４）eL-Tax で提出可能な申請書・届出書は、eL-Tax の HP「eLTAX で利用可能な手続き」（https://www.eltax.lta.go.jp/eltax/gaiyou/tetuduki/）で公開されている。

（注５）通算親法人の電子署名により通算子法人の申告及び申請、届出等を行う場合の手続については、今後明らかになる。

| 通算法人名： |
| 通算法人名： |
| グループ通算制度の移行年度： |

□ **連結納税制度において特定法人に該当しない法人について「e-Tax による申告の特例に係る届出書」を提出したか？**

> 提出期限：
> ※　開始日から１か月以内

（解説）

特定法人でなかった内国法人について、グループ通算制度の承認の効力が生じた場合には、その効力が生じた日から１か月以内に「e-Tax による申告の特例に係る届出書」を納税地の所轄税務署長に提出しなければならない（グループ通算制度移行後の様式はまだ公表されていない。現行の様式は、https://www.nta.go.jp/taxes/tetsuzuki/shinsei/annai/hojin/annai/etax_01.htm）。

特定法人（電子申告の義務化対象法人）とは、次に掲げる法人をいう。

　①　その事業年度開始の時における資本金の額又は出資金の額が１億円を超える法人

　②　通算法人（①に掲げる法人を除く）

　③　保険業法に掲げる相互会社（②に掲げる法人を除く）

　④　投資法人（①に掲げる法人を除く）

⑤　特定目的会社（①に掲げる法人を除く）

　この点、「グループ通算制度に関するＱ＆Ａ（国税庁。令和３年６月改訂）」の問８では、通算親法人又は通算子法人について、次の取扱いとなることを解説している。

　　　①　連結親法人が連結納税制度を適用している事業年度において特定法人に該当していない場合、連結親法人及び連結子法人は、グループ通算制度開始日から１か月以内に「e-Tax による申告の特例に係る届出書」をそれぞれの納税地の所轄税務署長に提出する必要がある。

　　　②　連結親法人が連結納税制度を適用している事業年度において特定法人に該当する場合、連結子法人のみが「e-Tax による申告の特例に係る届出書」を納税地の所轄税務署長に提出する必要がある。

　ただし、②について、連結親法人が法人税法第81条の24の２第１項及び第２項に規定する特定法人に該当し、既に「e-Tax による申告の特例に係る届出書」を提出している場合でも、グループ通算制度では、法人税法第75条の４第１項及び第２項に規定する特定法人に該当することになる。つまり、連結納税制度とグループ通算制度では、特定法人及び電子申告義務化の該当条項が異なることから、グループ通算制度への移行に際し、改めて、「e-Tax による申告の特例に係る届出書」を提出すべきではないかという疑問が生じる。そのため、②の連結親法人についても、「e-Tax による申告の特例に係る届出書」の提出の必要性について、グループ通算制度への移行時に改めて所轄税務署に確認した方がよい。

☐ 連結納税制度において法人税又は事業税の申告期限の延長を受けている場合、グループ通算制度移行後に申告期限の延長の手続は不要となる。

（解説）

　連結親法人が連結確定申告書の提出期限の延長の適用を受けている場合、その連結親法人及び各連結子法人（グループ通算制度の移行初日にグループ通算制度から離脱するものを除く）は、連結納税制度からグループ通算制度への移行に際し、自動的に申告期限の延長が引き継がれ、確定申告書の提出期限の延長の適用を受けるために特段の手続を行う必要がない。また、事業税の申告期限の延長についても同様の取扱いとなる。

☐ （法人税の電子申告のための利用者識別番号を取得してない場合）「電子申告・納税等開始（変更等）届出書」を提出して利用者識別番号を取得したか？→以後、電子証明書の取得等を行う。

（解説）

e-Tax を利用するためには利用者識別番号（半角16桁の番号）が必要となる。
取得する方法は、以下の方法がある（https://www.e-tax.nta.go.jp/hojin.html）。

① 「e-Tax の開始（変更等）届出書作成・提出コーナー」から開始届出書を作成・送信して、利用者識別番号を取得する。

② 書面で利用者識別番号を取得する。

③ 法人設立ワンストップサービスから利用者識別番号を取得する。

④ 税理士に依頼し、利用者識別番号を取得する。

※ 既に利用者識別番号を取得されている法人が、再度、開始届出書を提出した場合、これまで e-Tax で提出した申告等の内容を確認することができなくなる。関与税理士がいる法人は、関与税理士から開始届出書が提出されていないことを確認する必要がある。

□ (地方税について電子申告を行う場合で、利用者 ID を取得してない場合) eLTAX
の HP の PCdesk（WEB 版）から利用届出（新規）を行い、利用者 ID を取得したか？→以後、電子証明書の取得等を行う。

（解説）

グループ通算制度の適用法人には法人税の電子申告義務が課されるが、住民税、事業税、消費税は、法人ごとに資本金が 1 億円超の場合に電子申告義務が課される。したがって、資本金が 1 億円以下の通算法人については、地方税について電子申告を行うか選択可能となる。

当社通算グループの通算税効果額の精算規定（例）

（目的）

第 1 条　この規程は、当社を通算法人とするグループ通算制度（以下「当社グループ通算制度」という）の適用法人における通算税効果額の計算と精算について定めることを目的とする。

（適用範囲）

第 2 条　この規程は、当社及び当社の各事業年度に係る法人税及び地方税の確定申告書において当社グループ通算制度が適用される通算法人に該当する会社（以下、当社を含めて「当社グループ通算制度が適用される通算法人」という）に適用される。

（定義）
第3条　この規程において通算税効果額とは、法人税法第64条の5で定める損益通算の規定又は同法第64条の7で定める欠損金の通算の規定その他通算法人及び通算法人であった法人のみに適用される規定を適用することにより減少する法人税及び地方法人税の額に相当する金額として通算法人（通算法人であった法人を含む）と他の通算法人（通算法人であった法人を含む）との間で授受される金額をいう。

2　前項以外の用語については、法人税法の定めに従う。

（授受を行う旨）
第4条　当社グループ通算制度が適用される通算法人において通算税効果額の授受を行うものとする。

2　法人税及び地方法人税の中間申告に係る通算税効果額については精算を行わないものとする。

3　当社グループ通算制度が適用された通算法人において法人税又は地方法人税に係る修正申告があった場合又は更正処分があった場合の通算税効果額の精算については別途定めるものとする。

（計算対象）
第5条　前条第1項の通算税効果額は、次の規定を適用することによる通算税効果額とする。
　（1）　法人税法第64条の5で定める損益通算の規定
　（2）　法人税法第64条の7で定める欠損金の通算の規定
　（3）　租税特別措置法第42条の4で定める試験研究を行った場合の法人税額の特別控除の規定

（計算方法）
第6条　第4条第1項の通算税効果額は当社グループ通算制度が適用される通算法人ごとに次のとおり計算する。
　（1）　法人税法第64条の5で定める損益通算の規定
　　　　通算対象欠損金額又は通算対象所得金額に法人税率を乗じて算出された金額（地方法人税相当額を含む）を通算税効果額とする。
　（2）　法人税法第64条の7で定める欠損金の通算の規定
　　　　被配賦欠損金控除額又は配賦欠損金控除額に法人税率を乗じて算出された金額（地方法人税相当額を含む）を通算税効果額とする。
　（3）　租税特別措置法第42条の4で定める試験研究を行った場合の法人税額の特別控除の規定
　　　　当社グループ通算制度が適用される各通算法人の税額控除額の合計額を当該各通算法人の試験研究費の額の比で按分して算出された金額と当該各通算法人の税額控除額との差額（地方法人税相当額を含む）に基づいて通算税効果額を算出する。

2　当社グループ通算制度が適用される各通算法人は、各事業年度に係る法人税及び地方税の確定申告書に係る明細書において前項で計算された金額を通算税効果額として記載することとする。

（通知）

第7条　前条第1項の通算税効果額の計算は通算親法人が行うものとし、金額の確定後、通算親法人は当社グループ通算制度が適用される通算子法人に対して速やかに通知するものとする。

（精算方法）

第8条　当社グループ通算制度が適用される通算子法人では、自社に係る通算税効果額について、通算親法人を通じて精算するものとする。また、通算親法人に係る通算税効果額の精算は行わない。

（精算時期）

第9条　当社グループ通算制度が適用される通算法人のうち通算税効果額を支払う通算子法人は、自社に係る通算税効果額を当該通算税効果額に係る法人税及び地方税の確定申告書の提出期限までに通算親法人に支払うものとする。

　　2　通算親法人は、当社グループ通算制度が適用される通算法人のうち通算税効果額を受領する通算子法人に対して、当該通算子法人に係る通算税効果額を当該通算子法人の当該通算税効果額に係る法人税及び地方税の確定申告書の提出期限までに支払うものとする。

（承認）

第10条　この規程は、当社グループ通算制度が適用される各通算法人の取締役会において承認されることによって、当社グループ通算制度が適用される通算法人全社で効力が生じるものとする。

　　2　この規程とは別に必要がある場合、当社及び通算親法人又は通算子法人との間で、この規程に基づき覚書を交わすものとする。

（所管）

第11条　この規程の所管は、通算親法人の財務経理部とする。

（改廃）

第12条　この規程の改廃は、通算親法人の「規程管理規程」によるものとする。

　　2　この規程の改廃があった場合、当社グループ通算制度が適用される各通算法人の取締役会において承認されることによって、当社グループ通算制度が適用される通算法人全社で効力が生じるものとする。

附則

（施行）

1　この規程は、2022年4月1日から施行する。

2．グループ通算制度に移行しない場合のタスクとスケジュール

[グループ通算制度に移行しない場合のタスクとスケジュール例（3月決算）]

	復帰直前年度	復帰初年度	復帰2年度目
	4 5 6 7 8 9 10 11 12 1 2 3	4 5 6 7 8 9 10 11 12 1 2 3	4 5 6 7 8

①シミュレーションと移行しない旨の決定
シミュレーションの実施　移行しない旨の決定　決議

②単体納税のシステム導入※
選定　決算システム導入トライアル
※単体納税に戻るため、システムの対応は各法人に任せることも可能　申告システム導入トライアル

③移行しない旨の届出書の提出※
法人税　地方税
※地方税の届出については、各地方自治体の条例等で定められることになるため、今後の改正を確認する

④申告期限延長の手続
法人税　地方税

⑤監査法人との調整
検討・移行しない旨の報告　企業分類の確認、決算方針の確認

⑥子会社説明会※
※単体納税に戻るため、その報告のみ行い、その後の対応は各法人に任せるケースもある。　報告
決算・申告方針（マニュアル・チェックリストを含む）について適宜、説明会・研修会を実施（単体納税のシステム導入は上記②で実施）

⑦決算・申告処理のルールの改訂（マニュアル・チェックリスト）
決算処理に関する単体納税用のマニュアル・チェックリストの策定
※単体納税に戻るため、各法人に任せることも可能
申告処理に関する単体納税用のマニュアル・チェックリストの策定

⑧決算（単体納税ベースの税額計算・税効果計算）

⑨申告書の作成と提出
※単体納税制度への移行で改めて特定法人に該当する法人について、電子申告義務化の届出
※
中間申告
本申告

⑩組織再編・M&A
事前検討と実行

項目	内容及び補足説明
①シミュレーションと移行しない旨の決定	□税額のシミュレーションの実施（移行する場合又は移行しない場合の税額の比較） □繰延税金資産のシミュレーションの実施（移行する場合又は移行しない場合の企業分類の判定と回収可能額の比較） □定性的情報の考慮（事務負担、人件費・システム等のコスト負担、組織再編・M&Aの影響等） □移行しない旨の基本方針の決定 □スケジュールの策定 □取締役会議による移行しない旨の最終決定

390　第4部　連結法人の「グループ通算制度」移行の有利・不利とシミュレーションと実務対応

項目	内容及び補足説明
②単体納税のシステム導入	□単体納税に復帰後もグループで共通の決算・申告システムを利用するか検討 □共通のシステムを導入する場合、システム会社との面談、見積り、デモ画面の確認等（必要な場合、子会社の担当者からも意見交換） □システムの選定 □導入トライアル（直前期の数字によるシステム再現。全グループ法人で実施） □決算直前トライアル（本番直前の操作・入力マニュアル・チェックリストの確認。全グループ法人で実施） □ベンダーごとにシステムのタイプが異なるため、どのシステムを採用するかによってスケジュールも異なる □一方、単体納税に戻るため、システムの対応は各法人に任せることも可能
③移行しない旨の届出書の提出	□連結親法人が令和4年4月1日以後最初に開始する事業年度開始日の前日までに移行しない旨の届出書を税務署長に提出する必要がある（届出書様式：https://www.nta.go.jp/taxes/tetsuzuki/shinsei/annai/renketsu/annai/09.htm） □また、法人税においてグループ通算制度に移行しない旨を届け出たことに関する地方税の届出については、各地方自治体の条例等で定められることになるため、今後の改正を確認する必要がある
④申告期限延長の手続	□連結法人が、過去の単体納税下で法人税又は事業税の申告期限の延長の適用を受けていない場合に、その連結法人が単体納税への復帰後に法人税又は事業税の申告期限の延長を受けるためには、最初に適用を受けようとする事業年度終了日までに、納税地の所轄税務署長又は主たる事務所所在地の道府県知事に対して、申告期限の延長申請書を提出する必要がある □この場合、住民税について、法人税の申告期限の延長の処分に係る事業年度終了日から22日以内にその処分があったことを届け出るため、主たる事務所所在地の道府県知事に対して申告期限の延長の処分等の届出書を提出する必要がある
⑤監査法人との調整	□通算制度の移行の検討と移行しない旨の報告 □単体納税ベースの税効果の適用時期（移行しない旨の届出書を提出した日の属する四半期会計期間。通常、第4四半期）、企業分類（単体納税の分類）の確認、決算方針の確認 □復帰初年度の第1四半期の税金費用の処理方針の確認（原則法又は四半期特有の処理等） □システムにおける計算方法と出力帳票の事前説明 □非連結子会社の対応方法

項目	内容及び補足説明
⑥子会社説明会	□移行しない旨の決定の報告 □共通のシステムを導入する場合、システム導入のキックオフ、研修会・入力会、報告会（マニュアル・チェックリストの説明を含む） □申告期限延長の申請書の書き方・提出方法の説明 □決算・申告方針の説明会（決算スケジュールを含む。必要に応じて、申告の入力会も実施）
⑦決算・申告処理のルールの策定（マニュアル・チェックリスト）	□単体納税復帰後の税金仕訳の統一 □単体納税の決算・申告方針の決定（決算スケジュールを含む） □連結納税用のマニュアルとチェックリストの改訂
⑧決算（単体納税ベースの税額計算・税効果）	□決算における単体納税ベースの税額計算、税効果計算（移行しない旨の届出書を提出した日の属する四半期会計期間から単体納税ベースの税効果計算、復帰初年度の第1四半期から単体納税ベースの税額計算に変更）
⑨申告書の作成と提出	□単体納税の申告書の作成と提出 □復帰初年度の中間申告を仮決算で行うことによる確定決算に向けたレベルアップ効果 □単体納税制度への移行で改めて特定法人に該当する法人について、単体納税制度への移行日から1か月以内に「e-Taxによる申告の特例に係る届出書」を提出しなければならない。 ※なお、連結親法人について、法人税法第81条の24の2第1項及び第2項に規定する特定法人に該当し、既に「e-Taxによる申告の特例に係る届出書」を提出している場合でも、連結納税制度と単体納税制度では、特定法人及び電子申告義務化の該当条項が異なることから、単体納税制度への移行に際し、改めて、「e-Taxによる申告の特例に係る届出書」を提出する必要があるか所轄税務署に確認した方がよい。
⑩組織再編・M&A	□復帰直前年度又は復帰初年度において予定される組織再編、M&Aの検討と実行

[連結納税制度から単体納税制度に移行する場合の申請・届出のチェックリスト　（親法人用）]

（注１）グループ通算制度の施行に対応した申請書・届出書の様式が公表されていないものもあるのため、提出時に国税庁・地方自治体のホームページから最新のものを入手する。

（注２）申請書・届出書には添付書類が必要なものあるため、提出時に国税庁・地方自治体のホームページで確認し、用意する。

（注３）e-Tax で提出可能な申請書・届出書は、e-Tax の HP「利用可能手続一覧」（https://www.e-tax.nta.go.jp/tetsuzuki/tetsuzuki6.htm）で公開されている。

（注４）eL-Tax で提出可能な申請書・届出書は、eL-TAX の HP「eLTAX で利用可能な手続き」（https://www.eltax.lta.go.jp/eltax/gaiyou/tetuduki/）で公開されている。

親法人名：
単体納税制度の移行年度：

□「グループ通算制度へ移行しない旨の届出書」を提出したか？

> 提出期限：
> ※　令和４年４月１日以後最初に開始する事業年度開始の日の前日まで

（解説）

連結法人は、連結親法人が令和４年４月１日以後最初に開始する事業年度開始の日の前日までに「グループ通算制度へ移行しない旨の届出書」を納税地の所轄税務署長に提出することにより、グループ通算制度を適用しない法人となることができる。但し、この場合、グループ通算制度を５年間適用できない。「グループ通算制度へ移行しない旨の届出書」の様式は、国税庁の特設サイト『グループ通算制度について』（https://www.nta.go.jp/taxes/shiraberu/zeimokubetsu/hojin/group_tsusan/index.htm）で公開。

□グループ通算制度へ移行せず、連結法人でなくなったことに関する地方税の届出書を提出したか（なお、地方税の届出は、グループ通算制度へ移行しないための要件となっていない）？

> 提出期限：
> ※　今後、各地方自治体の条例等で定められる。現行制度では、東京都の場合、連結法人でなくなった日から15日以内。

（解説）

グループ通算制度へ移行せず、連結法人でなくなったことに関する地方税の届出については、各地方自治体の条例等で定められることになるため、今後の改正を確認する必要がある（現行制度では、東京都の場合、『法人税に係る連結納税の承認等の届出書（東京都都税条例規則第32号様式（乙）その3）』を連結法人でなくなった日から15日以内に提出する必要がある）。

☐ 過去に単体納税制度において、青色申告の承認を受けていないものについて、「青色申告の承認申請書」を提出したか？

> 提出期限：
> ※　最終の連結事業年度の翌事業年度開始の日以後3か月を経過した日とその翌事業年度終了の日とのうちいずれか早い日の前日まで

（解説）

過去に青色申告の承認を受けていない連結法人がグループ通算制度に移行しない場合で、令和4年4月1日以後最初に開始する事業年度から青色申告を行うためには、最終の連結事業年度の翌事業年度開始の日以後3か月を経過した日とその翌事業年度終了の日とのうちいずれか早い日の前日までに「青色申告の承認申請書」を納税地の所轄税務署長に提出する必要がある（現行の様式は、https://www.nta.go.jp/taxes/tetsuzuki/shinsei/annai/hojin/annai/1554_14.htm）。

☐ 過去に単体納税制度において、法人税に係る申告期限の延長の承認を受けていなかった法人について、法人税に係る「申告期限の延長の特例の申請書」を提出したか？

> 提出期限：
> ※　最初に適用を受けようとする事業年度終了日まで

（解説）

過去の単体納税制度において、法人税に係る申告書の提出期限の延長の特例の適用を受けていない法人が、単体納税制度に復帰した令和4年4月1日以後に開始する事業年度において、法人税に係る申告書の提出期限の延長の特例を適用したい場合、令和4年4月1日以後に開始する事業年度終了の日までに「申告期限の延長の特例の申請書」を納税地の所轄税務署長に提出する必要がある（現行の様式は、https://www.nta.go.jp/taxes/tetsuzuki/shinsei/annai/hojin/annai/1554_12.htm）。

□住民税の「法人税に係る申告書の提出期限の延長の処分の届出書」を提出したか？

> 提出期限：
> ※　法人税の申告期限の延長の処分に係る事業年度終了日から22日以内。

（解説）

住民税は、法人税の申告期限の延長の処分に係る事業年度終了日から22日以内に、主たる事務所所在地の道府県知事に対して、申告期限の延長の処分の届出書を提出する（現行の東京都の様式は、https://www.tax.metro.tokyo.lg.jp/shomei/houjin/13-2a.pdf。事業税に係る申告書の提出期限の延長の承認申請書と合わせて1枚にまとめている）。

□過去に単体納税制度において、事業税に係る申告期限の延長の承認を受けていなかった法人について、事業税に係る「申告書の提出期限の延長の承認の申請書」を提出したか？

> 提出期限：
> ※　最初に適用を受けようとする事業年度終了日まで

（解説）

過去の単体納税制度において、事業税に係る申告書の提出期限の延長の特例の適用を受けていない法人が、単体納税制度に復帰した令和4年4月1日以後に開始する事業年度において、事業税に係る申告書の提出期限の延長の特例を適用したい場合、令和4年4月1日以後に開始する事業年度終了の日までに、主たる事務所所在地の道府県知事に対して申告書の提出期限の延長の承認申請書を提出する（現行の東京都の様式は、https://www.tax.metro.tokyo.lg.jp/shomei/houjin/13-2a.pdf。住民税の法人税に係る申告書の提出期限の延長の処分の届出書と合わせて1枚にまとめている）。

［連結納税制度から単体納税制度に移行する場合の申請・届出のチェックリスト　（子法人用）］

（注1）　グループ通算制度の施行に対応した申請書・届出書の様式が公表されていないものもあるのため、提出時に国税庁・地方自治体のホームページから最新のものを入手する。

（注2）　申請書・届出書には添付書類が必要なものあるため、提出時に国税庁・地方自治体のホームページで確認し、用意する。

（注3）　e-Tax で提出可能な申請書・届出は、e-Tax の HP「利用可能手続一覧」（https://www.e-tax.nta.go.jp/tetsuzuki/tetsuzuki6.htm）で公開されている。

（注4）　eL-Tax で提出可能な申請書・届出は、eL-Tax の HP「eLTAX で利用可能な手続き」（https://www.eltax.lta.go.jp/eltax/gaiyou/tetuduki/）で公開されている。

子法人名：
単体納税制度の移行年度：

□グループ通算制度へ移行せず、連結法人でなくなったことに関する地方税の届出
　書を提出したか（なお、地方税の届出は、グループ通算制度へ移行しないための
　要件となっていない）？

> 提出期限：
> ※　今後、各地方自治体の条例等で定められる。現行制度では、東京都の場合、
> 　　連結法人でなくなった日から15日以内。

（解説）
グループ通算制度へ移行せず、連結法人でなくなったことに関する地方税の届出
については、各地方自治体の条例等で定められることになるため、今後の改正を
確認する必要がある（現行制度では、東京都の場合、『法人税に係る連結納税の
承認等の届出書（東京都都税条例規則第32号様式（乙）その３）』を連結法人で
なくなった日から15日以内に提出する必要がある）。

□過去に単体納税制度において、青色申告の承認を受けていないものについて、「青
　色申告の承認申請書」を提出したか？

> 提出期限：
> ※　最終の連結事業年度の翌事業年度開始の日以後３か月を経過した日とその
> 　　翌事業年度終了の日とのうちいずれか早い日の前日まで

（解説）
過去に青色申告の承認を受けていない連結法人がグループ通算制度に移行しない
場合で、令和４年４月１日以後最初に開始する事業年度から青色申告を行うため
には、最終の連結事業年度の翌事業年度開始の日以後３か月を経過した日とその
翌事業年度終了の日とのうちいずれか早い日の前日までに「青色申告の承認申請
書」を納税地の所轄税務署長に提出する必要がある（現行の様式は、https://
www.nta.go.jp/taxes/tetsuzuki/shinsei/annai/hojin/annai/1554_14.
htm）。

□特定法人に該当する法人について、「e-Tax による申告の特例に係る届出書」を
提出したか？

> 提出期限：
> ※　移行日から 1 か月以内

（解説）

連結子法人が、単体納税制度に移行時に特定法人に該当する場合、電子申告の義
務化の対象となる事業年度開始の日から 1 か月以内に「e-Tax による申告の特例
に係る届出書」を納税地の所轄税務署長に提出しなければならない（現行の様式
は、https://www.nta.go.jp/taxes/tetsuzuki/shinsei/annai/hojin/annai/
etax_01.htm）。

特定法人（電子申告の義務化対象法人）とは、次に掲げる法人をいう。

　　①　その事業年度開始の時における資本金の額又は出資金の額が1億円を超える法人
　　②　通算法人（①に掲げる法人を除く）
　　③　保険業法に掲げる相互会社（②に掲げる法人を除く）
　　④　投資法人（①に掲げる法人を除く）
　　⑤　特定目的会社（①に掲げる法人を除く）

□過去に単体納税制度において、法人税に係る申告期限の延長の承認を受けていな
かった法人について、法人税に係る「申告期限の延長の特例の申請書」を提出し
たか？

> 提出期限：
> ※　最初に適用を受けようとする事業年度終了日まで

（解説）

過去の単体納税制度において、法人税に係る申告書の提出期限の延長の特例の適
用を受けていない法人が、単体納税制度に復帰した令和 4 年 4 月 1 日以後に開始
する事業年度において、法人税に係る申告書の提出期限の延長の特例を適用した
い場合、令和 4 年 4 月 1 日以後に開始する事業年度終了の日までに「申告期限の
延長の特例の申請書」を納税地の所轄税務署長に提出する必要がある（現行の様
式は、https://www.nta.go.jp/taxes/tetsuzuki/shinsei/annai/hojin/annai/
1554_12.htm）。

□住民税の「法人税に係る申告書の提出期限の延長の処分の届出書」を提出したか？

> 提出期限：
> ※　法人税の申告期限の延長の処分に係る事業年度終了日から22日以内。

（解説）

住民税は、法人税の申告期限の延長の処分に係る事業年度終了日から22日以内に、主たる事務所又は事業所所在地の道府県知事に対して、申告期限の延長の処分の届出書を提出する（東京都の現行の様式は、https://www.tax.metro.tokyo.lg.jp/shomei/houjin/13-2a.pdf。事業税に係る申告書の提出期限の延長の承認申請書と合わせて1枚にまとめている）。

□過去に単体納税制度において、事業税に係る申告期限の延長の承認を受けていなかった法人について、事業税に係る「申告書の提出期限の延長の承認の申請書」を提出したか？

> 提出期限：
> ※　最初に適用を受けようとする事業年度終了日まで

（解説）

過去の単体納税制度において、事業税に係る申告書の提出期限の延長の特例の適用を受けていない法人が、単体納税制度に復帰した令和4年4月1日以後に開始する事業年度において、事業税に係る申告書の提出期限の延長の特例を適用したい場合、令和4年4月1日以後に開始する事業年度終了の日までに、主たる事務所所在地の道府県知事に対して申告書の提出期限の延長の承認申請書を提出する（東京都の現行の様式は、https://www.tax.metro.tokyo.lg.jp/shomei/houjin/13-2a.pdf。住民税の法人税に係る申告書の提出期限の延長の処分の届出書と合わせて1枚にまとめている）。

グループ通算制度へ移行しない旨の届出書

※ 整理番号	
※連結グループ整理番号	

税務署受付印

令和　年　月　日

税務署長殿

提出法人（連結親法人）

納　税　地	〒 　　　　　電話（　　　）　　－
（フリガナ）	
法　人　名	
法　人　番　号	|　|　|　|　|　|　|　|　|　|　|　|　|
（フリガナ）	
代表者氏名	

令和4年4月1日以後最初に開始する事業年度以降、グループ通算制度へ移行しないので、所得税法等の一部を改正する法律（令和2年法律第8号）附則第29条第2項の規定により届け出ます。

※　この届出書の提出によりグループ通算制度へ移行しない連結親法人又は連結子法人で最終の連結事業年度終了の日の翌日から同日以後5年を経過する日の属する事業年度終了の日までの期間を経過していないものは、所得税法等の一部を改正する法律（令和2年法律第8号）（以下「令和2年改正法」といいます。）附則第29条第3項の規定により、令和2年改正法による改正後の法人税法第64条の9第1項第3号に掲げる法人とみなされ、その期間は通算親法人又は通算子法人になることができません。

【その他参考事項】

税 理 士 署 名

※税務署処理欄	部門	決算期	業種番号	番号	入力	備考	通信日付印	年月日	確認

（注意事項）

(1)　この届出書は、連結法人が令和4年4月1日以後最初に開始する事業年度からグループ通算制度へ移行しない場合に使用してください。

(2)　提出期限等については以下のとおりです。
　◇　提出法人：連結親法人
　◇　提出期限：当該連結親法人の令和4年4月1日以後最初に開始する事業年度開始の日の前日
　◇　提 出 先：当該連結親法人の納税地の所轄税務署長
　◇　提出部数：1通（調査課所管法人については2通）

(3)　「その他参考事項」欄には参考となる事項を記載してください。

(4)　「税理士署名」欄には、この届出書を税理士又は税理士法人が作成した場合に、その税理士等が署名してください。

(5)　「※税務署処理欄」は記載しないでください。

03.06 改正

（規格A4）

399

2 グループ通算制度に移行する場合又は 移行しない場合の検討事項

❶ グループ通算制度に移行する場合の検討事項

グループ通算制度に移行するにあたって次に掲げる事項を検討する必要がある。

検討事項1	グループ通算制度のシステムの提供時期の確認

既に連結納税制度のシステムを導入している企業については、そのシステムについて、グループ通算制度に対応したシステムにリプレイスされることから、その提供時期を確認する必要がある。

この場合、実務対応報告第42号が強制適用されるのは、令和4年4月1日以後最初に開始する事業年度の期首であり、グループ通算制度の税額計算及び税効果計算を最初に行うのは、令和4年4月1日以後最初に開始する事業年度の第1四半期であり、グループ通算制度の申告書を最初に作成するのは、令和4年4月1日以後最初に開始する事業年度に係る申告期(中間申告を含む)となるが、トライアル等の期間を十分に確保する必要があることから、早いうちにシステム会社にその提供時期を確認する必要がある※。

※ なお、例えば、3月決算の連結親法人がグループ通算制度に移行する場合で、通算親法人が令和4年6月30日に決算期変更をする場合、令和4年4月1日から令和4年6月30日までの期間の事業年度にグループ通算制度が適用されることになる。そして、そのタイミングでグループ通算制度の申告システムが提供されていない場合、直接、e-TAXで作成(入力)するしかなく、多数の通算法人がある通算グループでは申告書の作成が事実上困難になることが予想される。したがって、3月決算の通算親法人がグループ通算制度に移行する場合、その適用初年度については、決算期変更をしない方が賢明であろう。

400 第4部 連結法人の「グループ通算制度」移行の有利・不利とシミュレーションと実務対応

また、連結納税制度下では決算システムを利用してない場合やグループ通算制度への移行に際してシステムを変更したい場合、連結納税制度の採用時と同様にシステムの選定と全通算法人でトライアルをする必要が生じる。

検討事項2	通算子法人の加入・離脱の時期の検討

　グループ通算制度への移行を検討すると同時に、他の法人の完全子法人化や連結子法人の株式譲渡を検討している場合、連結納税制度下又はグループ通算制度下のいずれで加入又は離脱を行うかによって税務上の取扱いが異なることとなる。

　そのため、意図せざる不利益を受けないためにも、いずれの選択肢がよいのか検討する必要がある。

　具体的には次のような考え方となる。

　なお、下記については、税金の減少のみを目的とした加入と離脱を取り扱うものではない。税金の減少のみを目的として加入又は離脱（あるいは両方）を行う行為は、包括的な租税回避防止規定（法人税法第132条、132条の2、132条の3）に抵触する可能性があることに留意する必要がある。

1．加入の時期の有利・不利

　この点、グループ通算制度下で加入すれば、加入法人が時価評価除外法人に該当し、5年前の日又は設立日からの支配関係継続要件又は共同事業性の要件のいずれかを満たす場合、加入時の制限規定（時価評価、繰越欠損金の全額又は一部切捨て、特定資産譲渡等損失額の損金算入制限）が適用されず、不利益を受けない（仮に、加入時の制限規定が適用される場合でも、連結納税制度下の加入時の制限と異なり、必ずしも繰越欠損金が全額切り捨てられるわけではない）。

　一方、連結納税制度下で加入すると、加入法人がグループ内の新設法人又は適格株式交換等に係る株式交換等完全子法人に該当しない限り、加入時の制限規定（時価評価、繰越欠損金の全額切捨て）が適用されることか

401

ら、その場合、不利益を受けることとなる。そのため、一般的にはグループ通算制度下で加入する方が不利益を受けないことが多い。

ただし、最終的には、個別案件ごとに連結納税制度下で加入する場合とグループ通算制度下で加入する場合について、加入時の制限規定の適用の有無とその影響額（時価評価損益、繰越欠損金の切捨て額、特定資産譲渡等損失額）を比較して決定する必要がある。

[グループ通算制度に移行する場合の加入時期の有利・不利]

令和4年4月1日

加入法人の種類	連結納税制度	グループ通算制度
グループ内の新設法人	特定連結子法人に該当するため、不利益は生じない。	グループ化前の繰越欠損金及び含み損資産がないため不利益は生じない。
適格株式交換等の株式交換等完全子法人	特定連結子法人に該当するため、不利益は生じない。	●時価評価除外法人に該当するため時価評価は不要となる。 ●5年前の日又は設立日からの支配関係継続要件又は共同事業性の要件のいずれかを満たす場合、繰越欠損金の切捨て、特定資産譲渡等損失額の損金算入制限は生じない。
50%超のグループ法人のうち、相対取引で完全子法人化した法人	特定連結子法人に該当しないため、時価評価が必要となり、繰越欠損金が全額切り捨てられる。	●適格組織再編成と同様の要件を満たす場合、時価評価除外法人に該当し、時価評価は不要となる。 ●時価評価除外法人に該当する場合で、5年前の日又は設立日からの支配関係継続要件又は共同事業性の要件のいずれかを満たす場合、繰越欠損金の切捨て、特定資産譲渡等損失額の損金算入制限は生じない。
グループ外の法人のうち、相対取引で完全子法人化した法人	特定連結子法人に該当しないため、時価評価が必要となり、繰越欠損金が全額切り捨てられる。	●共同事業要件を満たす場合、時価評価除外法人に該当し、時価評価は不要となる。 ●時価評価除外法人に該当する場合、共同事業性の要件を満たすため、繰越欠損金の切捨て、特定資産譲渡等損失額の損金算入制限は生じない。

2．離脱の時期の有利・不利

　この点、連結納税制度下で離脱する場合は、連結納税制度の投資簿価修正（連結納税制度の適用期間中の利益積立金額の増減額を加減算）が適用され、グループ通算制度下で離脱する場合は、グループ通算制度の投資簿価修正（離脱法人の簿価純資産価額に修正）が適用される。また、グループ通算制度下での離脱については、評価事由に該当する場合、離脱時の時価評価を行った上で投資簿価修正が適用される（この場合、離脱法人では、離脱時に評価損が計上されるか、離脱後に売却損が計上されるかの違いであるため、基本的に有利・不利は生じない）。

　したがって、いずれの制度の下で離脱する方が不利益を受けないかは、両制度の投資簿価修正適用後の株式譲渡損益の違いで判断することになる。

　例えば、次のように連結納税制度下の株式譲渡損益とグループ通算制度下の株式譲渡損益を計算することができる。

　なお、連結納税制度からグループ通算制度に移行した通算子法人は、その移行後2か月以内に通算承認の効力を失ったとしても、投資簿価修正や離脱時の時価評価が適用されない初年度離脱通算子法人には該当しない（令和2年法令改正法令附則7②）。

[グループ通算制度に移行する場合の離脱の時期の有利・不利]
[税務上の帳簿価額]

	連結子法人 A	連結子法人 B	連結子法人 C	連結子法人 D
会計上の帳簿価額	800,000,000	1	120,000,000	50,000,000
加算・減算留保額（別表5の2(1)付表1）	0	99,999,999	0	0
連結納税制度の投資簿価修正額（別表5の2(1)付表2）	300,000,000	▲ 110,000,000	▲ 30,000,000	20,000,000
税務上の帳簿価額	1,100,000,000	▲ 10,000,000	90,000,000	70,000,000

※売却直前の配当を行う前の連結納税制度の投資簿価修正額とする。

[税務上の簿価純資産価額]

	連結子法人 A	連結子法人 B	連結子法人 C	連結子法人 D
利益積立金額（別表 5 の 2 ⑴付表 1）	200,000,000	▲ 190,000,000	▲ 55,000,000	20,000,000
資本金等の額（別表 5 の 2 ⑴付表 1）	300,000,000	200,000,000	20,000,000	200,000,000
簿価純資産価額	500,000,000	10,000,000	▲ 35,000,000	220,000,000

※グループ通算制度移行後に株式の売却を行う場合で、離脱時の時価評価が適用される場合、利益積立金額は時価評価適用後の金額となる。

[シミュレーション時点の投資簿価修正の影響額]

	連結子法人 A	連結子法人 B	連結子法人 C	連結子法人 D
想定売却価額	利益積立金配当後の簿価純資産価額 300,000,000	簿価純資産価額 10,000,000	増資で債務超過解消後の簿価純資産価額 0	利益積立金配当後の簿価純資産価額 200,000,000
A：連結納税制度下の株式譲渡損益（＋：益、▲：損）	▲ 600,000,000	20,000,000	▲ 125,000,000	150,000,000
B：グループ通算制度下の株式譲渡損益（＋：益、▲：損）	0	0	0	0
株式譲渡損益の差異（＋：通算制度下不利、▲：通算制度下有利）	600,000,000	▲ 20,000,000	125,000,000	▲ 150,000,000
税額の差異（30%）（＋：通算制度下不利、▲：通算制度下有利）	180,000,000	▲ 6,000,000	37,500,000	▲ 45,000,000

※売却直前に配当を行う場合、連結納税制度の投資簿価修正額は配当金の分だけ減少することになる。

※最終的な株式譲渡損益の差は株式の取得価額と最終利益積立金額（連結納税制度の開始・加入直前の簿価純資産価額）との差額と一致する。

検討事項3	通算グループ内の組織再編の時期の検討

　グループ通算制度への移行を検討すると同時に、通算グループ内の組織再編又は通算子法人の残余財産の確定を検討している場合、連結納税制度下又はグループ通算制度下のいずれで組織再編又は残余財産の確定を行うかを検討する必要がある。

　この点、連結法人間の適格合併でも、通算法人間の適格合併でも、被合併法人である連結子法人又は通算子法人の法人税の繰越欠損金に引継制限は課されない（旧法令155の21②二、法法57②、法令122の2⑥）。

　同様に、連結子法人の残余財産の確定でも、通算子法人の残余財産の確定でも、残余財産確定法人である連結子法人又は通算子法人の法人税の繰越欠損金に引継制限は課されない（旧法令155の21②二、法法57②、法令122の2⑥）。

　また、連結法人間の適格合併等でも、通算法人間の適格合併等でも、合併法人等である連結法人又は通算法人の法人税の繰越欠損金に利用制限は課されない（法令122の2⑦）。

　そして、それ以外の取扱い（適格要件、住民税の欠損金の引継ぎ、事業税の繰越欠損金の利用制限、組織再編税制に係る特定資産譲渡等損失額の損金算入制限、株主の税務等）についても、連結法人間の組織再編と通算法人間の組織再編又は連結子法人の残余財産の確定と通算子法人の残余財産の確定について、基本的な取扱いは異ならない（基本的に単体納税制度と同じ取扱いとなる）。

　そのため、タイミングの違いによる要件判定への影響以外は、連結納税制度下又はグループ通算制度下のいずれで組織再編又は残余財産の確定を行っても有利・不利は生じない。

　ただし、連結法人間の適格合併については、被合併法人となる連結子法人の株式について投資簿価修正は行われないが、通算法人間の適格合併に

405

ついては、被合併法人となる通算子法人の株式について投資簿価修正が行われることになる（旧法令9②三、法令119の3⑤）。そのため、親子間の合併の場合は抱合株式の帳簿価額（資本金等の額から減額）に差異が生じることになる。

❷ グループ通算制度に移行しない場合の検討事項

単体納税制度に復帰するにあたって、次に掲げる事項を検討する必要がある。

検討事項1 単体納税制度のシステムの選定

グループ通算制度に移行せずに単体納税制度に復帰する場合、連結納税制度のシステムから単体納税制度のシステムに変更する必要がある。単体納税制度のシステムとは、単体申告用のソフトウェアやエクセルで行う税額計算・税効果計算を含むが、その選定に当たっての検討事項は次の点が挙げられる。

① 現在、連結納税制度のシステムを提供する会社が提供する単体納税制度のシステムを利用するか？

この点、連結納税制度と単体納税制度のシステムの入力画面や操作性などが類似している場合は、単体納税制度のシステムへの移行がスムーズに行われるという利点がある。

② グループで共通のシステムを利用するか、個社ごとに自由に決めてもらうか

この点、単体納税制度であるため、個社ごとに決めればいい、というスタンスも当然ある。その一方で、グループで共通のシステムを利用することで、親法人が子法人の税務申告を把握することができるし、税務処理も統一しやすく、加算・減算項目（一時差異項目）などの統一も図ることが

406 第4部 連結法人の「グループ通算制度」移行の有利・不利とシミュレーションと実務対応

できるため、グループ全体の税務ガバナンスや親法人の業務の効率化の観点から共通のシステムを採用することも検討する必要がある。

以上、単体納税制度に復帰するにあたり、親法人は、上記①②について検討した上でコストを考慮して最終判断をする必要がある。

検討事項2　連結子法人の加入・離脱の時期の検討

単体納税制度への復帰を検討すると同時に、他の法人の完全子法人化や連結子法人株式のグループ外への譲渡を検討している場合、連結納税制度下又は単体納税制度下のいずれで完全子法人化又は株式譲渡を行うかによって税務上の取扱いが異なることとなる。

そのため、意図せざる不利益を受けないためにも、いずれの選択肢がよいのか検討する必要がある。

この点、他の法人の完全子法人化については、連結納税制度下で加入をすると、適格株式交換等による株式交換等完全子法人に該当しない限り、特定連結子法人に該当しないため、加入時の制限規定（時価評価、繰越欠損金の切捨て）が適用されるため、基本的に単体納税制度に復帰した後に完全子法人化した方が不利益を受けないことになる。

また、連結子法人株式の譲渡については、連結納税制度下で株式譲渡をした場合も、連結納税制度を取りやめた後に単体納税制度下で株式譲渡をした場合でも、連結納税制度の投資簿価修正を行った後の子法人株式の帳簿価額で売却処理をするため、株式譲渡損益に与える影響は基本的に変わらない※。

> ※　ただし、単体納税制度に復帰する前に株式譲渡をする場合、離脱日から復帰日の前日までの利益積立金の増減額が投資簿価修正の対象にならないため、復帰後に株式譲渡をする場合と投資簿価修正額（株式譲渡損益）が完全に一致するわけではない。

そのため、連結納税制度下で株式譲渡をする場合と単体納税制度下で株式譲渡をする場合で基本的に有利・不利は生じない。

検討事項3	連結グループ内の組織再編の時期の検討

　単体納税制度への復帰を検討すると同時に、連結グループ内の組織再編又は連結子法人の残余財産の確定を検討している場合、連結納税制度下又は単体納税制度下のいずれで組織再編又は残余財産の確定を行うかを検討する必要がある。

　この点、連結法人間の適格合併では、被合併法人である連結子法人の法人税の繰越欠損金に引継制限は課されない（旧法令155の21②二）。

　同様に、連結子法人の残余財産の確定では、残余財産確定法人である連結子法人の法人税の繰越欠損金に引継制限は課されない（旧法令155の21②二）。

　また、連結法人間の適格合併等では、合併法人等である連結法人の法人税の繰越欠損金に利用制限は課されない。

　一方、単体納税制度下のグループ法人間の適格合併等では、組織再編税制に係る一定の要件を満たさない場合、被合併法人等又は合併法人等、あるいは、残余財産確定法人の法人税の繰越欠損金に利用制限が課されるケースが生じる。

　また、それ以外の取扱い（適格要件、住民税の欠損金の引継ぎ、事業税の繰越欠損金の利用制限、組織再編税制に係る特定資産譲渡等損失額の損金算入制限、株主の税務等）については、連結納税制度でも単体納税制度でも基本的な取扱いは異ならない。

　そのため、一般的には、連結納税制度下で連結グループ内の組織再編又は残余財産の確定を行う方が不利益を受けない。

　但し、実際には、連結納税制度の開始・加入時に一度、時価評価や繰越欠損金の切捨てが行われている、あるいは、既に50％超のグループ化から5年を経過していることも多いと思われるため、その場合、単体納税制度下でグループ内の組織再編又は残余財産の確定を行っても不利益を受けな

いケースも多いだろう。

なお、連結法人間の適格合併については、被合併法人となる連結子法人の株式について投資簿価修正は行われないが、連結納税制度を取りやめた後、単体納税制度下で行われる場合は、連結納税制度を取りやめた際に投資簿価修正が行われているため、投資簿価修正後の株式の帳簿価額により処理が行われることになる。この場合、被合併法人の株式の合併直前の帳簿価額が異なることになり、親子間の合併の場合は抱合株式の帳簿価額（資本金等の額から減額）に差異が生じることになる。

この点、残余財産の確定を行った場合の残余財産確定法人の株式についても同様となる。

●著者紹介

足立 好幸（あだち・よしゆき）
公認会計士・税理士。税理士法人トラスト
専門：グループ通算制度・連結納税制度・組織再編税制。
著書に、『連結納税採用の有利・不利とシミュレーション』
『グループ法人税制 Q&A』『M&A・組織再編のスキーム選択』（以上、清文社）
『グループ通算制度の実務 Q&A』『早わかり連結納税制度の見直し Q&A』
『連結納税の税効果会計』『ケーススタディでわかる連結納税申告書の作り方』
『連結納税の組織再編税制ケーススタディ』『連結納税の清算課税ケーススタディ』
『連結納税の欠損金 Q&A』『連結納税導入プロジェクト』（以上、中央経済社）
など多数。

グループ通算制度への移行・採用の有利・不利とシミュレーション

2021年11月15日　発行

著　者	足立 好幸 ⓒ
発行者	小泉 定裕

発行所　株式会社 清文社	東京都千代田区内神田1−6−6（MIF ビル） 〒101-0047　電話 03(6273)7946　FAX 03(3518)0299 大阪市北区天神橋2丁目北2−6（大和南森町ビル） 〒530-0041　電話 06(6135)4050　FAX 06(6135)4059 URL https://www.skattsei.co.jp/

印刷：亜細亜印刷㈱

■著作権法により無断複写複製は禁止されています。落丁本・乱丁本はお取り替えします。
■本書の内容に関するお問い合わせは編集部まで FAX（03-3518-8864）または edit-e@skattsei.co.jp でお願いします。
■本書の追録情報等は、当社ホームページ（https://www.skattsei.co.jp/）をご覧ください。

ISBN978-4-433-71091-0